CHRISTIAN MØRK

DARLING JIM

ROMAN

POLITIKENS FORLAG

INDHOLD

"På Cromwells tid var Irland særlig plaget af ulve, som man sagde tog til i antal, hvorfor man traf særlige forholdsregler for deres udryddelse ... Den nøjagtige dato for deres endelige forsvinden kan i dag ikke fastsættes med sikkerhed."

— FRA THE ENCYCLOPAEDIA BRITANNICA, 1911

FORSPIL

HVAD DESMOND
BEMÆRKEDE

1

Malahide, lige nord for Dublin. For ikke så længe siden.

Længe efter at man havde desinficeret huset til de nye ejere og stedt de afdøde trygt til hvile, holdt folk sig stadig fra det. "Det er forhekset," hviskede kvarterets sladretanter og nikkede med eftertryk. "Scjt, et *spøgelseshus*," råbte børnene derimod, men turde alligevel ikke træde mere end en flise eller to op ad havegangen, før modet slap op.

For hvad postbuddet Desmond havde set derinde som den allerførste, var uhyrligt. Ja, næsten ubeskriveligt.

Desmond var populær hos alle, selv om han muligvis var lidt for nysgerrig. Hans arbejdsdag var så ritualiseret, at han altid lagde mærke til, hvis nogens græsplæne trængte til en kærlig omgang, eller om malingen på deres flagstang var begyndt at skalle af. Hvis man senere havde lagt denne pertentlighed oven i hans skyldfølelse over at have bemærket alle disse detaljer uden at have forstået deres *egentlige* betydning, ville man begynde at indse, hvorfor han gik fra forstanden.

Det var på den allersidste dag i Desmonds liv, hvor han stadig følte nogen glæde, at han afleverede dagens post så langsomt, han kunne uden at blive kaldt for vindueskigger. Grunden var en feinschmeckers kærlighed til god kaffe, som han gerne nød hos naboerne overalt i det stille kvarter ved banegården.

Han begyndte som sædvanlig, hvor pubberne nede på New Street tørnede sammen med betonmarinaens forlorne tyrolercharme, og fortsatte ud mod Bissets Strand. Gamle Des tittede ind ad vinduerne for at se, om nogen, han kendte, tilfældigvis ventede derinde med en frisklavet kande. Han blev ikke skuffet og havde snart drukket to kopper, før han var nået hen for enden af den første karré. De fleste i byen havde for længst accepteret hans behov for opmærksomhed. Der var almindelig forståelse for hans laden, som om han "bare lige kom forbi", for netop dét ritual gav ham fornemmelsen af, at han var en del af nogens liv, bare for en stund. Han sagde altid, "Bønnen dufter fremragende". Han trak aldrig sine besøg i langdrag. Og han smilede, når han så én – det var især det, der fik alle til at overgive sig til dette sære lille væsen. Han kunne fyre op for et grin så bredt som en horisont.

Før han fandt ligene, anså man Desmond for at være komplet uskadelig.

Resten af hans liv efter fyraften, så pauvert som det nu var, tilbragte han på sikker afstand af tilværelsens risici nede på Gibney's Pub. Her stjal han flygtige glimt af pigernes ben, når deres kærester var ovre og bestille flere øl, og tabte resten af sin beskedne løn ved siden af inde hos bookmakeren, når der var hestevæddeløb. Og det var der tit. Han havde slæbt sin sorte postsæk op og ned ad den gamle strandbys sprukne fortove i mere end atten år og gloet på de samme askegrå huse, hvis maling havet for længst havde slikket af. Det var selve monotonien, der gjorde ham tryg. Idéen om bare at tage en togtur ind til Dublin, som ikke lå meget mere end en halv time borte, ville have krævet et behov for at blive overrasket og inspireret, som han aldrig havde følt. Desuden ville et sådant eksperiment have forstyrret hans møjsommeligt udarbejdede rute, som kastede mindst fire gode kopper af sig inden frokost.

Når han gik forbi ude på fortovet, kunne folk indenfor i køkkenerne høre ham nynne. Det var mest vrøvlevers, han bare fandt på. Han sang som en brækket arm, men swingede så indædt til rytmen, at det betød langt mere. Han var lykkelig på en måde, som kun børn i syvårsalderen som regel kan være det.

Senere væddede naboerne med hinanden om, hvornår det nynneri burde have advaret dem.

Det var hen under middag enten den 24. eller 25. februar – folk kunne ikke rigtig huske det bagefter – at byens tolerante mening om Desmond ændrede sig for evigt. Solen skinnede ikke. Gud vendte sit åsyn bort fra Strand Street nummer ét og sendte i stedet et sorggråt skytæppe ind over byen for at tildække noget, der snart ville se dagens lys og ikke kunne tåle det i ufortyndet tilstand. Det skulle vise sig at være et passende farvevalg. Og således vinkede postbuddet Desmond Kean i lykkelig

12

uvidenhed til gamle mrs. Dingle oppe på anden sal i *Howard's Corner*-bygningen og lettede på kasketten for mrs. Moriarty, som var ved at åbne sin frisørsalon. Han nynnede en helt ny sang, mens sækken langsomt blev lettere.

Men da han havde afleveret post nede i mormorkvarteret på Bissets Strand, var vendt om og igen stod foran havelågen på hjørnet af Old Street og Gas Yard Lane, tøvede han alligevel. Han kiggede efter i tasken og kunne se, at der kun var to reklameaviser fra det lokale Londis-super-marked til mrs. Walsh tilbage. I dagene, der fulgte, ville Desmond spole frem og tilbage inde i sit febervilde hoved for at huske, hvornår han først burde have bemærket, hvor utilpas han altid blev på netop dén adresse. Huset så nu almindeligt nok ud med sin visne, beigefarvede facade, som havde "ægte" schweiziske træudskæringer.

Men mens han stod der, hviskede huset som sædvanlig en advarsel om sin beboer, som han altid tidligere havde været for høflig til at lytte til.

Mrs. Walsh havde først ladet Desmond kalde sig "Moira" efter et års tid med ihærdige kaffebesøg. Hun var angivelig kommet til byen for tre år siden fra en ravnekrog, hun ikke havde videre lyst til at fortælle om. Folk sagde, det var en flække et sted ude i den vestligste del af Cork-eg-nen. Hun var omkring de femogfyrre og stadig flot at se på. Hendes an-sigt var understøttet af den slags heldige knoglebygning, som langt hen i alderdommen stadig ville få mænd til at vende sig om. I de ganske sjæld-ne tilfælde, hvor Desmonds vittigheder aftvang hende et smil, kunne man se, hvor smuk hun var. Men hun havde også tillagt sig en hårdhed, der blomstrede op som åbent fjendskab, når folk kom hende for nær. Naboers forsigtige invitationer til te blev pure afvist. Og når nogle af dem alligevel nødede hende ved at komme forbi med hjemmelavet citron-kage, lod Moira fadet stå ude foran hoveddøren, indtil vilde katte endelig åd kagerne.

Af de mange nysgerrige sjæle lykkedes det kun Desmond nogen sinde at blive inviteret indenfor hos den afvisende tilflytter. Sikkert på grund af hans troskyldighed og insisterende blindhed over for andre menneskers skjulte sider. Men engang tilbage i november var mrs. Walsh pludselig holdt op med at åbne døren, når Desmond ringede på. Hans efterfølgen-de forsøg på at genetablere forbindelsen med hende, når de mødtes på gaden, blev ligeledes afvist. Mrs. Walsh, som sjældent blev set uden for sine egne fire vægge til at begynde med, styrede simpelthen lige forbi ham uden et ord. Hun var begyndt at gå med en lang, kakifarvet overfrakke og havde viklet et tørklæde omkring hovedet, så hun lignede en gammel mumie. Hun bød ham aldrig siden indenfor. Som alle andre skønnede Desmond, at hun sikkert havde været ude for en tragedie, og at man derfor skulle give hende plads uden at trænge sig på.

Og dog.

Nu, da Desmond igen stod uden for mrs. Walshs hoveddør med de kulørte tryksager i hånden, fik den *fornemmelse*, han havde haft gennem de sidste ugers tid, ham til at tøve. For nylig havde han afskrevet lydene, han havde hørt derindefra, som stemmer fra radio eller tv. Han synes, han havde hørt klynken og måske endda barnegråd. En enkelt gang havde han bemærket højlydt dunken inde bag væggen, og gardinerne på førstesalen var blevet flået til side for derefter at blive trukket for igen. Men da Desmond udelukkende var ganske almindelig nysgerrig og hverken særlig dristig eller ligefrem tapper, bortforklarede han det hele med, at det nok bare var ensomme menneskers excentricitet. Og dét var en stamme, han desværre selv tilhørte.

Jo nærmere han kom hen imod brevsprækken, desto mere stod alle de små hår på hans arm ret som små, blonde fyrretræer. Han syntes, han kunne lugte noget. Lidt ligesom fordærvet stuvning. Han var ikke sikker på, hvor stanken kom fra. Det kunne være tang, der rådnede nede på stranden, eller måske nogens køleskab, hvor stikket var røget ud.

Men det vidste han godt, det ikke var.

Desmond ignorerede endelig sine egne upræcise advarselsblink, bukkede sig og åbnede messinglemmen. Han pressede Londis-reklamerne gennem den. Han lagde mærke til en bunke uåbnet post derinde.

Og så standsede han.

Allerlængst inde, hvor han kunne huske, at dagligstuen lå, kunne han se, hvad han var ret sikker på var en menneskehånd.

Den var blåsort, oppustet som en operationshandske og stak ud et sted inde fra den tilstødende stue. Armen, den var forbundet med, var ligeledes tyk og pølseagtig, som om nogen havde fyldt den med vand. Der lå et armbåndsur ved siden af, hvis rem hævelsen for længst havde revet itu.

Desmond strakte hals og kunne lige akkurat se lidt mere af mrs. Walshs afsjælede legeme, som havde mørke pletter på søndagskjolen. Han kunne have svoret på, at hun trods alt smilede. Des undgik med nød og næppe at kaste op på sine sko og løb hen om hjørnet for at alarmere betjentene på den lokale garda-station.

Og for første og sidste gang i sit liv undlod han at aflevere posten.

Efter at garda-betjentene nede fra byen havde brudt låsen op, trådte de til side, så teknisk afdeling fra hovedkvarteret i Phoenix Park kunne komme til med deres astronautagtige overtræksdragter. To af dem gik forsigtigt indenfor, godt bakket op af hundepatruljen. Dyrene hylede og peb, da det indtørrede blod begyndte at tale til dem, og førerne havde besvær med at holde dem tilbage. En astronaut i fuld, hvid beskyttelsesmundering knælede ned ved Moiras lig og undersøgte hendes kranium. Der var flere fordybninger over det ene øje, som om nogen havde slået hende flere gange med et stumpt våben, men ikke hårdt nok til at dræbe hende på stedet. Dødsårsagen blev senere fastslået som værende et massivt, traumatisk subduralt hæmatom. Med andre ord havde Moira Walsh fået et slagtilfælde som følge af brutal vold og var død kun få minutter senere. Hun havde ligget der i mindst tre dage.

En kriminalinspektør troede først, at det var et røveri, der havde udartet i mord. Men da han senere fik den fulde sandhed at vide, hørte kollegerne ham lavmælt sige, at "den lede sæk fortjente hvert eneste af de slag og mere til". For så vidt politiet var interesseret i sagen, blev Moiras egen død nemlig hurtigt det mindste af det.

Man fandt skrabemærker på væggene, som om mere end én person havde væltet rundt på trappen og gulvet, uden at den ene fik bugt med den anden i tide. Der var spor efter skosværte og læder på panelerne, og de håndmalede billeder af Det Hellige Land hang skævt. De samme tegn på kamp kunne ses overalt nedenunder, og de allermest grønne betjente blev urolige. En lokal garda åbnede skabet under vasken og fandt et stort parti rottegift. En anden opdagede, at Moira havde en halskæde på, som var lavet af jern og svejset fast bag i nakken, så den ikke kunne tages af. Fra en ring deri hang der flere end ti forskellige nøgler i lange kæder, som heller ikke lod sig fjerne. "Hun må have raslet en del, når hun tog brusebad", bemærkede en *garda* i et klodset forsøg på at fordrive den uhygge, de alle kunne mærke omkring sig. Efter at en boltsaks havde fjernet nøglerne, opdagede man, at de passede i alle husets døre. Men kun udefra. Der fandtes ingen andre nøgler nogetsteds. Og langt de fleste rum, politiet fandt frem til, var gabende tomme.

Teknisk afdeling konkluderede, at mrs. Walsh måtte have fået tildelt slagene ovenpå og først derefter kæmpet sig ned ad trappen, hvorefter hun udåndede kun få centimeter fra telefonen. Et fint blodspor førte derfra og op på første sal.

Betjentene grinede ikke længere, da de gik derop for at afprøve astronauternes teori. Den ene fangede sin kollegas nervøse blik, da de begge satte skulderen imod den eneste dør, man ikke havde kunnet åbne. For lugten derindefra var nu stærkere, end den havde været omkring mrs. Walsh. De skammede sig derfor ikke over at få hjælp fra en bevæbnet *garda*, lige idet de åbnede døren og afslørede, hvad Desmond havde bemærket uden at have set noget som helst.

Pigen lå sammenkrøllet op ad døren med begge hænder foldet omkring en rusten skovl, som var hun fordybet i bøn.

"*Jaysus!*" skreg den yngste *garda* og støttede sig til dørkarmen. Nedenunder hylede hundene, og deres kløer klikkede hårdt mod trægulvet.

Sved og skidt havde farvet hendes røde hår næsten helt sort. Fingrene var slanke og elegante, men havde kun to negle tilbage, og hendes ribben var skarpt aftegnet mod det tynde lag silke, som engang havde været en sommerkjole. Den stakkels pige var kommet ublidt herfra, var politiet enige om. Men de kunne ikke sige med sikkerhed, om det var stiksårene i hendes skød eller hendes halvopløste indvolde, som fik krammet på hende først. Det var ganske rigtigt hendes fingeraftryk på skovlens skaft, og bladets form stemte overens med mærkerne i mrs. Walshs pande. Man skønnede, at den unge pige havde forfulgt hende halvvejs ned ad trappen, før noget havde afbrudt jagten. Man fandt snart en kniv bag sofaen, og mrs. Walshs fingeraftryk på skæftet viste, at hun havde stukket pigen hele treogtyve gange.

"Den stakkels pige forblødte ret hurtigt," sagde en garvet betjent og pudsede næse.

Retsmedicinsk rekonstruerede hurtigt forløbet. En ulige kamp havde

16

først fundet sted ovenpå, hvor mrs. Walsh først havde forsøgt at bryde døren op og endelig tiltvunget sig adgang. Men det havde taget tid. Den unge kvinde havde ikke overgivet sig uden kamp. Eksperterne registrerede forbløffet, at ingen af dørene havde nøglehuller på indersiden. Man fandt rester af rå kartofler og muggent brød under sengen, hvor pigen tydeligvis havde været tvunget til at spare kalorier nok sammen til et måltid. Af dømme efter underernæringen måtte hun have boet derinde i mindst tre måneder. Fodlænker og håndjern hang pivåbne i begge ender af en smedejernsseng, og de så godt brugte ud. Den allermindste af den selvbestaltede fængselsinspektørs nøgler passede til begge dele. Pigen havde røde mærker i huden der, hvor metallet havde snæret.

Hun havde været fange. Slave, endda. Igennem lang tid. Der var ingen anden forklaring.

Og slet ingen fattede mistanke til hendes bøddel, som tidligere havde skænket frisk kaffe til Desmond, før det var for sent.

"Vi havde ingen anelse om det her," bedyrede en stakåndet herre fra de sociale myndigheder, da han ankom og skulle forholde sig til den ubehagelige tanke, at den menneskesky mrs. Walsh fra bøhlandet havde holdt *slaver* lige for næsen af naboerne. "Vi vil omgående undersøge det nærmere." Men da han undgik de mange vrede blikke, mens han hastigt fortrak igen, vidste alle, at det var totalt bullshit. Den selv samme kvinde, som havde boet for sig selv henne for enden af gaden, havde været et vaskeægte uhyre. Og ingen, specielt ikke staten, havde gidet lægge mærke til det.

Mens alt dette stod på, og astronauterne, ordenspolitiet og hundene alle foldede deres del af mysteriet ud, vidste Desmond mere end nogen anden, hvor sandt det var.

Fra det øjeblik, hvor den første ambulance var kommet for at afhente den stakkels pige, var han blevet stående på den anden side af gaden. Han holdt fast i et stakit for ikke at synke sammen, mens han stirrede på den chokoladefarvede hoveddør henne ved nummer ét. Og da det nådige mørke endelig lagde sig over byen, havde han stadig ikke flyttet sig. Et ulykkeligt, spøgelsesagtigt smil havde erstattet det venlige udtryk, han normalt fremviste, inden han bad om en kop kaffe. Og de samme mennesker, som tidligere havde båret over med hans løjerlige opførsel, så med misbilligelse, at den halvskaldede mand nu forsøgte at kigge gennem ambulancens bagrude og ind til den unge piges lemlæstede lig. Hans mange svedige blikke ind ad deres *egne* vinduer fik en helt ny og væmmelig betydning. Desuden føltes det så rart, når man sådan kunne tørre sin egen kollektive skyldfølelse af på den eneste syndebuk, der passede til formålet.

"Den ulækre ådselæder," hørte man en mor sige med eftertryk, mens hendes udtværede læbestiftmund formede ordene. "Snyltegæst!" tilføjede en anden. De havde begge skænket blå Colombia op til Desmond dagen forinden.

Men selv om man nemt kunne have tolket hans indiskrete blikke som upassende nysgerrighed, eller endda seksuel opstemthed, tog de begge fejl. Hvis de kunne have skruet Desmonds hoved af og stirret hele vejen ned til hans hjerte, ville de ikke have fundet andet end den sorteste, mest klistrede skam og skyldfølelse. Nu gav de underlige bankelyde nemlig mening. Stemmerne inde fra huset kunne have været ... nej, havde med sikkerhed været råb om hjælp umiddelbart før en grusom død. Desmond smilede forlegent til nabokonerne, som ikke nedlod sig til at anerkende hans kontaktsøgen. De holdt i stedet blikket stift rettet mod gadedøren i nummer ét, som om de ville blive bedre naboer, hvis de stirrede på den længe nok.

Det var blevet nat. Astronauterne havde klappet deres telte sammen og var kørt ned til politigården i Dublin med alt det, de havde fundet. Kødranden stod stadig og gloede dumt, da Desmond atter hørte en lyd derindefra, som var en blanding af et skrig og et hvin. Nogen var blevet overrumplet og ikke på den behagelige måde. Et par sekunder senere stod den samme unge *garda*, som havde fundet pigen, i døren. Hans askegrå ansigt var blevet strakt i alle de forkerte retninger. Han havde allerede set en del, men det, han lige havde opdaget, overgik hans erfaring med menneskelig grusomhed.

"Sergent", sagde han og prøvede at synke noget. "Noget, vi overså lige før ..."

Det var en af hundene, som havde nægtet at flytte sig. Den var gået forbi en bogreol oppe på første sal og havde lagt sig ned og klynket. Ikke hylet som før, men pebet, som om den allerede sørgede over det, den fornemmede lige i nærheden.

Da de nervøse *gardaí* omsider fik bugseret reolen væk og åbnede den skjulte lem bagved, fandt de en pige til.

"Hun er yngre end den første," udtalte retsmedicineren senere på ugen efter at have obduceret alle tre kvinder. Han tog gummihandskerne af med et indøvet smæld, der mod sædvane føltes aldeles glædesløst.

Hende her havde forskanset sig i et lille pulterkammer, som egentlig var en del af ydermuren. Man havde ikke fundet legitimation på hende, men hun var formentlig først i tyverne og havde sammenfiltret sort hår, som sikkert havde været smukt, mens hun stadig kunne rede det. Hendes hud var ikke skæmmet af slag, men fyldt med åbne sår på grund af proteinmangel og dårlig hygiejne. I modsætning til den første pige var hun død, fordi hendes organer havde svigtet. Årsagen var gradvis forgiftning og underernæring. Begge arme var så tynde, at der ingen muskler var tilbage. Da man fandt hende, lå hun med et beskidt tæppe over sig. Som en hund, der havde fået tæsk. Hendes hud var lige så mærket af at have været lænket gennem længere tid, som det var tilfældet med den første pige, politiet fandt. Faktisk låste en af de nyankomne *gardaí* hendes fodlænker op, fordi han kunne se, at den strammede. Selv nu.

Hvad ingen kunne finde ud af, var, hvorfor begge hendes håndflader var fyldt med tørrede blækpletter. En utæt fyldepen blev snart fundet, men ikke noget papir. Hvis hun i sin fængselscelle havde skrevet til nogen efter hjælp, hvor var beskeden så blevet af?

Der gik et par dage til, mens politiet katalogiserede hver en flig og stump af mulige beviser, de havde fundet i huset. Det hele var lige ved at blive en rutinesag.

Og så, da en af Moira Walshs mange nøgler viste sig at passe i låsen til en skænk, voksede hele historien sig endnu grimmere. For den rendyrkede ondskab, politiet fandt derinde, fik selv den ledeste sladretante til at holde sin kæft.

Man fandt først to kørekort i skuffen. Det ene var udstedt til en rødhåret, velnæret pige ved navn Fiona Walsh på fireogtyve, som kom fra Castletownbere ude på Cork-egnen. Hun var tydeligvis den første, man havde fundet. Det andet kort tilhørte toogtyveårige Róisín Walsh, hvis sorte krøller og snehvide hud slet ingen lighed havde med det indtørrede skeletvæsen, der nu lå på en stålbriks nede i lighuset ved siden af sin sø-ster. Man havde ikke helt styr på, hvornår de to piger var ankommet til huset, men det var heller ikke lige dét, der fik folk til at rive aviserne væk den uge. Næh, den saftige detalje, som gav både *The Evening Herald* og *The Irish Daily Star* kronede dage, der varede længere, end selve chok-effekten kunne bære, var noget, de fleste allerede havde gættet.

Fiona og Róisín var ikke bare søskende.

Moira var deres tante.

SLAVESØSTRE DRÆBT AF TORTURTANTE, gøede én overskrift. *DØDSTANTE GAV SØSTRE ROTTEGIFT*, udbasunerede en anden. Og på trods af deres mangel på takt havde de faktisk begge ret. Man slog fast, at pigerne i mindst syv uger havde indtaget en uafbrudt – og stigen-de – dosis af det anti-blodstørknende præparat *coumatetratyl*. Man brug-te det ellers kun til at slå rotter ihjel med. Mrs. Walsh havde hældt det i deres vand, og hvad man kun dårligt kunne have kaldt mad. "Kort for-talt," sagde retsmedicineren trist, "så faldt deres organer langsomt fra hinanden. Og hvad de har haft af sår, har ikke kunnet læges. Den yng-ste døde af sine indre blødninger. Og de har begge ligget i håndjern hver nat. Tanten har virkelig regnet det her godt ud."

Aviserne samt Desmonds tidligere venner og naboer foretrak en kor-tere beskrivelse. De syntes bare, det var djævelsk. Og det havde de sådan set også ret i.

Men den gamle skænk havde stadig ikke afsløret spor af, *hvorfor* alt dette var sket.

Blandt de mange indsamlede effekter havde man fundet op til flere små plasticposer med klumper af sort jord. En nærmere analyse afsløre-de, at poserne også indeholdt en knap, en damaskserviet med blonder, en krøllet pakke Marlboro Light og en affyret patron til et 12-kalibret hagl-gevær. Ingen af disse genstande havde tilsyneladende noget med hinan-den at gøre bortset fra, at mulden omkring dem havde samme pH-værdi. Politiet fandt også noget dyrt brevpapir, hvoraf nøjagtig ét ark manglede. Ingen kunne regne ud hvorfor. Måske havde Róisín brugt det til at skrive sin besked på. Men ingen turde gætte på, hvor den var blevet af.

Der gik et par dage til. Folk i kvarteret var begyndt at blive rastløse og mindre ærbødige over for politiets autoritet. Snart begyndte gadens un-

20

ger at snige sig forbi den blå- og hvidstribede GARDA-afmærkning og nappe et trofæ inde fra "morderhuset". Det forsøgte de selvfølgelig aldrig igen, efter at den anonymt udseende bygning senere var blevet plomberet og officielt indviet som spøgelseshus. Det lykkedes en knægt at rapse en Jesusfigur af plastic, som havde en 40-wattspære indeni til at udstråle hans herlighed. En anden nåede næsten helt ned på hjørnet, før en *garda* tog fat i hans krave og tvang ham til at aflevere et guldrandet portræt af den for længst hedengangne premierminister Eamon de Valera. Betjenten bildte sig ind, at den gamle landsfaders magre ansigt kun afspejlede afsky over for kvinden, som havde hængt ham op over kaminen.

Politiet var ved at løbe tør for spor, og sagen begyndte at gå i tomgang. Og så afslørede huset atter en hemmelighed, helt af sig selv.

Den kom i form af et skrabemærke ved bagdøren, som teknisk afdeling havde overset tidligere, fordi hele huset simpelthen var så møgbeskidt. Døren så ud, som om nogen næsten havde revet den af hængslerne for at komme hurtigere ud. Der var et fingeraftryk på håndtaget, som ikke stemte overens med de tre døde kvinders, som var de eneste, man ellers havde fundet derinde. Det matchede heller ikke nogen, politiet kendte til. Men i kælderen fandt man flere af de samme aftryk på et nedløbsrør ved siden af en tilsvinet madras. Hvem det så end havde været, så var det lykkedes vedkommende at save håndjernene af ved hjælp af en primitiv fil og at flygte. De to piger ovenpå havde altså ikke været alene i deres fængsel.

De havde haft en lidelsesfælle. Indtil for ganske nylig.

Flygtningen var stadig derude et sted. Og ingen vidste, hvem det var.

Da de sidste gulvbrædder var blevet brækket op, og hver eneste teske i køkkenet havde fået sin plads i politiets kartotek uden at afsløre noget nyt, opgav man langt om længe Strand Street nummer ét. Der blev gjort rent og malet i huset, som byen straks udbød til salg, som om intet var hændt. Og selv om den mystiske gæst i kælderen havde været en spændende detalje, så forblev vedkommende et fantom. Ingen af de tre kvinder efterlod sig så meget som en eneste pårørende, som kunne give en forklaring på massakren, så politiet lukkede stille og roligt sagen efter et par måneder. Selv pressen begyndte efterhånden at se sig om efter mere frisk bytte.

21

Men rundt omkring på byens barer blev sagen stadig endevendt. "Moira var sgu da sindssyg," lød en særlig populær teori. "Hun var drevet af ren jalousi. Dræbte dem på grund af deres ungdom." I en anden version var det pigerne selv, som havde planlagt at slå deres tante ihjel og stjæle hendes penge, men var blevet forhindret og taget til fange. Der blev bare ikke fundet så meget som en fem-cents-mønt i huset. "Det er synd og skam," blev naboerne nu enige om, og hvad sandheden så end var, havde de ret. "Den mystiske gæst i kælderen var Moiras elsker, som dræbte dem alle tre og stak af, inden han fik, hvad han fortjente," skønnede en særlig fantasifuld nabo. Men ingen af disse teorier blev hængende i luften meget længere, end at man roligt kunne glemme dem med det samme.

"Det, der skete her, begyndte et helt andet sted," sagde en gammel stamgæst nede på Gibney's Pub endelig en aften og stirrede ned i sin porter efter i timevis at have måttet høre på sludder og vrøvl fra udefrakommende skvadderhoveder med mere sprut end fornuft i sig. "Denne her slags blodsudgydelse kan kun lade sig gøre, hvis man har nok had i sig til at gøde jorden og er tålmodig nok til at få det til at spire rigtigt."

Han var muligvis lidt fuld. Men hvis drengene med de blå uniformer nede på The Mall kunne have hørt, hvad han sagde præcis på det tidspunkt, og havde lagt hindbærsnitterne fra sig, kunne de sikkert have opklaret i hvert fald de tre mord. Men alligevel ville de ikke have forstået det allervigtigste. For historien, som de tre kvinder næsten tog med sig i graven, begyndte ganske rigtigt et helt andet sted. I en lille by langt ude i West Cork, hvor alle var underlagt noget, der var langt stærkere og mere letantændeligt end had.

Det var kærlighed, som sendte Moira og hendes niecer ned på den tavse del af kirkegården bag Saint Andrew's Church.

Den slags kærlighed, som vokser sig mere hvidglødende end en smeltedigel.

Der blev afholdt en trist, lille begravelse ugen efter, som det offentlige betalte. Ingen pårørende kom ud af busken for at vise Walsh-søstrene og deres morderiske tante den sidste ære. Bedemanden havde insisteret på, at Fiona og Róisín skulle stedes til hvile mindst et par meter væk fra

Moira, for "fanden ta' mig, om den lede kælling, selv i døden, skal kunne række ud og røre ved de stakkels børn".

Næsten som for at håne pigerne havde Gud til lejligheden vendt vrangen ud på sin koksfarvede kappe, og der skinnede nu det klareste sollys gennem støvregnen. Herved opstod en banal regnbue, som var smuk nok til, at ceremoniens eneste gæst begyndte at græde så højlydt, at de deltagende ved en ganske anden begravelse længere borte vendte sig vredt om og tyssede på ham.

Desmond så ud, som var han blevet ti år ældre på under en måned.

Ingen havde set ham siden den dag, hvor de tre Walsh-kvinder var blevet båret ud i kødbussen. Det skyldtes, at det allerførste, han gjorde, da han kom hjem på sit iskolde lille hummer, var at tage sin uniform af og brænde den. Dage blev til uger, og tonerne fra hans sjældne Jelly Roll Morton-samling, som plejede at trille ud under hans dør hver aften som gyldne perler, tav stille. Naboerne mente, de kunne høre ham græde sagte. Ungerne trykkede næserne flade mod hans ruder for at få et glimt af ham den ulækre stodder og blev en gang imellem belønnet med et hurtigt syn af en tot strithår på toppen af et ligblegt fjæs. "De dødes stank klæber til ham," hviskede de til hinanden og smed sten gennem ruderne, inden de løb grinende hjem. Alt det vidste forældrene selvfølgelig godt, men de tillod stiltiende den smule djævleuddrivelse. Det var da bedre, mente de, at en anden end de selv tog skylden på sig, for hvad der var sket. Desuden så det ud til at have virket: En sød, intetanende familie fra Ungarn var allerede flyttet ind i nummer ét, som igen lignede et ganske almindeligt hus i den ellers så fredelige by.

Desmond havde en sort habit på, hvor både albuer og knæ skinnede kraftigere, end hvis han havde været tjener i et færgecafeteria. Han skælvede, mens Father Flynn fremsagde en passende bøn. Og Desmond var nødt til at holde begge hænder for munden, da præsten nåede til det med "Velsignet er Du blandt kvinder". For enden af kirkebakken havde regnen gjort de sodgrå hustage blanke som stål. Desmond blev stående længe efter, at gravene var blevet ordentligt dækket til og markeret. Han stod der stadig, da det virkelig begyndte at øse ned.

Han sjoskede endelig tilbage til sin lejlighed og vinkede endda til nogle af sine unge plageånder på gaden. Ingen så ham nogen sinde mere.

Hele historien kunne være endt dér. Hvis det da ikke lige havde været for et *andet* postbud, hvis nysgerrighed ligeledes plukkede ham ud af en hverdagsgrå tilværclsc og kastede ham hovedkulds ud i sit korte livs største eventyr. Fyren hed Niall og havde ingen anelse om, hvad der ventede ham.

For Walsh-søstrenes hemmelighed var kun lige begyndt at folde sig ud.

Enhver, som tilfældigvis passerede kirkegården den nat, ville med bare en smule fantasi kunne have set pigernes genfærd stige op af deres billige kommunekister og svæve hen til ekspeditionslugen på postkontoret, hvor de bankede på ruden. For de havde et uafsluttet mellemværende derinde.

Desmond, den arme sjæl, havde været tættere på at løse gåden, end han anede.

Og hverken Fiona eller Róisín ville lade sig bremse af en bagatel som døden.

MELLEMSPIL

RETURPOST

2

Niall hørte ingen mareridtsagtige bankelyde uden for sit vindue på postkontorets sorteringsafdeling. Det var nu ikke, fordi hans knivskarpe hørelse fejlede noget. Som regel var den på omtrent samme frekvens som de flagermus, han ofte forestillede sig baske rundt i de spøgelseshistorier, han selv gik og fandt på i sin fritid.

Næh, det var, fordi hans ulv atter en gang var gået totalt i lort. Og han vidste det, længe inden han skulle til at farvelægge dens ravfarvede øjne.

"Årh, for helvede," mumlede han og stirrede arrigt på nattens femte tegning. Hvorfor endte det altid sådan her? Da han gik på kunstakademiet, måtte selv den gamle, sure professor Kielmansegg indrømme, at han var ret skrap til at tegne katteagtige væsener. Dengang sprang både leoparder og pumaer uden besvær hen over hans papir i drabelige farver og brød ud af deres indrammede fængsel for at leve i den sjældne, tredimensionelle virkelighed, som alle ægte tegneseriefans elskede. Men han kunne aldrig få sine hundelignende figurer til at se rigtig livagtige ud. Hver gang Niall havde tegnet hovedet færdigt, tilføjet dyret stærke bagben og en sølvfarvet pels, kunne han næsten fastholde dets dødsensfarlige udtryk. Men med nedslående regelmæssighed lignede kræet altid en overvægtig hund eller en gigtplaget ræv, inden han var nået til halen. Det var komplet håbløst.

Hvis han blev ved med at øve sig, kunne han måske en dag blive bare en rimelig rentegner for en af de tegneserietegnere, han beundrede. Hans idol var den amerikanske blyantstegner Todd Sayles, hvis banebrydende science fiction-serie "Rummets Kolonier" han havde læst som dreng, til hæfterne faldt fra hinanden. Hovedpersonen var en intergalaktisk dusørjæger ved navn Stash Brown, som med sin talende abe Pickles kæmpede sig vej gennem morderiske horder af muterede rumvæsener fra Alfa Centauri-systemet og videre ud til ukendte stjerner. Men helt ærligt, tænkte Niall, hvorfor lyver jeg for mig selv? Han måtte indrømme, at det var langt mere realistisk, at han måske en dag ville sidde i et trist forkontor og besvare telefonopkald for mr. Sayles eller for hans nyeste protegé, kunstneren Jeff Alexander. *Han* havde for nylig tegnet og farvelagt Wild West-eventyret "Dødsduel i Yuma" for DarkWorld Comics, som med fire særnumre havde fået drengeøjne over hele Irland og resten af verden til at stråle med sine eviggrønne "Der er ikke plads nok til os begge i denne by, *pardner*"-agtige seksløberfantasier.

Niall kiggede én gang til på sin latterlige, ufarlige ulv og blev overbevist om, at han aldrig nogen sinde ville nå hen til hoveddøren hos nogen af de herrer. Hele natten havde Niall forsøgt at lave forsiden til en slags fantasy-tegneserie, som foregik i middelalderen, og tegnet borgruiner, til hele højre arm gjorde ondt. Han prøvede at få det hele med: Her var vagttårne, som var ved at styrte sammen, mosgrønne træstubbe, der var så tilgroede, at de lignede trolde, og masser af fantasivæsener, der strejfede gennem en fjern eventyrverden, som Irland selv i sin dunkleste fortid aldrig havde kendt mage til. Niall syntes især, at han var sluppet godt fra at tegne ravnene længst til venstre i billedet. De flaksede omkring et skafot, og deres næb var røde og forventningsfulde. Det var muligt at forestille sig, hvordan de snart ville lande på skulderen af en af de ulykkelige, som stadig svingede fra galgen, og flå en god luns af ham. I baggrunden havde han placeret en gruppe riddere, som med jagtfalke på armen vendte triumferende tilbage fra et togt. Det så sgu næsten rigtig majestætisk ud, syntes han. Selv skønjomfruen, som Niall havde bestemt sig for at tegne halvvejs på vej ind i den mørke skov, var delvis vellykket. Sorte slangekrøller piskede omkring hendes mælkehvide ansigt, mens hun flygtede dybere ind under trækronernes nådige beskyttelse.

Og det var selvfølgelig lige præcis her, at han havde ødelagt det hele.

For som prikken over i'et havde han tænkt sig at placere en ulv på stien lige foran hende, med sænket hoved og flammeøjne, sekundet før den gik til angreb. Den ville have fuldendt hele tegningen og fået alle Irlands snotnæsede rollinger til at smække ti euro på disken for at få lov at læse en fortælling, hvor glubske vilddyr jagtede forsvarsløse prinsesser i *mindst* fire afsnit. Men det eneste, skønjomfruen nu behøvede at gøre for at undslippe sin grumme skæbne, var at stikke den fede køter en Snickers-bar fra sin kurv. Det var ynkeligt.

Niall krøllede arket sammen og tyrede papirskuglen hen, hvor alle de andre også var landet – ned i den gigantiske metalbeholder, hvor al returposten endte, som folk enten havde underfrankeret, eller som manglede fuldstændig modtageradresse. Medmindre nogen kom forbi for at betale porto eller kræve deres konvolut retur, blev hele baduljen smidt ud som affald hver torsdag.

Men den nu sammenkrøllede, ufuldstændige ulv lod sig ikke bare sådan kassere. Papirskuglen fløj i en flad bue, ramte et par papæsker på vejen og rullede ned ad den hvide postlavine. Herefter endte den sin korte flugt med næsen mod en tung konvolut, som derved rev sig løs fra resten af sine artsfæller og tumlede videre omkring en halv meter, indtil den ramte beholderens tremmer med et højlydt *bong!* og blev liggende. Hvad denne sidste konvolut så end indeholdt, var det i hvert fald ikke vanter til mormor, men noget langt mere vægtigt, som trængte sig på.

For første gang den nat glemte Niall helt at have ondt af sig selv, og han vendte sig om efter lyden.

Som den stod dér, mindre end fem meter fra det frønnede skrivebord, hans forsatte for nylig havde klemt ind mellem en ødelagt frankeringsmaskine og en skumslukker, lignede returpostcontaineren med lidt god vilje det halvoplyste vagttårn foran prinsessens slot. Mr. Raichoudhury havde peget på det usle møbel med en bydende mine, som signalerede, at Niall bare havde at være taknemmelig for det kaffeplettede bord, og at den storladne gestus ville få pletterne og cigaretmærkerne til at forsvinde.

Niall tøvede først, men rejste sig så. Der var gået to år, siden han modvilligt havde forladt kunstakademiet og i stedet var trukket i postvæsenets bedemandsaglige An Post-uniform for at kunne betale sin husleje. Og han hadede det stadig lige meget, hver gang han skulle til at åbne lemmen en gang om ugen for at tømme metalburets evigt sultne mave. Men der var noget særligt, noget anderledes over netop denne aften. Det trak ind under vindueskarmen, og et enkelt vinterhost pustede et par af hans dyrebare ark papir ud over gulvet. Her ville Stash Brown have spændt hanen på sit lasergevær, tænkte Niall, for man kunne aldrig vide, om en horde af de dødsensfarlige mutanter om lidt ville springe ud af containeren med våbnene trukket. Pickles ville bare have vist tænder og hylet som den dræberabe, han nu engang var.

Niall gik over til containeren, åbnede haspen og klatrede derind. For enden af en improviseret kælkebakke af papir lå en medtaget brun konvolut, som var fyldt med pletter. Niall samlede den op og skulle til at smide den tilbage til resten, da han vendte den om og fik øje på afsenderens adresse. Det lod til, at vedkommende ikke havde haft lang tid til at skrive den. Bogstaverne stod skævt, og blækket var delvis udtværet, men han kunne stadig læse, at der stod:

Afsender: Fiona Walsh, Strand Street 1, Malahide, Co. Dublin.

Navnet på den ældste slavesøster, som var blevet dræbt i forsøget på at beskytte Róisín? Umuligt. Det måtte sgu da være en dårlig joke. Niall holdt vejret et sekund. Hans hjerne kunne ikke helt finde ud af, hvordan den nu skulle fortsætte. Altså: Affej det hele som en spøg? Eller frys fast til stedet i navnløs rædsel over, hvad det kunne betyde? Efter at have indset, at han længe havde stået og krammet konvolutten, valgte han en tredje løsning, der som regel skræmte veloplyste folk langt mere end de to forrige. Niall lod over for sig selv, som om han bare udsatte bedømmelsen til senere, og gjorde derved i al hemmelighed sig selv langt mere bange for, hvad der måtte være indeni. Han trådte hurtigt ud af containeren, som var begyndt at minde ham om troldeskoven fra hans egen dårlige tegning, og skyndte sig tilbage til skrivebordet.

Åbn den med det samme, ja, naturligvis. Det ville da have været mest naturligt at gøre, ikke? Men idet den bulede lampe, som han for nylig havde "befriet" fra mr. Raichoudhurys hemmelige fedterøvslager ovre bag luftpostsækkene, kastede sit skær over det brune papir, var der flere afsløringer i vente, som bremsede hans ivrige fingre. Konvolutten var ufrankeret, hvilket var grunden til, at den var endt på brevkirkegården. Man havde simpelthen adresseret den til:

Hvem som helst, postkontoret, Townyard Lane, Malahide, Co. Dublin.

Niall vendte og drejede konvolutten flere gange, og hans øjne blev smalle som en diamantslibers. Først nu kunne han se, at en anden, endnu mere hastigt nedgriflet besked, var blevet tilføjet, lige før det var for sent. Den havde været udsat for regn, men var stadig tydelig nok. Det var en bøn, et sidste ønske adresseret til en ukendt sjæl fra en, som snart skulle udslukkes. Bogstaverne hældede mod venstre og dannede ordene:

Vi er allerede borte. Læs kun denne fortælling til minde om os.

Nu kunne Niall ikke længere undertrykke en let skælven, selv om han gerne havde villet. Hans fingre rystede. Selvfølgelig havde han læst aviser og vidste alt om, hvad folkeviddet længe havde kaldt "dødskampen på første sal", hvor Fiona havde holdt stand imod uhyret, som havde foregivet at være en rar tante. Hvordan kunne han sidde hendes skriftlige besværgelse overhørig? Han åbnede endelig flappen og skimtede en skygge af noget sort indeni, da han hørte en dunderstemme gjalde bag sig og et par hæle slå mod hinanden, som var han på en ekserserplads.

"Kunne De fortælle mig, hvad meningen egentlig er, mr. Cleary, hvis De vil være så elskværdig?"

Niall vendte sig om og så Meget Overordnet Postmedarbejder Raichoudhurys næsten kongelige fremtoning komme sig i møde, iført en sort uniformsjakke, der var knappet helt op i kværken. Synet fik alle, der så ham, til at tænke på en selvhøjtidelig parkeringsvagt snarere end den kavaleriofficer, han ønskede, han kunne være blevet. Den høje, ranke figur styrede tværs gennem det trange lokale og pegede på gulvet med en af sine nyvaskede fingre, fordi Nialls papir lå og fløj. Han opførte sig, som om han kommanderede hele legioner snarere end to medarbejdere, og mrs. Cody var endda sygemeldt.

"Jeg er temmelig bekymret over Deres arbejdsindstilling, mr. Cleary, det er jeg nødt til at sige Dem. Hvad i alverden laver De overhovedet her så sent på natten, om jeg må spørge?"

"Jeg sidder bare og tegner, *sir.*"

"Igen?"

"Det er jeg bange for, *sir.*"

Han var nu kommet så tæt på, at Niall kunne se det bæltespænde, mr.

Raichoudhury havde arvet fra sin tiptipoldefar, som havde "erobret krigs-herren Ayub Khans kanoner" ved et slag engang tilbage i 1800-tallet un-der anden afghanske krig. Den stivnakkede fantasiofficer havde engang taget et falmet fotografi frem fra tegnebogen og fremvist det til alle, der gad kigge på det. Det viste en skikkelse, som mindede meget om mr. Raichoudhury selv. Manden sad i sadlen på et prægtig hingst, iklædt en tværstribet turban og med en drabeligt udseende lanse mellem hæn-derne, som ville han aftvinge fotografen den fornødne ærefrygt. "Han var linjeofficer ved det 23. bengalske kavaleri," havde mr. Raichoudhury for-gæves forsøgt at forklare mrs. Cody engang i kaffepausen. Han sørgede altid for at pudse spændet, på hvilket et snørklet våbenskjold lovede død før vanære, eller noget i den retning, så vidt Niall kunne huske.

Men på netop denne aften tænkte den bengalske lanseners efterkom-mer mere på kontordisciplin end heltedøden. Han så med mishag på Nialls tilsvinede skrivebord og fortrød uden tvivl, at han overhovedet havde foræret det til den unge mand, som man tydeligvis ikke kunne sto-le nok på til at efterlade kontoret i hans varetægt. Så faldt hans blik på returpostcontainerens åbne hasp, og han så alligevel ud, som om han godt kunne have brugt sin forfaders våben.

"Hvad i alverden ...?" Han gik over og låste buret. Så vendte han sig om og stirrede på Niall med et blik, der kunne have sendt flere mænd i døden end Ayub Khans kanoner. "Hvis De vil være så venlig at gå hjem. Og kom tilbage i morgen tidlig. Jeg tror, vi er nødt til at diskutere hele Deres ... opførsel."

"Javel, *sir*," svarede Niall modfaldent, mens han listede Fiona Walshs tykke konvolut ned i sin taske ved at bruge Jeff Alexanders allernyeste tegneseriehæfte "Vejen til Boot Hill" som skjold. På forsiden pegede tre halvnøgne, kvindelige desperadoer med deres revolvere på læseren, som i dette tilfælde var en mere og mere irriteret mr. Raichoudhury.

"Med det *samme*, tak," sagde den imaginære officer, som havde han lige beordret regimentets svagest begavede rekrut til angreb på slagmar-ken ved Kandahar. Han eskorterede Niall hele vejen gennem hæle-baren, bag hvilken postkontoret havde måttet lide den tort at blive pla-ceret, hvorefter han skubbede ham ud ad hoveddøren, som han derefter låste forsvarligt indefra. Man kunne høre ham mumle noget om "re-

32

spektløshed", mens genlyden fra hans lædersåler langsomt fortog sig dybt inde i verdens mindste postkontor.

Niall var knap nok nået udenfor, før han tændte en smøg. Hen over pulten, hvor låsesmeden stod og blokerede for postkunderne hver morgen, kunne han se sin chef træde ind i returpostcontaineren endnu en gang, sikkert for at udforske, om den unge, uansvarlige mr. Cleary måtte have tilsvinet dette hellige rum. Niall tog et ordentligt hvæs og huskede endelig på, hvad han faktisk lige havde hugget. Han gik hen på hjørnet, hvor en kiosk sendte blå neonstråler ud på hans sko, fandt konvolutten frem og åbnede den endelig.

Der lå en bog indeni, der var lige så sort som en gravsten oppe fra kirkegården.

Omslaget var lavet af groft bomuld, som Nialls negle fik en lille melodi ud af. Nogen havde ridset forsiden, næsten som om vedkommende havde brugt den som skjold. Han holdt den op i lyset. Nej, nu så den mere ud, som om den var blevet klemt ned et sted, så ingen skulle finde den. Kunne den have ligget inde bag en radiator, som langsomt havde svedet nogle af dens fibre? Niall forestillede sig allerede, hvordan Fiona havde forsøgt at gemme den for sin tante. Men hvad mon der var indeni? Makabre erindringer? Hemmelige bankkonti? Eller måske endda et skattekort?

"Hold nu kæft, din nar," sagde han til sig selv og prøvede at skrue forventningerne ned. "Det her er jo ikke 'Rummets Kolonier', vel?"

Han skulle lige til at slå op på første side, da han fik øje på nogen inde i butikken, som gloede ud på ham.

"Er du okay derude?" spurgte manden bag disken, som havde hørt Niall stå og tale med sig selv. Han var iført et hvidt forklæde, der langsomt var blevet brunt, og hans kinder havde samme farve som modne blommer. Der var noget ved hans stemme, som fik Niall til at gemme bogen væk igen.

"Hvorfor skulle jeg ikke være det, måske?"

"Bevares," sagde manden og tog en ordentlig bid af noget, der på afstand lignede en ganske enorm flødeskumskage, hvorefter han vendte tilbage til rugbykampen på tv.

33

Niall nikkede bare og gik hen til sin cykel, som stadig stod foran to-bakshandleren, selv om han igen havde glemt at låse den. Han tog ta-sken på ryggen og svingede sine ben hen over stangen, hvor malingen var begyndt at skalle af som efterårsblade. Mens han trampede i pedaler-ne op ad Dublin Road, kunne han se det flimrende hvide antikollisions-lys fra en lavtflyvende maskine, som lagde an til landing hen over de pro-fessionelt yndige butiksruder. Den var langt over tre om natten.

Niall mærkede intet til utålmodige ånder, der svævede ved siden af ham, mens han nærmede sig sin lejlighed. Han var heller ikke det mind-ste opmærksom på arrige pust fra to piger, som nægtede at lade sig glem-me.

Men hvis det havde været selveste rum-dusørjægeren Stash Brown, som havde været den tilfældige indehaver af Fiona Walshs sorte bog, vil-le han uden tvivl have trukket sit største lasergevær og ikke set væk fra sty-ret i bare ét sekund. For lige dér sad der nemlig to utålmodige spøgelser bagvendt på det forkromede stål og stirrede Niall ind i ansigtet, mens de svingede med deres lange pigeben. De kunne bare ikke vente, til han åb-nede den satans bog og begyndte at læse i den. Og de var vist også ret ir-riteret over, at han ikke kunne se dem.

Oscar havde ædt alting, da Niall trådte ind i den trange etværelses i Dub-lins Ballymun-kvarter, hvor de havde boet sammen alt for længe.

Dengang Niall var kommet til byen et sted langt ude fra Lars Tynd-skids mark, var der ingen, som boede her sådan *rigtigt*, der kaldte områ-det for andet end "The Mun". Han syntes, det lød en lille smule som vejrbidte Vietnam-veteraner fra en film, som kaldte deres gamle krigsver-den for "The 'Nam". Han indså hurtigt, at der ikke var en skid socialt bo-ligbyggeri over de sammenskubbede betontårne, som i stedet havde haft den stik modsatte effekt. The Mun havde altid været en vaskeægte byg-det-og-glem-det-igen-ghetto, som det gamle Østtyskland engang lavede dem.

Hver af de syv bygninger var opkaldt efter en af martyrerne fra folkeop-standen i 1916, hvor en lille gruppe irske modstandsfolk havde holdt stand imod den engelske hær i forsøget på at skabe en helt ny nation. Og siden tresserne havde de skæmmet det nordlige Dublin med deres Sta-

lin-charme. Nu var der så endelig en lokalplan på vej, som skulle genop-
rette borgernes livskvalitet ved at jævne hæslighederne med jorden, og
de var allerede godt i gang. Men Nialls egen isolerede Legoklods ved
navn Plunkett-tårnet gabte stædigt af ham, hver gang han nærmede sig.
The Mun var en mester i at kvæle et godt humør så let som ingenting.
Og det ville kvarteret blive ved med på trods af byrådets nye og ambitiøse
planer om grønne områder og så videre. Hvad havde de gang i? tænkte
Niall. Det her var sgu da ikke cappuccinoland og blev det heller aldrig.
Det var derimod et sted, der stadig tiltrak en broget sigøjnerskare, rigtig
vaskeægte ghetto-*knackers*, som de også havde et par stykker tilbage af
ovre i Tallaght-området, med skarpslebne mønter og værdiløse skrabe-
lodder i lommerne. For alle de lokale og naboerne i *Tallaghfornia*, vid-
ste Niall, ville The Mun forblive deres barndoms *Knackeragua*, og så
kunne kommunen ellers skride ad helvede til med alle de der nymodens
puddelhunds-anlæg.

Men Oscar var fuldkommen ligeglad med alt det, bare der var mad
nok. Den orangestribede kat blinkede sløvt, da den hørte nøglen i døren,
og klatrede bare stolt op på en stoleryg, så Niall kunne danne sig et uhin-
dret billede af de skader, det lille monster havde forvoldt: en gennemtyg-
get telefonledning, to sønderflænsede Mars barer og mindst ti teposer,
som Oscar havde fisket ud af skabet og spredt for alle vinde. Nu lå de
overalt som de indtørrede mus, han drømte om, når han så allermest fre-
delig ud.

"Jeg elsker også dig, dit lede dyr," sagde Niall og begyndte at rydde op.
Men han satte sig alligevel hurtigt ved sit arbejdsbord, som Oscar aldrig
nærmede sig, fordi han hadede lugten af blæk og rynkede på næsen, når
han en sjælden gang satte tænderne i lakken på en blyant. Katten spandt
og vendte hovedet ud mod den første smule daggry, som man knap kun-
ne se endnu over det enorme betonocean, selv oppe fra de tilsvinede vin-
duer på tolvte sal, som ingen havde pudset i månedsvis.

Niall fiskede den sorte bog op af tasken og lagde den på bordet i lyset
fra sin stærkeste arkitektlampe. Nu kunne han se, at nogen havde ridset
forbogstaverne "F.W." ind i filten ved at køre en kuglepen frem og tilbage
flere gange. Fiona Walsh? Det kunne være den ægte vare. Men han måt-
te være tålmodig. Han ventede egentlig på, at Oscar skulle give ham et

signal til at fortsætte, men den sukkermættede terrorist gad ikke lege med. Den sendte ham bare et blik, som kun dens artsfæller var i stand til, der sagde noget i retning af: Om du så bliver væk i årevis, så kommer *jeg* i hvert fald ikke til at gå sulten i seng. Så værsgo, din stakkels nar, jeg er sgu da revnende ligeglad.

Måske skulle han alligevel hellere ringe til politiet? tænkte han et kort øjeblik og vejede bogen mellem hænderne. Det kunne være et vigtigt spor og måske endda opklare mordgåden. Hans ører brændte. *NIALL CLEARY ER BYENS HELT, UDTALER GARDA*, skreg forsiden for Nialls indre øje. Hans ene hånd hvilede allerede på telefonen. Så slap den plasticet og bevægede sig mod venstre, næsten som ved egen kraft, og rørte igen ved det ru, sorte omslag.

Han slog endelig op på første side og glemte omgående alt om panserne.

Skønt han ikke kunne vide det endnu, så havde hans liv – eller i det mindste den sørgelige del af det, han hidtil havde kendt – ændret sig for evigt.

Niall kunne mærke sit hjerte bankede hastigere, mens han læste de første ord i teksten, som med gnidret skrift fyldte side efter side. Der var blodpletter og indtørrede tårer på det tynde, rynkede papir. Eller var det måske bare sved? Han sammenlignede håndskriften med den på konvolutten, og de så ud til at stemme overens. Samme voldsomme bevægelser nedad og ensartede, stramme løkker i stedet for bogstaver som "a" og "o". Det var blevet skrevet i en fart. Ikke i en hyggekrog med te og småkager. Nogen havde boret neglene ned i papiret og derved efterladt sig et hav af desperate, beskidte halvmåner.

Præcis da stod solen endelig op i form af en udvisket, enlig stråle, som forsøgte at løfte hele horisonten på sine smalle, endnu utydelige skuldre. Den blev hurtigt overvældet, som om bare det at røre ved betonen fik den til at kravle sammen og afgå ved døden. Nu bredte et mørke sig i lejligheden, som havde lige så fast form som i børns mareridt. Niall tændte for alle lamperne og lynede sin dynejakke helt op i halsen, fordi radiatoren var i stykker for gud ved hvilken gang. Han strøg nænsomt fingerspidserne hen over den første sætning i Fiona Walshs fortælling og begyndte at læse. Hun havde ham allerede i sit greb, og han vidste, han ikke ville røre sig af pletten, før han var nået til sidste side.

Allerøverst på siden havde hun skrevet:

Kære ukendte, gode ven. Vær sød at lytte til mig. Jeg er lige her og har ikke mere tid tilbage nu. Jeg testamenterer hermed min historie og alle mine solopgange til dig, for vi skal snart dø. Vi kommer til at dø i det her hus, fordi vi elskede en mand ved navn Jim uden at vide noget om hans egentlige natur. Hør nu godt efter, mens jeg fortæller dig, hvad der skete ...

FØRSTE DEL

FIONAS DAGBOG

3

Nå. Nu holder hun endelig sin kæft dernede.

Jeg har ikke hørt min elskede tante råbe og skrige i over en time. Det vil sige, at jeg har lidt ekstra tid til at skrive mig varm. Så inden hun starter forfra med at banke på døren og anklage os for mord, må jeg nok hellere først præsentere mig for dig.

Jeg hedder Fiona, Fiona Nora Ann Walsh, hvis du skal have det hele med. Og jeg har boet i det her lortehus i næsten to måneder. Mit tøj stinker som en aberøv. Min kjole er ellers lavet af thaisilke, eller også var den det engang. Derhjemme sagde folk altid, at jeg var pæn. Men det var nu mest, når de i forvejen havde sagt det til min søster og ment det. Og glem så lige alt om skyldfølelse, okay? Hvis du finder den her dagbog for sent, kan du ikke redde mig. Men selv om det skulle ske, så *husk* mig i det mindste. Lov mig, at du ikke vil glemme, hvem jeg var, og hvordan jeg endte her. For idéen om at blive slæbt ud herfra inde i en af de der gummiposer, uden at en mors sjæl kommer til at høre hele den sande historie, er mere, end jeg kan bære at tænke på.

Bare så vi ikke lægger ud med at gå fejl af hinanden, så lad os lige få noget på det rene: Lad være med at have ondt af mig. Jeg har altid kunnet klare mig, selv nu. Lige før vores natlige eftersyn for et par nætter siden fandt jeg en skruetrækker i en skuffe, hun havde glemt at låse efter sig, og gemte den i min madras. Og lige siden har jeg slebet den til på den ru murstensvæg henne ved vinduet, når jeg har set efter Róisín. Den er allerede spids nok til at gennembore et dusin djævletanter med. Og jeg har kun brug for at dolke én. Men jeg er nødt til at vente. Lytte. For når tiden kommer, får jeg nok kun én chance. En gang imellem kan jeg høre skrabelyde dernedefra, som om hun slæber noget tungt hen over gulvbrædderne. Typisk. Jeg vil vædde på, at hun har fundet et eller andet til at slå min dør ind med. En murhammer, måske. Eller en skovl. Men kan hun mon overhovedet løfte den? Det er jeg ikke så sikker på. Da jeg fik et glimt af hende heroppe fra mit vindue for en tre dages tid siden, så hun lige så udmagret ud som min stakkels lille Róisín. Jeg er hele tiden svimmel nu, dag og nat. Og det er ikke kun, fordi vi udelukkende får kartofler og brød. Nej, det er en fornemmelse, som trænger sig på indefra, der føles, som om mine indvolde bliver presset sidelæns. Eller også er de ved at visne helt af sig selv og efterlader snart et hul med ingenting i. Jeg kan ikke forklare det rigtigt, men jeg ved, at *hun* har noget med det at gøre, hvad det så end er. Det bløder, når jeg tisser, og det er det samme med Róisín. Hun klynker om natten som en sulten lænkehund og piver efter vores mor, som også altid kaldte hende for sin 'lille rose'.

Vi har ikke hørt noget nede fra kælderen i meget lang tid, og jeg er bange for, at der nu kun er os to tilbage heroppe på første sal. Jeg kan sagtens forestille mig, at den so allerede har oversvømmet det hele dernede med haveslangen bare for at være sikker på, at vi ikke får hjælp til at flygte. Men det havde vi nok kunnet høre. Og naboerne er vel heller ikke døve. Og efter Moiras rumsteren at dømme er hun også ved at løbe tør for kræfter. Jeg tror, det er et spørgsmål om viljestyrke nu, ikke tro. Ja. Udholdenhed. Jeg har sgu da løbet flere halvmaratonløb end den bitch. Det kan godt være, at hun tilbeder sin plastic-Jesus. Men mit had til hende er det, der holder *mig* i live. Og så min kærlighed til Róisín, selvfølgelig – min Rosie. Og begge dele er stærkere end alle de mange hundrede forlorne rosenkransbønner, den lede kælling kan fyre af, ikke?

Vores redning har tit været så tæt på, at jeg har kunnet lugte den som frisk kaffe. Men den er aldrig kommet indenfor. For nylig har jeg set forskellige mennesker lige udenfor på fortovet standse op og glo herop på mit vindue, især ham det underlige lille postbud med det skæve smil. Han ser altid ud, som om han grubler over noget og er ved at tage en beslutning. Hans grin hænger stadig bare dér på ansigtet af ham, selv længe efter at vores tante er holdt op med at åbne, når dørklokken ringer.

For han ved det nemlig godt.

Det er jeg sikker på, han gør. Han vil bare ikke indrømme det over for sig selv. Men hvad mon jeg selv ville have været villig til at tro på, før hele den her historie begyndte? At ét mord fører til et fængsel som det her? At det bliver nemt at udtænke flere, endda på sin egen familie? Jeg tror det ikke. Og jeg ved også, at ham postbuddet gør, hvad han kan for at glemme det, han næsten har set. For man tror aldrig på, hvad ens øjne fortæller én. Man kan kun stole på, hvad man mærker dybt inde i maven, og så sammenligne den følelse med ens egen erfaring. Det er derfor, gamle damer, der har boet dør om dør med massemordere i årevis, altid vrøvler til aviserne bagefter om, at 'Han var da sådan en sød ung mand'. Man nægter at tro på, at ondskab faktisk findes, og begynder i stedet at overbevise sig selv om, at han har en 'smuk sjæl' begravet et sted allerdybest nede. Nu ved mig og Rosie altså bedre, vil jeg lige sige. Hvis brønden er fyldt med sort tjære til at begynde med, så venter der altså ingen friske blomster dernede, når du tømmer den.

For to uger siden, da jeg var stensikker på, at tante Moira stod dernede og lyttede efter postbuddet ved hoveddøren, trak jeg gardinerne til side og vinkede, lige idet han gik op ad havegangen. Han blinkede med begge øjne og stod stille. Jeg kunne se ham tydeligt gennem det fintmaskede stof og bad til, at han ville vende sig om, spurte ned ad gaden og langt om længe hive fat i strisserne, for helvede da. Men han stolede vel kun på, hvad hans egne øjne fortalte ham. Og de øjne havde åbenbart kun set et blondegardin, som viftede i brisen. Ikke mig. Posten kom ud, og det gjorde vi ikke. Her på det sidste, når jeg ser ham ankomme, er det, som om han vender blikket væk fra mit vindue og skynder sig over til brevsprækken. Han vil være sikker på, at han kan leve med sin dårlige samvittighed. Og det er vel egentlig rimeligt nok. Man skal jo kunne holde sig selv ud, ikke?

Det vil sige, at jeg nu er den eneste, som kan redde os. Mig og min hjemmelavede fængselsstil. Medmindre jeg finder noget bedre, inden det går løs.

Vent.

Hold lige vejret sammen med mig lidt. Og ti helt stille.

For nu kan jeg høre hende dernede igen. Hun roder rundt i sine forbandede skuffer, og der er noget af metal, som skurrer. Sakse, måske. Eller knive. Kan du høre det? De knirker mod hinanden som en drage, der skærer tænder. Hun burde overhovedet ikke være vågen så sent, så der må være noget på færde. Normalt begynder hun først på sit daglige skrigeri, efter hvad vi heroppe er blevet vænnet til at kalde morgenmad.

Så. Nu blev der stille igen. Men hun er ved at forberede noget. Det ved jeg bare. Måske pønser hun på at trænge herind allerede i nat eller i morgen. Så jeg kan altså desværre ikke sige dig præcis, hvor længe vi to kan holde hinanden med selskab. Da jeg stjal den her bog nede under hendes bibel i forrige uge, var jeg sikker på, at vi ville overleve i mindst tre uger til. For at være helt ærlig, så føles det altså lige nu mest som tre dage.

Men én ting kan jeg love dig: Jeg vil blive ved med at skrive, til jeg ikke kan bevæge fingrene mere. Tanten kan blive nødt til at vriste den her kuglepen fra mig, og hun skal vist også lige forbi min skruetrækker først, ikke? Så hvis du har lyst, så hold selv rede på, hvad jeg siger til dig. For det kan godt være, at jeg husker det i forskudt rækkefølge, selv om jeg prøver at fortælle alting nøjagtig, som det skete. Vi kommer aldrig til at møde hinanden, du og jeg, men det er vigtigt for mig, at du ved, du kan stole på mig. Hvis bare du er en lille smule tålmodig, så skal jeg nok få det hele med.

Der er noget, du er nødt til at vide med det samme, bare så du ikke sidder der og tror, vi er nogle uskyldige små lam. For det er kun børn, som ikke har stukket deres første løgn endnu, som er uskyldige.

Tante Moira har ret i én ting.

Vi *er* mordere, så sandt som min hånd ryster på det her papir. Og selv om det er en synd, og jeg ikke glæder mig spor til at aflægge regnskab for det på den anden side, så vil jeg heller aldrig fortryde det. Der findes både gode og dårlige dødsfald, ligesom der er uskyldige mennesker i verden og så dem, der fortjener at blive slået ihjel. Og jeg kan også godt indrømme, at vi *havde* et valg. Det er kun kujoner og klynkere, som finder på alt det pis med, at det var Gud eller Forsynet, som styrede deres aftrækkerfinger, når de står over for dommeren. Vi gjorde det med en god, gammeldags køkkenkniv og tørrede hænderne af i græsset bagefter, til de var helt rene. Vi sov også godt om natten bagefter. Nå, nu er jeg vist kommet lidt for langt forud, undskyld. Læs videre, og måske vil du kunne forstå, hvordan sådan nogle modsætninger kan eksistere inden i nogen, som for ganske nylig var mest optaget af at huske, hvordan vores liv så ud engang for længe siden. Engang før Jim.

44

Og nu, hvor vi to har mødt hinanden, er det vel kun ret og rimeligt, at jeg indrømmer noget helt tredje, som jeg synes er meget sværere at få ud end det med blodet og græsset.

Det er min skyld det hele.

Hvis ikke jeg havde lagt mærke til den flotte unge fyr på hans røvsexede motorcykel til at begynde med, så ville vi alle sammen stadig ligge trygt derhjemme under dynerne i West Cork. Men efter at jeg havde mødt hans øjne og var svømmet ind i deres sorte søer, kunne jeg umuligt glemme, hvordan det føltes. Det var ligesom noget, jeg kun har læst om i dårlige bøger. Man siger, at opium har noget af det samme tryllestøv i sig, men det her var langt stærkere. Da han løftede blikket i min retning, følte jeg mig på én gang både rædselsslagen og lettet. Det siger vel egentlig lidt om dets magt, at jeg stadig ikke kan beskrive det mere præcist, selv efter så lang tid.

For Jim var en naturkraft, man ikke har opfundet noget begreb for endnu, medmindre det da skulle kunne indeholde 'død', 'raseri' og 'forførelse' i ét og samme ord.

Og han forførte mig. Han forførte os alle sammen.

Forstår du, det hele begyndte med en benzinslange, der var smuttet. Hvorfor cyklede jeg ikke bare videre? Døm selv. Sæt dig godt til rette og hjælp mig med at regne det ud. For så sandt som mig og Rosie nok snart skal se vores mor igen oppe i stjernehimlen, så er der faktisk mange af detaljerne, jeg stadig ikke selv forstår.

Det skete for cirka tre år siden derhjemme i Castletownbere. Engang i maj måned, tror jeg nok. Himlen havde pustet skyerne bort, da jeg lagde mærke til en skikkelse, som stod bøjet hen over sin nødstedte 1950 Vincent Comet-drømmekværn og bandede. Jeg tog farten lidt af cyklen og troede ikke, at han ville lægge mærke til det. Men han drejede straks hovedet og så lige på mig hen over bilernes tag på den smalle hovedgade.

Og med bare ét blik brød han ind i mig som et pengeskab og stjal alt, hvad jeg havde gemt væk derinde.

4

Det første, jeg nogen sinde hørte ham sige højt, var: 'Tror du, den spand er stor nok?'

Han sagde det selvfølgelig ikke til mig, men råbte det efter røven af en kanariefuglsgul BMW i kutterstørrelse, efter at den med nød og næppe havde undgået at ramme ham på vej op ad den smalle hovedgade. Turisten, hvis nummerplader afslørede, at han og hans juvelbehængte kæreste til daglig kørte i højre side af vejen, standsede og lænede sig ud ad vinduet. Chaufføren havde flere dobbelthager end en hal fyldt med slagtere. Musklerne på hans rat-arm ville have fået selv tapre mænd til at tøve. Et dykkerur, der kunne have sænket slagskibet Bismarck, glimtede i solen.

'Gider du lige sige det til mig igen, *din skitstövel?*'

Motorcyklisten i skodlæderjakken løftede hovedet, og jeg så, hvordan det svage sollys ramte hans iris. Der var ingen frygt derinde. Han var bare helt rolig. Før han svarede, tog han sig tid til at nikke til mig, som stod og lænede mig op ad min cykel i forventning om et godt show. Selv nu kan jeg ikke fortælle dig præcis, hvad jeg så i hans øjne. Måske var det kun ren aggression. Det kunne også have været ufortyndet fuck you-agtighed, men der gemte sig altså noget andet derinde, som bilisten ikke umiddelbart havde opdaget, da han åbnede døren og tog et enkelt skridt ud på kørebanen.

'Jeg tror, jeg stillede dig et *spørgsmål,*' sagde fyren truende.

'Kalle, kom så ind i bilen igen. Nu!' Den blonde kvinde lænede sig ud fra passagersædet og greb fat i den sværvægtige mands ruskindsskjorte. Men han hørte ikke efter og havde nu begge gummisko placeret solidt på asfalten, parat til at bevæge sig ned ad gaden og få oprejsning.

Lige indtil han så blikket i den yngre mands øjne.

'Før du hidser dig for meget op,' sagde han til svenskeren, 'må jeg så ikke lige fortælle dig en hemmelighed?'

Motorcyklistens hænder hang roligt ned langs siden, og han smilede, mens han gik hen til føreren. Jeg kunne se med et halvt øje, at han havde en god røv, og at der rørte sig mere inde bag de stramme, sorte cowboybukser og T-shirt end bare muskler. Han bevægede sig, som om han havde tid til at stoppe op på halvvejen og tage sig en lur, og anbragte sine smukke læber tæt ved mandens øre for at hviske noget. Svenskeren skulle til at reagere og knyttede begge hænder. Med bare én af dem kunne han nemt have grebet fat omkring den unge fyrs uglede Keanu Reeves-hår og hevet til. Og blærerøven så også ud til at være lige ved det. Hans smil var blevet bredere på under ti sekunder, og blodåren på halsen kunne snart ikke klare mere.

Og så blev hans ansigtsudtryk med ét lige så slapt som hans gravko-hænder.

Jeg kunne ikke høre, hvad ham den lækre fyr mumlede, men derfra hvor jeg stod, lød han ikke vred. Han trak endda kæmpen blidt i den ene øreflip som for at understrege noget, mens han blinkede til ham. Så vendte han sig om igen, smilede til mig og gik tilbage til sin purpurrøde motorcykel. Bilisten stod bare der, fuldkommen paf, og lod vinden blæse sig ind i munden, mens han fordøjede, hvad han lige havde hørt. Hvad det end var, må det have paralyseret ham, for det var kun med kærestens hjælp, at han endelig blev bragt ud af sin trance. Han sprang derefter ind bag rattet hurtigere end mine egne elever, efter at det ringer ud sidste gang, og gav den så meget gas, at bimmeren efterlod to fede bremsespor i asfalten. De var forbi kirken og forsvundet på to sekunder, og vi har ikke set dem i byen siden.

Nu ved jeg godt, hvad du skal til at sige.

Jeg skulle bare have sat mig op på cyklen og fortsat videre uden at blande mig, ikke? Tro endelig ikke, at jeg ikke overvejede det. Men ville du ikke selv have ventet bare et øjeblik til for at se, om du kunne finde ud af, hvad der mon havde fået bilistens vrede til at fordampe så hurtigt? Selvfølgelig ville du det. Derfor stillede jeg min cykel op ad vinduet foran ejendomsmægleren og tog mod til mig, inden jeg gik over til fyren. Han sad på hug foran sin møgbelortede maskine, som havde flere løse slanger og ledninger hængende ud af sig end et trafikoffer, inden de slukker for respiratoren. Jeg syntes, jeg kunne høre ham nynne en godnat-

47

sang. Som om han vuggede den beskidte motorcykel i søvn lige dér ved siden af rammeforretningen.

Han vidste godt, jeg var skrået over gaden, længe før mine egne fødder havde gjort mig opmærksom på det. Jeg kunne se, at han tøvede et nanosekund, før hans fingre fandt en ny møtrik.

'Hva' så?' sagde han uden at vende sig om. Der var lidt rå Dublin-type over ham, en knivspids Cork-venlighed og så et drys af noget tredje, som jeg ikke havde hørt på egnen før. Hans stemme var så fløjlsblød som en kats.

'Det går vel o.k.,' svarede jeg og følte mig totalt åndssvag, fordi jeg bare blev stående dér som en spasser. Jeg havde skolelærerdresset på, det med den reglementerede kjolelængde og fornuftige farmorsko i en skøn, brunlig farve. Altså lige præcis alt det forkerte, hvis man rendte ind i en lækker fyr, og jeg bandede indvendig over min egen dårlige timing.

Så vendte han sig om for at kigge på mig.

Jeg vil ikke sige, at jorden skælvede under fødderne på mig, eller noget sludder i den retning. Men jeg kan sværge ved mit liv på én ting: Da jeg så ham ind i øjnene, blev jeg optændt af den slags håb, man kun mærker meget tidligt i sit liv og aldrig siden finder igen på helt samme måde. Det føltes, som om alle de tanker, der var ved at forme sig inden i mig, var vigtigere i netop dét øjeblik end noget andet i hele verden. For han hverken blinkede eller smilede til mig denne gang. Han stirrede derimod ind gennem nethinden, bag øjnene, ind til hjernen, indmaden og alt det andet og lyste rundt omkring i mig med en hemmelig lommelygte, før han endelig kravlede ud igen, tydeligt tilfreds med, hvad han havde opdaget derinde. Jeg kan kun sammenligne fornemmelsen med at være i kløerne på et stort rovdyr, som man ikke er bange for, fordi man ved, det kun vil gøre alle andre end én selv fortræd. For selv om han havde aet turistens øre og ubarberede kind, var der ikke kærlighed bag dén gestus, men derimod et løfte. Og det lød omtrent sådan her: 'Du skal ikke høre efter, hvad jeg *siger*, men i stedet lægge mærke til, hvor nemt mine hænder kan rive hovedet af dit ækle korpus og drible det ned ad gaden.' Alt det vidste jeg som amen i kirken, og jeg blev stadig væk bare stående i mine hæslige Dubarry-laksko.

Hvorfor? Det var ikke bare nysgerrighed eller en billig fantasi om at få en tur op ad muren et sted.

Jeg kan bedst forklare det ved at sige, at jeg begyndte at pejle mig ind på hans stemme. Jeg stod dér som en ensom radiostation, der venter på et godt signal, og lod hans usynlige frekvens skylle hen over mig.

'Hvad hedder du?' ville han vide.

'Det samme som i går.'

Han strammede en ny skrue og brugte den underste del af sin T-shirt til at tørre benzinslangen af med. Dermed blottede han noget maveskind, som ikke havde set ret mange portere og chips i sit liv. Naturligvis gjorde han det med vilje.

'Og nu vil du vide, hvad jeg mon hviskede til ham den svenske kødbolle for at få ham og hans afblegede tandstikker til at glemme alt om at købe et stykke souvenir-Irland til at smide ned i bagagerummet, ikke?'

Jeg skruede lidt op for råstyrken i min stemme, for fyren var sgu lidt for selvsikker, selv om han havde set lige igennem mig. 'Måske,' svarede jeg. 'Eller også ville jeg bare se, hvordan en turist som dig fedter rundt med sin legetøjsknallert. Hvad slags er det?'

Han smed svensknøglen fra sig og lagde hovedet på skrå som for at sige, hold da kæft, det kræver åbenbart lidt mere for at få hende her tøet op. 'Den smukkeste motorcykel, der nogen sinde er blevet lavet, og sådan er det bare,' sagde han og rørte nænsomt ved et bannerformet mærke lavet af tyndt bladguld, som prydede hver side af den enorme benzintank. Ordet VINCENT var stanset med perlemor oven på guldet, som fik det hele til at ligne verdens dyreste tatovering. Fyren smilede endelig. Selvfølgelig var hans tænder så perfekte som i en reklame, og han talte med en ærbødighed, jeg indtil den dag kun havde hørt i kirken. 'Min Vinnie er en ægte speed-racer. Hun er den sidste af slagsen i Irland, måske i hele verden, og lige så sjælden som en enhjørning. En 1950 Vincent Comet på ni hundrede og otteoghalvfems kubik, med indsmurt dobbeltkobling og Albion-gear.' Han opfangede mit uforstående blik og tilføjede: 'Alt det betyder bare, at hun er pisselhurtig, umulig at gøre tilpas, og at hun hele tiden går i stykker. Men jeg elsker hende. Vil du have en tur?'

'Du er ikke ked af det, hva'?'

'Jeg prøver bare at være venlig.'

Kom nu, spørg igen, tænkte jeg, men så kom jeg til at kigge på uret. Den var næsten ni, og lige om hjørnet var treogtyve unger på elleve år ved at sætte sig ved pultene, mens de ventede på atter en medrivende time om Nilens delta og templet ved Abu Simbel. Fyren så mig gøre det og blev lidt ked af det, tror jeg. Før jeg anede, hvad der var sket, tog han fat i min ene hånd og gav den et lille klem, som en gentleman ville gøre. Han bagte ikke på mig eller noget.

Så sagde han: 'Jeg hedder Jim.'

'Nå, men tillykke med det, så.' Jeg slap hans hånd, krydsede tilbage over gaden og standsede. Det vidste han også, at jeg ville gøre, for han grinede, idet jeg vendte mig om. Blæsten tog fat og fik læderjakken på hans slanke krop til at blafre som et lædersejl. 'Okay,' sagde jeg endelig. 'Jeg giver mig. Hvad sagde du så til ham svenskeren? At du ville tvinge ham til at æde sin nye bil til morgenmad eller hvad?'

Der kom den så, min første advarsel. Og jeg ignorerede den. Jeg havde allerede glemt min sunde dømmekraft, og det kriblede i mig for at høre en hemmelighed.

Jim rystede på hovedet og drejede tændingsnøglen. Motoren brølede mere end en hel kutterflåde ved daggry. Det betød selvfølgelig, at jeg var nødt til at nærme mig ham igen, og han lo bare, mens han gav den så meget gas, den kunne trække. Selv nu føler jeg stadig mest begær ved tanken og ikke rædsel. Han strakte hals og vinkede mig hen til sig med venstre hånd. Mens mit hår hvirvlede rundt i vinden og blandede sig med hans, kunne jeg endelig høre, hvad han sagde.

'Jeg fortalte ham bare en historie.'

'Så må den da have været ret uhyggelig eller hvad?' forsøgte jeg mig og ville vide mere. Vincenten skreg med alle sine 998 kubik-stemmer, og nu var min ene kind lige op ad Jims. Han lugtede af motorolie og flere dage på landevejen. Jeg lukkede måske øjnene, bare i et sekund.

'Nej. Bare en, der passede til, hvad han allerede havde inde i hovedet.' Hvad *det* så end betød. Så gav han mig et venligt klap på kinden, sparkede til støttebenet og nikkede til mig igen på den dér reserverede måde. Han skruede gashåndtaget i bund og drejede til venstre op ad bakken, der fører over til landsbyen Eyeries. Rundt omkring stod der flere af mine elever og gloede efter ham. Jeg blev stående på hovedgaden længe efter at motorlyden havde fortonet sig og blev næsten selv påkørt af en anden luksusflyder. Jeg gik hen til min cykel og hørte kirkeklokkerne slå ni. Jeg var for sent på den til min egen time, men det var der mindst ti elever, der også var.

For der hvor jeg kom fra, var det altså ikke hverdagskost at se en knaldrød Vincent og en skidelækker fyr, som vidste, hvad der gemte sig i andre menneskers hoveder.

Mens jeg trampede op ad bakke i pedalerne, prøvede jeg at genkalde mig, hvordan svenskeren havde set ud i øjnene.

Han var ikke kun blevet bange for det, han havde hørt.

Han vidste, han lige havde været døden nær.

5

Jeg gjorde, hvad jeg kunne resten af den morgen for ikke at være ski-deligeglad med pyramiderne ved Gizeh og med fyren, der byggede dem. Jeg forsøgte også at stave ordene 'farao Khufu' korrekt på tavlen, uden at det blev alt for tydeligt, hvor lidt erfaring jeg havde som lærer. Men med den sjette klasse, jeg havde, kunne jeg have sparet mig. Mens jeg for tredje gang sagde til Clarke Riordan, at han skulle lægge sin forbandede PSP væk, kunne jeg ikke lade være med at spekulere over, hvad Jim mon havde hvisket i øret på den aggressive bilist, så han gik sådan i baglås.

Men for at være helt ærlig over for dig, så var det mest ham, jeg tænk-te på. Jeg prøvede endda at ignorere råberiet i klasseværelset og lyttede i stedet efter fjerne motorlyde, som måske kunne vise sig at tilhøre en gan-ske særlig Vincent Comet.

'Undskyld, miss, men De svarede altså ikke på mit *spørgsmål*,' sagde Mary Catherine Cremin, og hun havde fuldkommen ret. Jeg havde ikke hørt en brik af, hvad hun lige havde sagt.

Der var en krusning af nervøs latter omkring mig, og jeg vågnede op af min døs. Foran mig stod klassens duks med stivelse i sin nystrøgede uniform og hver eneste blyant i sit pennalhus spidset med samme omhu som et dødbringende våben. Hun knugede et stykke kridt, som om hun kunne få timen til at gå hurtigere, hvis bare hun klemte ordentligt til. Mary Catherine havde været halvvejs igennem sit længe forberedte fore-drag om Kongernes Dal og var skidesur over, at jeg var forsvundet ud i tågerne, før hun nåede til den storslåede finale, hvor alle mumierne bli-ver balsameret.

'Øhm, undskyld, Mary Catherine. Hvad var det, du ville vide?'

Den fremtidige inkvisitor lagde armene over kors og sukkede. Hendes snørebånd var bundet så stramt, at det var et mirakel, barnet overhovedet kunne få vejret. 'David siger, at sfinksen mistede næsen, fordi nogle franske soldater klatrede op og hakkede den af, men *jeg* siger, at det i hvert fald ikke passer. Gør det vel?'

'Nej, jeg sagde, at de skød den af med en kanon,' råbte David fornøjet. Han var en kraftigt bygget dreng med en brægende stemme, og hans ånde lugtede altid surt.

'Hold kæft, grimme,' hvæsede Mary Catherine og justerede sit hårspænde.

'Selv kæft.'

"Kan vi så lige få ro,' forsøgte jeg og vinkede Mary Catherine ned på sin plads, som hun indtog uden hverken fart eller begejstring. David så ud, som om han mest havde lyst til at fyre et æble i nakken på hende fra et af træerne udenfor, og det kunne jeg nu ikke bebrejde ham. 'Der er faktisk ingen, der kender svaret,' sagde jeg i et forsøg på at være diplomatisk. 'Mange historikere mener, at lokale hærværksmænd smadrede næsen engang i det fjortende århundrede, så det var nok ikke Napoleons soldater. Men det er ikke til at sige med sikkerhed.'

Mary Catherine og David var begge to uimponerede over min salomoniske dom og skulede ondt til hinanden. 'Men *miss*,' begyndte den lille De-har-glemt-at-give-os-lektier-for-morakker med pibende stemme. 'Jeg slog det altså op, og der står selv, at det var en gammel *mand*, som ødela –'

'Nej, det var ej, sfinksen fik en kanonkugle lige i fjæset,' råbte David og slog næven i bordet. 'Bang! Og så røg næsen af.'

Der udbrød nu totalt kaos. Begge børnene prøvede at overdøve hinanden og forsøgte én gang for alle at afgøre den magtkamp, jeg havde været ude af stand til at forhindre: Det var duksen mod tyrannen. Snart fløj bøgerne hurtigere gennem luften end ederne, og de små bæster blev bare mere blodtørstige, hver gang jeg prøvede at skille dem ad. Jeg skævede op på uret. Der var langt til næste frikvarter.

Så hørte jeg en svag rumlen.

Den krøb lige igennem larmen og ind i øret på mig. Dér voksede den sig større, mens den kom nærmere, indtil skrighalsene begyndte at tie stille, en for en. Nu lyttede alle børnene. Jeg genkendte den spruttende lyd med det samme. Kun en gammel motorcykel, som gik i stykker flere gange om dagen og havde brug for en kærlig hånd, kunne knurre sådan.

Jeg kiggede ud ad vinduet, men kunne kun se min egen gamle Raleigh ved siden af et par endnu mere ramponerede Ford Fiestaer på lærernes parkeringsplads. Kirken skyggede for hovedvejen, men jeg stirrede alligevel derned i håb om at få et glimt af noget rødt, der fræsede forbi.

Så døede lyden hen og blev overdøvet af regnen, der trommede på taget.

En dreng i klassen, som hed Liam, var så tynd, at jeg kunne have bukket begge ender sammen på ham og stoppet ham i lommen. Nu smilede han, og det var sjældent. Han var den slags dreng, som de andre havde givet buksevand nede i havnen så ofte, at hans skoleuniform så underligt stumpet ud, hver gang den var blevet tør. Han sagde næsten aldrig noget i timerne. Og når han endelig gjorde det, sørgede han for at skele over til drenge som David for at se, hvilken straf han senere ville få for sin forseelse. Men i dag var der sket noget med ham. Han tindrede som et fyrtårn.

'De så den også, miss,' sagde han med blanke øjne og pivåben mund. 'Motorcyklen, altså. Gjorde De ikke?'

Andre forventningsfulde ansigter vendte sig om efter mig, og jeg genkendte en håndfuld, der ligesom jeg havde oplevet at se den purpurrøde rock'n'roll-maskine drøne tværs gennem byen og at undre sig over, hvor den mon kom fra. Jeg overvejede at sige nej. Ikke fordi jeg ikke undede Liam hans hårdt tilkæmpede triumf, men fordi jeg var bange for, hvor tydeligt mit svar ville afsløre, hvor dybt det korte møde med en mand, der kaldte sig Jim og lugtede af ufortyndet sex, allerede havde berørt mig. Jeg prøvede at opfange motorens summen en gang til, men hørte kun lyden af almindelige dødelige udenfor, som kørte lastvogne og busser.

Jeg så endelig på Liam og nikkede.

'Jo,' svarede jeg med en stemme lige så flertydig som sfinksens smil. 'Jo, jeg gjorde.'

Finbarr straffede mig selvfølgelig ved at drikke sin te i gravkapelslignende stilhed.

Jeg elskede ham, det gjorde jeg virkelig. Ikke på grund af hans funklende Mercedes S500L, som han altid sørgede for at parkere et sted, hvor han kunne holde øje med den, mens vi spiste. Det var heller ikke, fordi han havde den lækreste røv i hele Castletownbere og tjente over to millioner euro om året på at smide 'autentiske irske drømmehjem' i nakken på folk, der havde brug for sådan en som ham til at tyde deres drømme.

Nej, jeg var blevet hos Finbarr i næsten et år på det tidspunkt, fordi han altid lyttede. Så enkelt var det faktisk. Selv dengang kunne jeg kende forskel på fyre, der bare lader, som om de gider høre, hvad du siger, bare for at score, og så dem, der er rigtigt nysgerrige. Han var oprigtigt interesseret i, hvad jeg sagde, og opfattede enhver nuance eller selvmodsigelse. Nogle gange var det lidt som at komme sammen med en løgnedetektor, for intet undgik hans opmærksomhed. Han plejede at nikke og rynke sin smukke pande, mens hans blå øjne afventede min rapport om, hvad jeg så havde lavet den dag.

Det var vel sådan, han bedst forstod kærlighed, tror jeg. Ved at vente og holde sig tilbage, indtil det var helt sikkert at komme ud at lege. Jeg følte mig lykkelig. Eller også var jeg bare ikke ulykkelig. Dengang kom det egentlig ud på ét. Hvis du endelig vil vide det, så var vores sexliv ret intenst i de første par måneder. Det gamle nummer med at skubbe mig op ad væggen var der masser af, sikkert fordi han skulle leve op til at køre rundt i så stor en nazi-slæde. Men de optrin var der blevet færre af, da han og jeg sad over for hinanden på den lille café. Vi var midt i vores daglige te-ritual, før jeg skulle over til middag hos min tante Moira.

Det var netop, fordi han var så god til at lytte, at han hørte det, jeg *ikke* sagde.

Himlen var begyndt at kravle i seng og havde givet det gamle republikanske monument udenfor samme aftenfarve som en candyfloss. Skyggen fra det keltiske kors strakte sig hen over gaden og dækkede halvdelen af Finbarrs ansigt, mens han var lige ved at sige noget grimt, kunne jeg se. Jeg kneb øjnene sammen og lod, som om han i virkeligheden var to forskellige personer. Den ene var min kæreste, mens den anden var et væsen, som kun var til stede for at påpege mine fejl. Jeg vil lade dig selv gætte på, hvem af dem, der fyldte mest den eftermiddag. Han blev ved med at åbne og lukke metalkæden på sit Rolex, og jeg havde sådan lyst til at flå det af ham og smide det i havnen for at få ham til at sige noget, for helvede.

'Jeg så dig kysse ham ... sigøjneren, eller hvad han var, her til morgen,' sagde han endelig og så ikke på mig.

'Hold dog op.'

Hans smil var helt glædesløst. Der gik lang tid, før jeg fattede, at han mente det alvorligt.

'Du lænede endda din cykel op ad mit vindue forinden,' fortsatte han og blev ved med at pille ved det forbandede ur. 'Mit *kontor*. Og så gik du over gaden og kyssede ham. Ham fyren i læderjakken. Jeg så dig jo.' Han ventede ikke på en forklaring. Sådan var Finbarr. Han foretrak til enhver tid sine egne øjne og ører frem for en halvgod undskyldning. Jeg rodede rundt i tasken efter nogle af Róisíns smøger og fandt ikke en eneste. Nu havde korsets skygge bevæget sig, så kun Finbarrs øje stadig var oplyst af solen. Fedt, tænkte jeg, en kyklop. Min kæreste er et mytologisk fortidsvæsen, ud over at være skideirriterende. Og jeg er sur på ham, fordi han har bemærket noget, jeg først lige er ved selv at kunne fornemme.

'Han sagde ... ' begyndte jeg.

Så holdt jeg inde. For hvad havde Jim egentlig sagt? Ikke noget, jeg ikke vidste i forvejen. Hans kunstgreb var snarere, at han drog mig til sig, før jeg kunne tænke mig om.

'Sagde hvad?' spurgte Finbarr, hvis kongeblå slips fra Ermenegildo Zegna var faldet ned i hans tekop som en tørstig ål uden at være blevet opdaget.

Jeg besluttede mig for at lyve. Ikke for at være led, men fordi sandheden lød som verdens fedeste løgn. Det håber jeg, du er enig med mig i. For helt ærlig, ville *du* have troet på, at Jim i virkeligheden forklarede mig, hvordan han havde fået ham pumpedrengen til at lukke røven og fise af bare ved at hviske en *historie* til ham? Nej, vel?

'At han var totalt flad, faret vild og havde brug for penge,' sagde jeg. 'Jeg bukkede mig kun ned for at høre på grund af motorlarmen. Gi' mig lige en af dine smøger.'

'Nej. Du er holdt op.' Hans øjne gennemlyste mit ansigt, som de altid gjorde, når han ikke vidste, om han skulle tro mest på sine ører eller sin sjette sans. Han havde ikke besluttet sig.

'Hold nu op, Finbarr, gi' mig en cigaret. Han spurgte om vej, og jeg svarede.'

'Hvad sagde *du* så?'

Jeg snuppede en af Finbarrs Marlboros, før han kunne nå at standse mig. Jeg tændte den, blæste røg ud i det tavse lokale og svarede. 'Jeg sagde, at han skulle køre et andet sted hen og lege med sin lille røde legetøjsknallert. Okay?'

'Og det er du helt sikker på?'

'Gider du godt høre *efter*? Tror du virkelig, jeg gider kysse en tilfældig bums fra Dublin, som kører på noget, julemanden ikke engang gad bruge, sidst hans rensdyr strejkede? Er du fuldkommen sindssyg?' Jeg blæste flere røgringe og skævede over til ham for at se, hvor meget af min løgnehistorie han gad fordøje. For neden under min glansrolle som den loyale kæreste vidste jeg godt, at jeg fortjente at mærke Finbarrs jalousi. Den havde jeg selv fremkaldt og kunne mærke Jim gnave som en sten i skoen. Og selv da, i forhørslampens skær, kunne jeg ikke lade være med at gætte på, hvor mon den Vincent årgang 1950 var forsvundet hen.

'Nå, men okay,' sagde han bare og rakte ud efter sin jakke. Og så var dén åbenbart ikke længere. Han smilede endda og tog sine bilnøgler. Han havde ædt det hele råt. Jeg troede endda selv på det en kort overgang, men idet jeg rejste mig og fulgte efter ham ud på fortovet, var jeg vred over at have løjet for at beskytte en mand, jeg ikke engang kendte. Senere ville jeg gøre mig skyldig i langt værre ting. Men det kommer vi til.

'Vi ses i morgen, ikke?' spurgte jeg, mens jeg gik hen ad den smalle gade og kunne se velnærede havmåger dykke som bombefly ned over bugnende trawlere, som tøffede i havn.

'Skal jeg ikke køre dig?' spurgte løgnedetektoren, som åbenbart var ude af drift den aften. Han rettede på sit smarte jakkesæt.

'Jeg mangler at købe et par ting til tante Moira,' sagde jeg og var lykkelig over i det mindste at være vendt tilbage til sandhedernes verden. 'Det er hende, der laver mad. Det overlever jeg kun, hvis jeg fortynder katastrofen ved selv at tage noget med. Som for eksempel kød, der er købt *inden* udløbsdatoen.'

'Gud velsigne Vor Hellige Frue af det Evige Martyrium,' sagde Finbarr, gjorde korsets tegn og gav mig et ægte smil denne gang.

'Din hedning,' sagde jeg og kyssede ham godnat. 'Spiser vi sammen i morgen?'

'Kun hvis du ikke tager ham din Hell's Angel med, eller hvad han så end var.'

'Du får altså ikke en skid, hvis du bliver sådan ved, Finbarr Anthony Flynn,' sagde jeg, men grinede, fordi jeg havde tøet ham op. Han stolede på mig igen. Jeg har ofte tænkt på, hvad der ville være sket, hvis min løgn var faldet til jorden den dag. Måske ville jeg stå bag ved dig lige nu, i dit dejligt opvarmede hus, i levende live og se dig over skulderen, mens du pløjede dig igennem en dagbog skrevet af en anden stakkels tøs. Men nu er vi altså her, begge to. Så det må vi klare os med.

Jeg havde sådan lyst til at fortælle Finbarr sandheden, mens han gik hen til sin sølvfarvede bil. Jeg ville have indrømmet, hvor svimmel jeg havde følt mig den morgen, da jeg så mine fødder bevæge sig hen over asfalten på jagt efter noget, jeg aldrig havde følt før. Hvordan Jim i virkeligheden skræmte mig lige så meget, som jeg var tiltrukket af hans skødesløse charme og næsten usynlige kerne af ren vold. Men jeg sagde ingenting. Jeg var nok mest bange for at føle mig dum, fordi jeg ikke selv forstod kontrasten.

Jeg så mit eget spejlbillede i en butiksrude på vej hen til SuperValu for at hente friske grøntsager.

Kvinden, der stirrede tilbage på mig, havde allerede fået en andens øjne.

De havde set noget, jeg vidste, hun aldrig ville prøve at forklare over for nogen.

6

Dagslyset blev kun lige hængende ved neglene, da jeg kom ud igen og lagde indkøbsposerne i cykelkurven. Bear Island lå ude over vandet og hvilede sig som en mørk blåhval, der slanger sig efter en lang dags fodring. Foråret var lige ved at blomstre op som den slags sommer, der hver juni forvandler min by fra en flække med otte hundrede sjæle til et summende kaos på over tusind turister. Jeg cyklede forbi den nye gourmetrestaurant, som aldrig havde mere end to gæster, zigzaggede forbi nogle af mine egne elever, der spillede fodbold, og holdt ind til siden ved bakketoppen.

Det var ikke min mening at køre netop dén vej. Men jeg havde glemt, hvordan jeg fik det, når jeg genså det gamle hus. Som om jeg havde ædt hval-lort, kan jeg love dig.

Dér stod det så, i al sin fordums pragt. Nu lå der en vinhandel og trodsede spøgelserne, hvor min fars aviskiosk engang havde været. Rammen omkring min barndom havde været et skodhus på to etager med en facade, der lignede brune popcorn. Men mig og mine søstre kunne godt lide det. Vores far stod tidligt op for at skære de røde nylonsnore af avisbundterne, og vi elskede at hjælpe ham. Dengang var kiosken byens centrum. Der kom både lotterijunkies, sprittere, euro-trash med røven fuld af penge og alle de andre. Far holdt sig mest for sig selv. Så det blev mor, der fortalte os om verden udenfor. Hun købte engang et kort til mig over det gamle Egypten med en blå stribe midt i, som løb hele vejen fra syd til nord. Ved siden af det tegnede jeg templer og hængte kortet over min seng. Dengang drømte jeg aldrig om Amenhotep og Ramses. Ikke engang, når jeg prøvede på det. Men det var sikkert, fordi jeg ikke kunne stave deres navne rigtigt endnu.

Så en aften havde far glemt at lukke for Kosangasflaskerne i butikken. Jeg har altid synes, at det var en menneskelig fejl at sætte tappen skævt på.

Vi andre sov ovenpå. Mor og far var gået nedenunder for at gøre klar til dagen efter. Bagefter da det hele var overstået, og naboerne havde reddet os i tide, sagde politiet, at branden var blevet antændt af en gnist bag ved køleskabet. Det var tilfældigvis også der, flaskegassen lå og hyggede sig. Eksplosionen var så kraftig, at alle ruderne blev blæst ud, og den efterfølgende brand svitsede alting. Kun fryseren til isen gik fri. Vi begravede det, der var tilbage af vores forældre, da jeg var tretten år og flyttede op ad bakken til tante Moira. Det var vel egentlig okay. Med tiden blev det faktisk normalt for os at bo deroppe, indtil vi hver især fik vores eget.

Derfor hadede jeg bare at cykle denne vej, men var så paf, at jeg havde glemt det. Mit gamle værelse på første sal var nu et pulterkammer, fyldt med gamle papkasser. Nede fra gaden kunne jeg ikke se, om mit gamle Egyptenkort stadig hang deroppe. Det gjorde det nok ikke. Der var stadig sorte skjolder på muren, der hvor flammerne havde taget fat. Jeg har ikke spist en eneste is siden. Det smager helt forkert.

Jeg vendte mig om og kiggede længe på de prægtige trawlere, som vendte hjem med bugen fuld af kuller. Jeg lod blikket falde hen over den maleriske markedsplads og hadede det hele, helt ind i sjælen.

Undskyld, men jeg har aldrig følt noget af den slags hjemstavns-nostalgi, man læser om i turistbøgerne. Du ved, det der Irish Spring-nonsens, hvor rødhårede piger til hest bøjer sig ned og kysser nogle rå George Clooney-typer med veste og tweedkasketter, mens et usynligt orkester i baggrunden spiller fiddle-de-dee-musik, til du får lyst til at dreje halsen om på dem alle sammen. Men netop dén fantasi var grunden til, at Finbarr sikkert stadig sælger havudsigt, som vi andre aldrig kunne have råd til. I stedet har tilflyttere fra Holland og Spanien ændret vores by. Hvor den før var stille og kedelig, er den nu lige så stenrig, stille og kedelig som resten af oplandet. Jeg ved godt, jeg selv har rødt hår. Men prøv bare at se, hvor længe du ville kunne holde den slags romantik kørende med min løn.

Det kriblede i mig for at komme væk derfra. At se pyramiderne i virkeligheden og ikke bare for mit indre øje. Men sådan er det ikke. Storesøstre får ikke lov at stikke af. De holder bare skansen og tørrer op efter alle andre.

Og apropos det, så var jeg faktisk på vej over til Tallon Road for at

60

hente min lillesøster Róisín, så vi sammen kunne tage over til vores tante. Egentlig kunne vi vel have mødtes dér. Men dengang havde Rosie et intimt forhold til flere på hinanden følgende glas øl, som hun allerhelst drak i mørke afkroge sammen med de værste mænd, man kan tænke sig. Men lige meget hvor mange portere de postede på hende, havde ingen af dem endnu set hende uden trusser. Jeg kunne mærke syren pumpe i mine trætte ben, mens jeg oksede jernhesten de sidste hundrede meter hen til hendes lejlighed.

Indenfor lugtede der, som om en kamel var kravlet ind under sengen og havde udåndet. Róisín var altså hjemme. Hendes sorte lokker bevægede sig et sted under de krøllede dyner, og en ru stemme bandede og knurrede, fordi dens ejermand tydeligvis lige var vågnet klokken lidt i halv syv om aftenen.

'Mmm ... vil ha' en smøg,' mumlede hun, og jeg kastede en ekstra cigaret over til hende, som jeg havde hugget fra Finbarr. Jeg banede mig vej igennem min søsters mange lag sort goth-kluns, som flød overalt, og fandt endelig kaffemaskinen. Så lagde jeg mærke til, at hendes dyrebareste ejendel, hendes bedste ven i hele verden, ikke var blevet lagt i seng overhovedet, men stadig var vågen.

Stemmerne hviskede endnu. De pludrede med hinanden som helge-ner i Himlen, der sammenligner deres yndlingssyndere, og var ligeglade med, om nogen af os kunne høre dem.

En splinterny ICOM IC-910H-kortbølgesender var gemt væk mellem skrivebordet og et svajrygget strygejern og åndede grøn tåge ud over køkkenet. Den var sort og kasseformet og hypermoderne. Róisín havde stadig volumenknappen skruet op, og utydelige meldinger filtrede sig rundt mellem hinanden på det overlæssede UHF-bånd. Jeg syntes altid, det lød som et af tv-dokumentarprogrammerne om måneraketter, hvor karseklippede mænd med øresnegle smiler, når de hører gutterne et sted i sardindåsen deroppe sige: 'Vi kan høre jer klart og tydeligt, Houston!' Men for Rosie var tingesten bare bedre end en troldmands krystalkugle. Jeg gik hen og slukkede på knappen, og det grønne lys fortonede sig.

Nu kunne jeg godt sætte din tålmodighed på prøve og fortælle alenlange røverhistorier om min søsters besættelse af fjerne stemmer, hun ikke engang ville komme til at møde. Jeg vil nøjes med at sige, at vi begge to drømte om fjerne kyster, bare på hver vores måde. Mens det var nok for mig bare at hænge et landkort op, så var hun nødt til også at *mærke* en forbindelse. Vores forældre købte en transistorradio til hende, da hun var syv. Hun havde den kørende så tit, at plastichængslet bagpå smeltede, inden der var gået et år. Da hun blev større, brugte hun sine lommepenge på to ting: mascara, som fik hende til at ligne en punk-vaskebjørn, og kortbølgeradioer. Hun afskyede e-mail, som hun kaldte 'en kravlegård for børn, der ikke engang gider snakke'. Og det havde hun vel ret i. Hendes stemme havde altid været kønnere end alle andres.

Det allernyeste monstrum var en gave fra en beundrer, og det mener jeg faktisk, helt uden pis. Hun havde tonsvis af dem. Mænd hang ved hende som harpiks på en sweater. Og det var ikke kun, fordi hun behandlede dem som lort, hvilket man jo ikke kan gøre ofte nok, hvis man vil sikre sig, at de aldrig skrider fra én. Næh, de var tiltrukket af *rygtet*, som endda var den skinbarlige sandhed, nemlig at hun aldrig havde været i seng med en mand. Og når man lagde det sammen med det faktum, at hun uden besvær kunne argumentere dem alle sammen under bordet, selv når hun var møgstiv, var mystikken fuldendt. Derudover var hun naturligvis bare så smuk. Jeg sparkede til hendes ene fod.

Der lød et grynt til. 'Av! Kommer du for at pine mig, din sado-lærer-inde.'

'Så er det op. Hvis du tror, jeg har tænkt mig at spise kogt kød og rest-kartofler helt alene, kan du godt tro om.'

To ben svingede langsomt ud i min retning, og Rosie satte sig forsigtigt op. Hun lignede en japansk porcelænsdukke, som var blevet overfaldet af en bande makeup-artister. Hendes lyserøde øjenlåg var opsvulmede, og der var små, fine drukblomster på kinderne, hvor mascaraen var begyndt at tvære sig ind i sminken. Hendes læber formede netop det luri-fakssmil, enhver dreng, mand og bedstefar herfra til Skibbereen havde fortalt deres venner om, selv om hun aldrig ville have værdiget deres lystige blikke så meget som ét af sine egne. Det var den slags smil, som kan styrte imperier i grus, hvis bare Róisín havde nogen anelse om, hvad det betød.

Men dengang var hun tilfreds med at hæve understøttelse og samtidig være den sidste kunde, der gik hjem fra McSorley's Bar, hvor hun uden besvær drak alle de fæhoveder, der købte *pints* til hende, under bordet. Rosie var klart det klogeste hoved i vores familie. Hun var kommet ind på University College Cork året forinden og var godt på vej til en fysikeksamen, som alligevel ikke gjorde noget videre indhug i hendes fritidsplaner.

Det varede, lige indtil hendes vejleder i kvantefysik greb fat i hende en dag ude på pigetoilettet og prøvede at få hende til at sutte på sin lille gulerod. Rosie slap først taget i ham, da tre hærdebrede studerende endelig lagde sig imellem. Hun havde nået at brække hans kraveben, kraniet omkring øjenhulen og at stemple den ene af hans testikler, kun ved hjælp af rengøringsdamens kost. Skolen ville ikke bortvise hende, men fyrede samtidig heller ikke ham mandslingen. Og så sagde Rosie bare farvel og ellers mange tak, tog bussen hjem igen og vendte tilbage til sine elskede, usete stemmer i æteren. Sådan havde det været i mere end et halvt år.

'Glemte du min morgenmad?' ville skabningen i de tigerstribede minitrusser vide. Jeg smed to stykker toast med honning, jeg lige havde smurt, hen til hende. Hun fortærede dem og lod benene dingle ud over sengekanten som den pige, hun stadig var. Da hun endelig stod op og gik på opdagelse i sit skab for at finde noget rent tøj, der ikke var sort, lykkedes det mig at holde alle tanker om motorcyklister på afstand. Næsten. Rosie havde i mellemtiden fået skruet sig ned i de strammeste jeans, man kunne opdrive, og fuldendte sit ensemble med dolkespidse røde stilethæle samt en hvid læderfrakke, der nåede ned til anklerne. Dæmonisk sort eyeliner fik hende til at ligne Draculas yndlingskusine, og hun var allerede halvvejs ude ad døren, mens jeg selv ikke kunne løsrive mig fra tankerne om en, jeg ellers havde lovet mig selv at glemme alt om.

'*Oi!* Hvad tænker du på? Marsmænd?' ville Rosie vide, inden hun afprøvede sit dødsensfarlige smil en ekstra gang og stak en frisk smøg ind i midten af det på samme måde, som en havnearbejder svinger sin lossekrog.

'Nej,' sagde jeg og prøvede at mene det.

7

Det var lige før, jeg overså notitsen om det uforklarlige dødsfald.

Vi var allerede henne ved cyklerne, men Rosie havde ikke kørt på sin så længe, at begge dækkene var flade. Så mens hun rodede rundt i bryggerset efter en pumpe, prøvede jeg at rydde lidt op i den dynge af overfrakker, hun bare havde smidt ud over hele gulvet. Jeg hængte imiteret leopardpels og læderjakker med malerpletter tilbage på knagerne og fandt fire dages aviser underneden. Som sædvanlig. Min søster nægtede stædigt at anerkende det gratis abonnement på *The Southern Star*, som jeg havde skaffet hende gennem en af Finbarrs kunder. Hun foretrak at holde teselskab med sine frit svævende stemmer frem for at udsætte sig for tilværelsens mere håndgribelige skuffelser.

'Kommer der nogen sinde noget andet ind i hovedet på dig end den forbandede radio?' spurgte jeg og bladrede rundt i den nyeste avis. 'Hvad med at besøge os andre herude i virkeligheden?' Det var nemlig ikke hendes lillesøsteragtige protest, som gik mig mest på, men derimod min vished om, at hendes overlegne turbohjerne inden længe ville være forvandlet til digital kartoffelmos. Mit lille geni svarede ikke, men trak surmulende sin cykel udenfor og begyndte at køre af sted. Typisk. Jeg foldede avisen sammen og skulle lige til at smide den tilbage i bryggerset, inden jeg låste efter mig.

Og det var dér, jeg så den.

Artiklen lignede ved første øjekast et referat af alle de mange tragiske hændelser, jeg havde læst om før. For når strømmen af turister tager til hver sommer, gør dødsulykkerne på landevejen det samme. Så enkelt er det. Men der var nu noget ved denne her, som virkede forkert på en eller anden måde. Jeg var nødt til at læse den igennem to gange, før jeg opdagede, hvad det var. Der lå noget usagt og gemte sig mellem linjerne, og det talte et tydeligere sprog end de ord, der var skrevet.

KVINDE FUNDET DØD I SIN SENG

Af Deirdre Houlihan

BANTRY, 19. maj – Naboer fandt i går den 34-årige Julie Ann Holland fra Drimoleague liggende død i sin seng, hvor hun øjensynlig havde ligget 'gennem længere tid' ifølge politiet. Mrs. Holland, som var enke, blev sidst set ved en havefest nær Clonakilty forrige lørdag aften. Man har ikke set andre gå ind i hendes hus, hvor man heller ikke har fundet tegn på kamp.

Alligevel bør enhver, som den pågældende nat kan have set mrs. Holland sammen med nogen, omgående kontakte Garda Distriktshovedkvarteret i Macroom, på telefon 066-40597 og spørge efter sergent Denis Macready. En nabo, som ikke vil have sit navn i avisen, påstår, at hun har set en motorcykel holde parkeret over for huset på omtrent samme tidspunkt. Mrs. Holland efterlader sig en seksårig søn ved navn Rory.

'Kommer du eller hvad?' Prinsesse Einstein var ved at blive utålmodig og lavede ottetaller med sin cykel længere nede ad vejen. Jeg foldede avisen sammen i min taske og låste døren. Mens hun gjorde kærligt nar af mig for at være så distræt, tænkte jeg på, hvordan mon mrs. Holland døde. Det kunne ikke have været, mens hun sov, for så ville artiklen have lydt anderledes, ikke også? Og hvorfor skulle man overhovedet ringe til strisserne, hvis ikke man frygtede overlagt mord? Så var der den motorcykel. Den kunne naturligvis have været i en hvilken som helst farve. Men i mit hjerte fandtes der vist allerede kun purpurrød. Jeg skælvede og lo beredvilligt ad min søsters spydigheder, mens vi drejede om hjørnet og så tante Moiras lyserøde *bed and breakfast*-hus tone frem.

Som jeg tidligere har fortalt dig, så er glansbillederne, hvor skønjomfruer, drillenisser og alfer danser sammen i skøn forening på vores ønskeøs smaragdgrønne enge altså fuldkommen *shite*.

For dén sommer lå der langt værre ting end svenske fartdjævle på lur bag ligusterhækkene.

Vor Frelser var blevet skuret bag ørerne til fredagsmiddagen.

Det var længe siden, jeg havde set hans åsyn med glorien på. Men idet Rosie og jeg trådte ind ad hoveddøren i Moiras toetagers med havudsigt, hang han der og skinnede, som om han lige var blevet dyppet i en spand Woolite og håndtørret som en baby. Vores forældre var stadig hos os, da jeg så ham sidst. Det var en af fars kunder, som havde foræret ham den som en slags joke, der bare blev hængende. Han var skabt af blå og gul plastic og afbildet med armene udstrakt til begge sider. Skægget havde engang været malet brunt, men farven var skallet af, så man uhindret kunne se helt ind til hans magt og vælde, som i dette tilfælde var en 40-wattspære. Plastic-Jesus var blevet blæst hen over gaden dén nat og var blevet reddet fra skraldespanden af tante Moira. Hun havde børstet ham ren og sagt til os piger, at det var 'Vorherres velsignelse'. Hun havde dernæst lagt ham i hans helt egen kasse ved foden af sin seng og kun taget ham ud af den, når hun ville mindes sin afdøde søster. Det fik selv de par religiøse galninge, vi havde tilbage i byen, til at tage et stort skridt tilbage og overlade scenen til hende.

Mig og Róisín kiggede på hinanden uden at sige noget, mens vi så os omkring i huset. Det var gået ned ad bakke for Moira. Billedet af gamle Eamon de Valera, det lække hug, hang i skarp sort-hvid over knagerækken. Spørg mig ikke hvorfor, men alle bedstemødre og andre med blåt hår elskede ham bare. Hun kunne da have valgt Bill Clinton, som i det mindste var en politiker, som kunne fyre den lidt af. En rosenkrans hang som en halskæde hen over Devs ansigt. Det ville han have elsket.

'Hejsa, tante Moira,' sagde Rosie og smilede pligtskyldigt som en snehvid lille niece, der lige havde glemt, at jeg altså var nødt til at køre hende til udpumpning midt om natten to dage forinden.

'I kommer for sent, små venner,' sagde Moira, men smilede og tog vores overtøj. Den umiskendelige lugt af hvad-fanden-er-*det?*, som stod og brændte på, bredte sig med det samme. Vores barndomshjem var begyndt at afsløre tegn på Moiras mangel på omsorg for sig selv og hendes overgivelse til langsomt snigende vanvid. Det tapet, vi havde hængt op, da vi var små, var nu gledet ned ad væggen til gulvbrædderne, som om huset prøvede at tabe sig. Vores tante havde stillet en stol for køkkenkaminen, fordi hun for nylig var blevet fuldkommen fobisk omkring ild. 'Jeg bliver brændt levende en dag som din salig mor, mærk dig mine ord,' havde hun sagt, sidst vi var der. Jeg smuttede dengang uden at svare. Hvor hun før havde gjort meget ud af at få gæsterne til at føle sig velkom-

66

men, talte hun nu kun med dem for at tjekke deres kreditkort og give dem turistkort over egnen. Men det havde været småt med besøgende på det sidste, og det kunne jeg ikke bebrejde dem.

Det var nu egentlig ikke hendes skyld. Det var Harolds.

Forræderi viser sig i mange afskygninger. Men sådan at plyndre følelserne hos en 42-årig kvinde, som har nogle gode år endnu at lyve om sin alder i, det var simpelthen for ubarmhjertigt. Nogle gange kunne jeg stadig lugte efterklangen af hans billige Brut-aftershave ovenpå i krogene. Harold havde kun været borte i et halvt års tid, men min tantes forfald var taget til. Hun gad kun vaske sig hver anden dag og ventede stadig ved en tavs telefon på en opringning, der aldrig ville komme. Hun var også gået på en skrap kur, hun troede, hun kunne holde hemmelig, og som udelukkende bestod af Mars-barer. Den havde tilføjet meget til en talje, som engang havde været så slank, at selv ældre mænd var bange for at give hende et knus af frygt for at knække hende midtover.

To år forinden havde Moira ellers været den slags stilige dame, andre jævnaldrende er jaloux på, og som mænd i alle aldre fantaserer om på samme måde, som de smugkigger på den distante, men sexede bibliotekar. Harold var turist og kom fra et sted nord for New York, som vist nok hed Rensselaer. Han havde været gæst oppe i nummer fem, havde betalt forud og sagde, han var kommet for at fiske. Hans færden blev altid annonceret af hans høje pande, de dér massive amerikanske hestetænder og en brægende latter, men folk besluttede hurtigt, at han nu ikke var helt skeløjet af en *yankee* at være. Han blinkede engang til mig, men ikke på nogen klam måde. Snarere som en storebror, som godt ved, at han ikke er en skid cool, men er ligeglad. Han kunne træde ind i et hvilket som helst lokale og få selv hundene derinde til at føle sig godt tilpas.

En skønne dag skulle han rejse videre. Mig og mine søskende kom hjem fra skole og fandt hans rygsæk nedenunder, men han var der ikke selv. Det var kun, da Rosie sneg sig op ad trappen og lagde sit allerede toptunede øre mod nummer fems nymalede dør, at hun hørte mere end bare fniseri. Hun spurtede ned til os for at fortælle, at Harold vist nok alligevel blev lidt længere. Og jeg kan stadig væk huske et stik af jalousi, fordi det ikke var mig, han havde valgt.

Moira ikke bare blomstrede op. Nu da Harold blev boende, flammede det for længst udslukte lys i hendes øjne op igen som solen, der skinner hen over bølgetoppene. Hun kyssede ham alt for inderligt og lidt for tit i fuld offentlighed, men var ligeglad med, hvem der så dem. Og når hendes besynderlige idéer begyndte at kravle op på skulderen og hviske hende i øret, kunne man altid regne med, at Harold nok skulle få talt hende ned på jorden igen. Hun lagde sit hoved på brystet af ham, når de sad sammen på sofaen. Jeg var helt rolig ved at lade Harold overtage det ansvar, vi andre havde måttet bære på vores skuldre, siden vi var små. Han betroede mig, at han for en gangs skyld havde 'fundet den eneste kvinde, jeg aldrig vil forlade'. Derfor begyndte vi at komme sjældnere forbi, så de kunne være lidt for sig selv.

Ja, jeg ved det godt, du skal ikke engang sige det. Hvis *du* havde hørt sådan en bemærkning, så ville du løbe skrigende væk. Og det skulle jeg også have gjort.

For da hende den hollandske pige kom forbi, glemte han hurtigt dét løfte.

Tante Moira var kommet tidligt hjem fra indkøb den dag, fordi hun ville overraske Harold med en lækker middag. Hun havde lige sat poserne ned, da hun hørte nogen stønne oppe i nummer fem. Hun åbnede døren og fandt Harold oven på en lille backpacker-mus ved navn Kaatje. Moira stod bare dér i sin fine nye sommerkjole, som hun havde købt for hans skyld, og bevægede munden, uden at der kom en lyd frem. Hun holdt stadig fast i dørhåndtaget, da det gik op for hende, at han ikke havde tænkt sig at holde op selv nu, hvor han var blevet afsløret. Kaatjes teknik og faste, bronzebrunede hud overtrumfede åbenbart langt chokket over at være blevet opdaget.

'Harold, gider du ikke bede din stuepige om at lukke døren?' havde nymfen endda spurgt, mens hun greb i hans balder for bringe ham tættere på sit barberede skridt, uden så meget som at se hen på tante Moira en eneste gang. Harold havde endelig vendt sig om mod staklen i døråbningen og gloet dumt som for at sige: 'Prøv lige at *dyrke* hende her. Helt ærlig, det er sgu da meget forståeligt.' Først da var Moira trådt et skridt tilbage og havde lukket døren. Hun græd først, da hun var nået nedenunder, men gjorde det så diskret, at kun plastic-Jesus kunne høre hende.

Harold stak af med Kaatje inden solnedgang. Han tog kun sit pas med, samt hvad han kunne finde af rede penge og rejsechecks i kassen, mens Moira gemte sig på sit værelse resten af aftenen og slog sig i ansigtet med knyttede hænder. Han lagde ikke engang en seddel til farvel.

Og nu hvor der ingen var til at tale hende ud af sindets mørkeste afkroge, vældede Moiras excentriske idéer atter frem som sultne slanger, der vrider sig ud af et knust syltetøjsglas. Men denne gang gjorde hun os rigtig bange. Plastic-Jesus og Eamon de Valera var én ting, men andre var kommet til. Mens Rosie og jeg gik gennem gangen til spisestuen, kunne vi se, at alle landskabsmalerierne var væk. Nu var det slut med de yndige skovsøer og forvitrede slotte med søde kronhjorte omkring. Vores tante havde i stedet købt hvide gipsstatuer af katolske helgener og opstillet dem som sikkerhedsvagter med en halv meters mellemrum. Det så ud, som om selve Guds hær gjorde sig parat til at gå i krig før middagen. Jeg lagde også mærke til, at der var en ny, skrøbelig energi over hendes gang, men sagde ingenting. Jeg vidste, at vi snart ville kunne glæde os til atter en herlig 'episode', medmindre jeg kunne forhindre det i tide. Men Rosie var ikke ligefrem nogen hjælp.

'Nå, var der brandudsalg ovre hos nonnerne, eller hvad?' spurgte Róisín uskyldigt sin tante og sagde dermed bare, hvad jeg selv tænkte. Bortset fra at der lurede et djævlebarn bag skolepigesmilet.

'Sæt jer nu og spis, mens det er varmt, piger,' svarede Moira uden at bide på den og smilede næsten lige så renfærdigt, som da vi var børn. Hun ledte os ind i en stue, vi huskede som et sted, hvor damaskservietter og rene glas skyggede for vores udsigt til hinanden hen over mahognibordets højglanspolerede overflade. Nu var bordet frønnet, og vores tante havde stillet glas frem, der havde kendt bedre dage. Der var også foldet blå papirservietter ned i dem, som havde logoet fra Finbarrs ejendomsfirma på.

Nu opdagede vi, hvor stanken var kommet fra. Foran os gispede store stykker lysegråt kød efter luft dybt nede i en terrin som sæler, der er strandet på en øde ø. Alle grøntsagerne var døde ved ankomsten. Som altid var kartoflerne så overkogte, at de var melede, og selvfølgelig havde Moira – ligesom sidst – taget imod mine friske varer og gemt dem langt væk. Fredagsmiddagene var nemlig *hendes* show, eftersom det efterhånden var det eneste tidspunkt, vi kom forbi.

Mig og Rosie tog plads, og jeg holdt godt øje med hende, hvis nu hun skulle få lyst til at udfordre skæbnen én gang til. Da hun opdagede sofaen, der også stod foran pejsen i stuen som et alt for tidligt forsøg på at forhindre julemanden adgang, gjorde et drilsk smil sig parat til at liste sig forbi hendes sorte læbestift. Hvad hendes fritidspunker-hjerne så end pønsede på af spydigheder, fik jeg kun akkurat afværget dem med et hvast blik.

Den ene stol var tom. Aoife var for sent på den. Igen.

Og grunden til, at jeg har ventet indtil nu med at præsentere hende for dig, er, at hun var stærkere end os andre. Róisíns tvillingesøster lignede hende på en prik. Alligevel ville man aldrig forveksle dem med hinanden, selv hvis de var splitternøgne. For hvor Rosie udstrålede en slags beregnende udfarenhed, som krævede spandevis af eyeliner, så havde Aoife en næsten eventyragtig renhed over sig. Kan du huske den Irish Spring-reklame, jeg svinede til lige før? Hun lignede lidt sådan en, men på sin helt egen måde. I stedet for jamrende *uillean*-fløjter og firkløvere som rekvisitter i sin tilværelse fyrede hun altid helt op for noget dødsmetal med en eller anden tysk fyr, som satte ild til sig selv på scenen. Hun syede sine egne kjoler og foretrak storblomstrede mønstre, som hun satte sammen med cocktailhæle eller bare tæer. Egentlig gik hun barfodet det meste af tiden, når hun kunne slippe af sted med det. Hun havde arvet min mors 'Du skal se, det går nok'-indstilling, og den smittede af på folk lige så meget, som Rosies surmulende exhibitionisme tiltrak mænd, der havde flere ringe i næsen end på fingrene. Men hér var så den egentlige forskel. Mens mit djævlebarn aldrig var dykket ned i kødets mysterium med det modsatte køn, sad hendes tvilling ikke ligefrem bagest i bussen, hvad dét angik, hvis du ved, hvad jeg mener.

Vi fik hver udbetalt vores andel af forsikringssummen for branden, da vi blev myndige (og jeg ville nok bruge dét ord lidt forsigtigt, hvad Rosie angår). Aoife havde købt en gammel, grøn Mercedes med de dér ottetals-forlygter og var begyndt som vognmand. Hun tjente ikke nok til at holde hippiestilen, men hun var ligeglad. Når folk sagde, at det var alt for farligt for en pige at rakke sådan rundt helt alene, grinede Aoife bare og løftede gulvmåtten under førersædet. Der havde hun gemt vores fars haglgevær, som hun havde savet både løbet og kolben af. Tingesten var hæslig, og branden havde farvet det koksgrå metal kobberblankt. 'De kan jo sutte lidt på *dén*, hvis de prøver på noget i min vogn,' plejede hun så at tilføje, mens hun smilede bredt uden nogen særlig grund.

Gennem Finbarr havde hun fået en god pris på en faldefærdig sten-hytte langt fanden i vold ude på midten af en pløjemark. Rønnen lå helt ovre ved Eyeries, hvor man kunne se gederne græsse helt ned til vejen, og irisblomster fik hele verden til at se gul ud, når det lige havde regnet. Taget var stadig utæt, men hun elskede det. Når jeg en gang imellem kom uanmeldt forbi, så jeg hende ofte stå ude mellem træerne i T-shirt og gummistøvler, helt opslugt af deres storslåethed. Som om hun lyttede til grenene og fuglenes vingeslag. Så plejede jeg bare at lade være med at forstyrre hende. For da så hun helt uforstyrret ud. Fredfyldt. Noget, jeg aldrig selv havde kunnet opnå.

'Jeg er bare så sulten, at jeg kunne æde en bondemands røv!'

Vi vendte os om, og dér kom hun væltende indenfor i egen høje per-son, skraldgrinende og med noget kage i den ene hånd, som hun stillede på bordet. Hun gik over og kyssede vores tante på begge kinder med en sådan kraft, at Moira et øjeblik glemte, at hun stadig burde sørge over sin tabte kærlighed. Så plantede Aoife sig mellem mig og Fiona, mens hun blinkede til os. Med hende ved bordet var det som regel umuligt for vo-res tante at få fuld turbo på sit indbyggede martyrium. Aoifes grønne pol-kaprikkede kjole var mere skriggrøn end den nye neonstatue af Jomfru Maria, der hang over døren.

'Aoife, vil du sige bordbøn?' spurgte tante Moira, og vores søster gik frisk til den med det samme, mens hun sænkede hovedet:

'Fader vor,' begyndte hun og kiggede op på Vor Frue. Hjernen var al-lerede slået fra, som da vi var børn. 'Velsign dette måltid og alle dem, der indtager det i dette hus, således at vi kan nyde, hvad du så nådigt har skænket os.' Jeg gav Rosie et lynhurtigt los over skinnebenet, og hun nå-ede lige at folde sine kulsorte fingernegle sammen som en gudfrygtig lille heks, inden det var overstået.

'Amen,' sagde tante Moira med eftertryk og begyndte at portionsanret-te de triste, proteinforladte madrester.

'Hvornår blev Vor Frue egentlig escortpige i Las Vegas?' spurgte Rosie og blinkede op til neonlyset, før jeg kunne nå at standse hende. Tante

71

Moira så knust ud og mumlede noget om, at der ikke var nok brød, før hun rejste sig og gik ud i køkkenet.

'Så hold dog din kæft,' hvæsede jeg. 'Kan du fatte det, Nattens Dronning? Lad hende for helvede da være i fred!' Selv om hun havde et tykt lag kabuki-makeup på, kunne jeg stadig se, at hun rødmede. Hun trak på skuldrene, da Moira vendte tilbage med en bakke rundstykker, der i hvert fald ikke var bagt samme dag.

Aoife spiste maden, som om hun faktisk kunne lide den, og fortalte endda Moira, hvor godt det smagte. Som tak gik vores tante spontant over og kyssede sin nieces nyklippede karsehår, som med sine to blonde centimeter fik hende til at ligne en anæmisk drengesoldat.

'Undskyld, jeg kom for sent,' sagde Aoife, mens hun gav Rosie et hestebid og skovlede mere over på sin tallerken. 'Men altså, denne her *feckin'* motorcykel var lige ved at køre mig ned på vej herover. Jeg var nødt til at undvige som død og helvede.'

'Kammertonen,' sagde Moira, men smilede stadig. Hun var gladere for Aoife end for nogen af os andre.

'Nårh ja, undskyld.'

'Hvad var det, du sagde om den motorcykel?' spurgte jeg så henkastet, jeg kunne. Men ud af øjenkrogen kunne jeg se Róisín lægge hovedet på skrå og fyre op til en bemærkning.

'Ikke andet, end at han bare kom drønende forbi den gamle St. Finian's Graveyard, som om der var gået ild i hans hår.' Hun tyggede videre på det seje kød og skramlede med sine lyserøde combatstøvler under bordet. 'Ret lækker fyr, egentlig.'

Jeg behøvede ikke at spørge, hvad farve motorcyklen havde.

'Hvad vej kørte han, tror du?' spurgte jeg.

'Hen til den nærmeste pub, tror jeg, efter retningen at dømme. Hvorfor?'

'Jeg prøver bare at se, om det snart er sæson for de der belgiske bankfolk, som leger *Easy Rider*,' sagde jeg. Forstår du, hvert eneste år vrimlede det med læderjakke-oldinge her på egnen, som havde deres unge koner bagpå, og som mistede både penge og en gang imellem et ben eller to. Vores *gardaí* havde altid et helvedes besvær med at rydde op efter

72

dem. Jeg håbede, at selv Rosie ville æde dén lamme undskyldning for min interesse.

'Alt for tidligt endnu,' sagde Rosie lakonisk og gumlede på en stilk broccoli, som var så afbleget, at den næsten var helt hvid. 'Det er først i juli.'

'Ham her var altså ikke pensionist,' fortsatte Aoife og havde skruet sit glubske blik på. Et par dage forinden havde hun skullet køre en eller anden tidligere landsholdsspiller op til lufthavnen i Shannon. Så langt kom de aldrig. Han havde i stedet sovet hos hende i hytten og ventede stadig deroppe med sin overtatoverede krop, så vidt jeg vidste. 'Han kan ikke have været mere end tredive. Allerhøjst.'

'Tja,' sukkede Rosie. 'Alle de mænd. Og så kun én taxa.'

'Kom ikke for godt i gang, du,' sagde Aoife, og hendes naturbarnsfacade krakelerede en lille smule.

'Hvem vil have dessert?' spurgte tante Moira.

Klokken var næsten ti, da Moira modstræbende gav slip på os, men vi måtte også love at komme forbi næste uge. Himlens farve lovede sommer lige rundt om hjørnet; den var lysegrøn langt ude over bugtens sorte bølger. Alle både var i havn med sejlene surret fast. I dét øjeblik blev jeg næsten forelsket i min hjemby, bare lidt. Så var det væk.

'Skal vi lige ha' en øl?' ville Róisín vide. 'Jeg kan altså ikke samle mig om at svine de lokale fyre til endnu.'

'Helt enig,' sagde Aoife og tog sin camouflagejakke af, som hun havde overmalet med små mænd, der jagtede sommerfugle med store net. En varm brise rullede op til os nede fra bugten. 'Men hvad synes vores alderspræsident om den idé?'

'Jeg drikker jer så meget under bordet, at I tror, I er hinanden,' sagde jeg og grinede. Hold kæft, hvor jeg dog elskede dem. Men en sæk lopper var nemmere at styre.

Tvillingerne vekslede et medsammensvoret blik og spurgte på nøjagtig samme tid: 'Vil du helst afprøve den latterlige påstand nede på O'Hanlon's eller McSorley's?'

'McSorley's,' svarede jeg og greb fat om cykelstyret, som om jeg var Lance fucking Armstrong. 'Og I vil ikke kunne se min røv for bare støv.'

Det var fredag aften, og det betød, at vi skulle bruge albuerne for at finde et bord. Baren var propfuld af fiskere, der stod i deres waders og sweatere, mens de smed krøllede sedler på disken og bestilte smarte frugtcocktails, de ikke kunne udtale. To spanske fyre med ens aluminiumsbriller råbte noget om, at nogen havde stjålet deres rygsække. Det var så lige, indtil bartenderen Clare bad dem lukke røven og se bag ved baren, hvor hun havde lagt bagagen for en sikkerheds skyld. Stedet havde altid været sådan lidt for 'ægte irsk' efter min smag, men lå lige midt i byen. Og Clares øl var nu engang bedst. Gulnede fotografier fra Castletownberes glorværdige fortid hang på de nikotinbrune vægge. Der var spritsmuglere, som alle sammen havde sort sydvest på. IRA-frivillige på et andet billede stod i lange regnfrakker med erobrede engelske rifler mellem hænderne. Der var også nyere fotos af mine egne elever, som borgmesteren uddelte præmier til som tak for ikke at drukne i netop dét års kapsejlads. En træharpe hang på en anden væg ved siden af en enorm tv-skærm, som må have været permanent indstillet på en rugbykamp.

Mine søskende havde skubbet sig fremad og allerede charmeret nogle norske fyre til at give os enden af deres bord, som stod i den eneste del af lokalet, der havde skillevæg. Jeg kom bugserende med tre *pints* af den sorteste porter, da jeg syntes, jeg så et ansigt, jeg genkendte. Så var det forsvundet igen. Jeg prøvede at huske efter, da Rosie hylede som en luftalarm.

'Lillesøster vil ha' sin medicin, mormor!' skreg hun. 'Baby vil ha' sin *Murphy's*, engang inden jeg selv skal ha' rollator, ikke?'

'Ja, forbarm dig over os, søde tante farmor,' tilføjede Aoife og bøjede sig forover til stor glæde for nordmændene, som derved fik direkte udsigt til hendes dybe V-udskæring.

Jeg smilede bare og satte glassene fra mig. Rosie havde bundet sit, inden hendes søster kunne nå at drikke en tår. Jeg havde lige selv sat mig, da jeg hørte en stemme, som jeg nu vidste, at jeg ikke bare troede, jeg genkendte. Den kom ingen steder og alle steder fra. Og snart tav både de surmulende drukmåse, de hjernedøde turister og den gamle jukeboks, som havde bræget en sang om kærlighedens indbyggede håbløshed. Da jeg endelig fik lokaliseret lyden, vidste jeg, hvem den kom fra.

Jim labbede allerede sit publikum i sig som et langsomt skænket glas Guinness.

'Mine ædle damer, tapre herrer og ærede gæster i denne ganske særlige forsamling,' sagde den alt for smukke mand oppe på barstolen henne ved toiletterne. Han havde den samme læderjakke på. Han havde strøget håret tilbage, så man kunne se det ansigt, jeg ikke havde kunnet glemme hele dagen. 'Mit navn er Jim Quick, selv om man har kaldt mig det, der er både værre og bedre. I aften har man så bedt mig om at underholde jer alle sammen med en historie, som stammer helt tilbage fra de gamle *seanchaí*er. Vores broderskab af sagnfortællere er spredt for alle vinde nu, men der er stadig et par af os tilbage. Netop *dette* eventyr handler om kærlighed og sorg, hævn og spænding, om lidenskab og fordærv. Er I *klar*, mine herskaber, piger og drenge?'

Den sidste *seanchaí*, vi havde set på egnen, var i hvert fald over tres, småfed og havde et påklistret julemandsskæg for ligesom at understrege det med 'gammel'. Der havde kun siddet to sprittere og lyttet dengang. Ham her var bedre.

Den overrislede forsamling svarede med et højlydt 'Jaaaaah!', og Aoife klappede. 'Men så skal det fandeme være en *go'* en!' råbte en trawlerkaptajn, som stadig havde sine overtræksbukser på. 'Jim-huuu!' jublede en engelsk pige og hev op i sin T-shirt. Hun fik mere opmærksomhed end ham fiskeren. Folk hujede. Der lugtede straks af vældet øl.

Hvad *jeg* gjorde? Jeg gloede bare på Jim. Jeg kunne bare ikke lade være.

'I ved måske allerede, at vi skjalde udelukkende lever af publikums gavmildhed, men en ægte *seanchaí* beder aldrig om mere, end I kan undvære,' fortsatte Jim, mens han blinkede med sine ravfarvede øjne til både kvinder og mænd uden at få så meget som ét hvast blik tilbage. Han havde ikke engang hævet stemmen, men alle lyttede allerede til hvert et ord. 'Det her er en lang fortælling, og jeg kan desværre kun afsløre første kapitel for jer i aften. Jeg fortsætter nemlig ovre i en af jeres nabobyer. Men hvis I synes, min ydmyge historie alligevel aftvang jer et smil, når vi er færdige, så tøv endelig ikke med at give min kompagnon derovre en lille erkendtlighed.' Jim pegede hen mod baren, hvor en asiatisk udseende mand med bedemandsansigt stod og nippede til en vand, mens han diskret forsøgte at tildække sit ansigt med cowboyjakkens krave.

'Er du okay eller hvad?' spurgte Aoife, fordi mit ansigt var blevet helt slapt.

'Ja, hun har det helt fint,' sagde Róisín og gav min ene hånd et alt for overlagt søsterklap. 'Det er dét her, hun har ventet på siden i morges, tror *jeg* vist nok.'

Jeg var for hypnotiseret af Jim til at stikke hende én. Og det var jeg ikke alene om, altså hvad angår det med at være fuldkommen solgt. Vores nyudklækkede *garda*-lænkehund, Bronagh, havde røde prikker på kinderne. Hver gang vi så hende i hendes pletfri uniform, glemte vi næsten, at vi havde leget sammen, længe før nogen af os kunne sige 'Hold kæft, hvor er du fuld af lort, Bronagh'. Hun havde altid hundset rundt med os på legepladsen, så det var nok meget passende, at hun var endt ved politiet. Hun bed negle, mens hun så, hvordan Jim nød opmærksomheden. Mary Catherine Cremins mor havde også slæbt alle sine hundrede halvtreds kilo hen til pubben og var endda holdt op med at proppe sig med chili-pomfritter. Hun stirrede som alle andre på skikkelsen i det enlige rampelys.

Jeg har muligvis ikke selv langt igen. Men så længe jeg lever, vil jeg aldrig glemme tavsheden, lige før Jim begyndte at fortælle den aften. For på en måde var dette det sidste fredfyldte øjeblik, vi tre ville få at opleve. Den eneste lyd var en brummen fra akvariet ved vinduet.

Jim rejste sig, tog jakken af og stirrede ud over den røgindhyllede forsamling. Han vendte håndfladerne udad som en tryllekunster og lænede sig ind i projektørens lys.

'Luk øjnene,' begyndte han, 'og forestil jer, hvordan ondskab fik det prægtigste slot i hele Irland til at styrte i grus.'

8

'Ikke langt fra, hvor vi alle er forsamlet her til aften, stod engang et slot, hvis mure strakte sig højere mod himlen end fem kirketårne og måske mere end det,' messede Jim lavmælt, men stemmen nåede alligevel helt ned til bageste række.

'Ingen ved, hvor længe det havde stået der, for da det endelig faldt, var der ikke så meget som sten på sten tilbage, som kunne have fortalt hele dets historie. Det knejsede måske lige på den anden side af parkerings- pladsen herovre eller bag ved rapsmarkerne øst for jeres by. De gamle vismænd, som betroede mig slottets hemmeligheder, ville kun afsløre, at det gennem århundreder ikke var lykkedes for hverken fremmede mar- odører eller forrædere i egne rækker at indtage dets mostilgroede granit- mure. Porten var lavet af solidt egetømmer og derefter malet sort, som om slottets mund var på vid gab og parat til at sluge vildfarne rejsende. Hver gang den blev åbnet, gjaldede trompeterne for at advare både folk og fæ om at vige med det samme. For det betød nemlig, at mændene fra *Ua Eitirsceoil*-klanen snart ville komme gungrende forbi og lade våbne- ne rasle imod hestenes flanker.'

'Hed det noget, slottet?' spurgte Bronagh og havde helt glemt sin ny- skænkede øl. Hun havde boret sin smilehulshage helt ned i uniformsbry- stet, som om hun var genert, men hendes øjne skinnede med alt andet end usikkerhed. Han kunne have læst højt af telefonbogen, og hun ville stadig have møvet sig ind.

Jim tillod hende at hæve fortryllelsen, men kun et øjeblik. Flere af gæsterne skulede over til Bronagh, som dækkede over det ved at pille ved lynlåsen på sin uniform. Jim rakte ud efter sin egen øl, nippede til den og nikkede. En sort lok faldt derved ned over panden på ham, og jeg kunne se Aoife nikke bifaldende, fordi hun også havde fået færten af en mand, der ikke var som de fleste andre. Der gik igen et jag af jalousi igennem mig. Og han var knap begyndt at fortælle.

'Hvis man ellers kan stole på den gamle mand, som fortalte mig historien, så tog folk på egnen så sjældent som muligt slottets navn i deres mund. Hvis de var nødt til det, sørgede de for at hviske ordene *Dún an Bhaintrigh* til hinanden – Enkemandens Slot. Dets herre, forstår du, kong Stiofán, havde længe sørget over sin kones død. Det var derfor, man havde malet porten lige så sort som ligklædet, hendes plagede krop blev begravet i, efter at hun som nittenårig havde født tvillingesønner. Nu da han nærmede sig sit halvfjerdsindstyvende år, regerede kongen stadig over sit slot, de omkringliggende jorder og de fjerne skovområder, som ingen rigtig vidste, hvor endte. Men selv ulvene, som ikke sjældent dristede sig til at strejfe ved slottets yderste forsvarsværker, holdt sig borte, når den sammenskrumpede konge viste sig oppe på brystværnet. Hans skæg rakte helt ned til jorden, og han holdt et laset stykke sort stof frem foran sig som et helligt relikvie. Hans hyl oversteg i både smerte og vildskab, hvad selv rovdyrene i den uigennemtrængelige skov kunne præstere, når månen var fuld.

For det var kun hans visdom, som tiden havde sløret. Både hans sorg og hans kærlighed var vel bevaret i hans hjerte, som var de begravet i den evige sne. Han skænkede ikke længere sin egen dødelighed en tanke. Selv hans mest loyale krigere forudså med angst, at slottet snart ville blive indtaget nu, da der intet var at samles om andet end fordums glorværdige skygger.

Med tiden voksede hans sønner Euan og Ned op og blev mænd. Lige tids nok til at forsvare deres hjem og skrantende far.

For krigen, som havde opslugt det meste af Irland, stod nu på tærsklen af landsdelen Munster. Og dermed var den også snart i West Cork.

Vi skrev år 1177. Gennem syv år var normannernes og englændernes hære faret frem gennem det meste af landsdelene Ulster, Leinster og Connacht. Leinsters kong Dermot MacMurrough havde tændt lunten i 1168, efter at man havde smidt ham ud af hans slot. Det havde gjort ham arrig nok til at krydse Det Irske Hav og søge tilflugt i England. Her fandt han en hjælpende hånd i den walisisk-normanniske lord Richard de Clare, Anden Jarl af Pembroke, som alle bare kaldte "Stærkbue". Han skulle nok hjælpe den afsatte konge med at generobre de tabte territorier og mere til.

Den normanniske invasion af Irland var begyndt.

Og det var selvfølgelig kun begyndelsen. For magt er lige så let at styre som en skovbrand. Snart opstod der lokale magtkampe, og de nylig sejrrige irske høvdinge blev hurtigt farlige for de engelske overherrer, som havde støttet dem. Derefter rasede krigen i mere end to hundrede år mellem både irske konger og normannere og irerne indbyrdes. Landkort skiftede hurtigt farve. Man indgik alliancer og brød dem igen, før tidevandet steg. Og kun de allermest snarrådige kunne stadig hejse deres egne faner ved aftenens krigsråd, efter at slaget var til ende.

I al den tid havde ingen fremmed hær kunnet forcere fæstningen omkring *Dún an Bhaintrigh*.

'Giv mig et sværd og en brynje, far,' sagde Ned på sin syttenårs fødselsdag. Samme morgen var en styrke anført af den normanniske lord Miles de Cogan trængt ind på områderne i det østlige Cork, hvor han havde opkrævet skat og kun mødt ringe modstand. Snart ville han vise sig foran den sorte port i jagten på endnu større bytte og ikke tøve med at smadre den. Hans hær talte bueskytter fra Wales og fransk kavaleri. Hans tropper var velnærede og langt i overtal, og hans hår sad perfekt. I kamp var de Cogan frygtløs. Det eneste, der bekymrede ham, var, at han måske var kommet for sent ind i krigen til at erhverve sig et smukt landsted med tilhørende adelig titel, når stridighederne engang hørte op.

Ned havde altid været stædigere end sin bror Euan. Og han fik sin vilje, ikke mindst fordi hans far var begyndt at lytte mere til usynlige spøgelser end til sine egne børn. Altså red Ned ud for at møde hele fjendens samlede styrke ved solopgang. Men tro nu ikke, at Ned higede efter hæder og ære. Han ønskede kun at forsvare slottet og kendte skoven langt bedre end normannerne, hvilket de snart skulle få at mærke. Hans røde hårpragt og allerede imponerende fysik virkede frygtindgydende, som han sad dér på sin fars sorte ganger med en hale af *Uu Eitirsceoil*-klanens bedste ryttere lige efter sig. Den regnvåde jord skælvede og gungrede, da de red ind under skovens trækroner.

Men der var én, der blev tilbage bag slottets trygge mure.

At være tvillingebror betyder ikke også nødvendigvis, at man har tvillingemod. Euan havde gemt sig i sit sovekammer, da herolden kom forbi og kaldte alle våbenføre mænd til samling. Han sad der stadig med

79

knugede hænder længe efter, ude af stand til at bevæge sig, og kunne se sin brors standart blafre i vinden. Han afskyede sin egen frygt langt mere, end han hadede sin bror for at kunne tøjle *sin* rædsel. Da Euan langt om længe viste sig på ydermurene hen på eftermiddagen og foregav at være faldet i søvn tidligere, vendte selv vaskekonerne ham ryggen. Hans egen far var endda holdt op med at stirre ind i fortidens utydelige billeder et øjeblik og betragtede sin søn uden et ord. Så bøjede han hovedet i skam og gik lige forbi Euan uden at ville høre på hans undskyldninger.

Hen imod aften kunne krigstummelen på den anden side af egetræerne høres ganske tydeligt. Klinger mødtes i luften. Fjenden gav sig ikke villigt, lød det til.

I raseri og afmagt sadlede Euan til sidst en af de sidste heste, der var tilbage i stalden, og red ud ad porten, vildt svingende omkring sig med et sværd, der var mindst to størrelser for stort til ham. Hvor hans bror hver dag øvede sig med tre af deres fars stærkeste krigere, foretrak Euan at gemme sig bag forklædninger, mens han besøgte de omkringliggende byers ølhuse. Han tog som regel sin lut med og fik strengene til at spinde, hver gang han så et stykke smukt kvindfolk. Man vidste naturligvis godt, hvem han var, men folk så den anden vej, selv om de var enige om, at det var uopfindsomt sådan at lege troubadour. Men en gang imellem vendte pigerne sent hjem igen fra *Dún an Bhaintrigh* den efterfølgende dag, og kun deres øjne fortalte, hvad de havde været ude for. Euan havde tvunget dem til at gøre ting, som de ikke engang ville forsøge at få tilgivelse for i skriftestolen.

Himlen havde sænket sig så langt ned over trækronerne, at den næsten rørte ved dem, syntes Euan, og lyn fra de blåsorte skyer spiddede jorden så tæt ved hans hests manke, at han kunne lugte det afsvedne hår. Han piskede mere fart ud af det skræmte dyr. Forude gjaldede kampråbene i det fjerne.

Men idet Euan red ind i skoven, ændrede lydene sig. Nådesskrig og skrål blev svagere og forsvandt. Og fra selve underskoven begyndte nu et langt mere tålmodigt og tidløst kor at stemme i.

Nu kunne Euan høre noget, der lød som en hvisken. Der var også en knagende lyd omkring ham. Det var, som om selve træerne vendte sig for at se efter ham, mens han fulgte efter hovaftrykkene i skovbunden, som var næsten umulige at spore selv med en fakkel foran sig. Ravfarvede lysprikker svævede parvis lige inde i tykningen og gjorde ham rundtosset. Han vidste godt, at ulvene på hans fars jorder var blevet mangedoblet i antal siden krigene begyndte. Nu havde alle sværdene nemlig travlt med at skære normanniske halse over i stedet for deres. På det sidste havde Euan fornemmet, at dyrene ligefrem vidste, at menneskene havde ladet dem være i fred, og at de derfor ikke længere frygtede deres skarpe våben helt så meget.

En dæmpet, stedvis knurren forfulgte ham hele vejen til en lysning, som han genkendte. Han og hans bror havde ofte leget netop der og duelleret med træsværd, lige indtil den ene af dem gav sig og bad om nåde – og det var som regel Euan selv.

Der blev Euan vidne til et syn, som fik hans tidligere så rødglødende vrede til at blegne i sammenligning med den jalousi, der nu trængte sig på bag hans glatte pande.

Ned havde lokket de Cogans kavaleri i en fælde.

Han havde sendt en håndfuld ryttere ud som madding i håb om at genne fjendens hovedstyrke ind i en flaskehals, den ikke kunne slippe ud af igen. Uden at kende landskabets mange mørke afkroge var normannerne sat efter Neds rytteri og blev inden længe omkranset af træer på alle sider, mens deres heste hang fast til bugen i sejt irsk mudder. De walisiske bueskytter blev desorienterede under de lave, sorte trækroner og begyndte ved en fejltagelse at sigte på deres egne befalingsmænd. Neds fodfolk gav ingen pardon, men stak hestene i bugen og gav samme behandling til rytterne, så snart deres håndlavede kyrasser fra Paris ramte jorden. Underskovens suk kunne høres tydeligere nu, og mosen sugede blodet til sig hurtigere end regnvandet.

Euan ventede. Hvis han viste sig nu, ville hans tidligere tøven for altid stemple ham som kujon. I stedet steg han af hesten, kravlede gennem det høje græs og så, hvordan hans bror vendte omkring på den pragtfulde sorte hingst. Ned fældede en ranglet fodfolksoberst, før denne kunne nå at trække blank. Han holdt sig for sine opspilede øjne, da Ned gennemborede ham. Ned tørrede klingen ren, sporede hesten og svingede atter rundt efter frisk bytte.

Da viste Gud fejheden sin gunst.

'Prins Ned!' vrælede en irsk vasal. 'De forsøger at omringe os!'

En lille gruppe walisiske bueskytter var brudt igennem tykningen på begge sider af de irske tropper. De tornede grene havde flået deres kjortler itu, men deres stemmer fejlede ikke noget. De skreg og hylede som dæmoner, mens de huggede sig en blodig sti igennem det før så sejrssikre irske rytteri.

Og da rejste Euan sig og greb sin eneste og sidste chance.

For med ryggen til kunne ingen jo se hans hjørne af slagmarken. Desuden var faklerne ved at gå ud lige så hurtigt som lyset i de faldne soldaters øjne. Euan sneg sig bag om sin brors hest og huggede til mod dens bagben. Midt i kaosset og tumulten var der ingen, der hørte dyret klage og styrte. Heller ingen så det klemme sin herre under sig.

Der lå Ned så, med begge ben og underkroppen knust. Hans øjne rullede rundt i hovedet på ham, mens han prøvede at forstå, hvad der var sket. Euan nærmede sig forsigtigt, mens han aflæste slagets gang. Neds tropper var ved at samle sig til modangreb, og de sidste, spruttende fakler oplyste dem som tusindvis af kæmper på bladenes bagtæppe. Men walisernes vildskab havde taget pusten fra dem.

'Br...bror ...?' mumlede Ned og gispede efter luft, mens han genkendte skikkelsen, der bøjede sig over ham.

'Aye,' sagde Euan og sprang i sin egen sadel. Han sørgede for at spænde ringbrynjen fast og tage nye gedeskindshandsker på. Så rakte han ned og tog sin brors skjold fra ham. Han kunne lige akkurat se et malet skib med tre rebede sejl vugge på det.

'Du vil være forbandet ... til evig tid,' sagde Ned, og hans øjne skinnede gyldent i faklernes skær.

'Det ved kun Gud og skæbnen,' svarede Euan og fik sin hest til at stampe frem og tilbage hen over sin eneste tvillingebror, indtil hovene endelig havde gjort ham tavs. Så vendte han sin opmærksomhed mod *Ua Eitirsceoil*-rytteriet og galoperede i fuld fart ud i forreste kamplinje. Synet af hans røde hår, der blafrede i vinden, og af hans brors skjold hævet i luften som et vartegn indgød tropperne frisk mod, og de forstærkede straks begge flankerne, hvor waliserne var brudt igennem.

Det irske fodfolk brugte deres korte stiksværd til at bremse fjendens fremmarch, og de viste endnu mindre nåde end tidligere. Det var overstået på få minutter.

Efter et øjeblik tav selv træerne stille.

Irerne fejrede deres sejr, og soldaterne hyldede prins Euan, som var kommet dem til undsætning i sidste sekund. De sørgede over, at deres elskede anfører var blevet tildelt en så uværdig død, og blev enige om, at kun en franskmand kunne være så nederdrægtig. Fjenden var på tilbagetog og søgte andre slotte at undertvinge sig. Dún an Bhaintrigh holdt stadig stand imod enhver, der forsøgte at indtage det.

Nu begyndte Euans herredømme.

Efter at han var vendt tilbage i triumf, overtalte han straks sin far til at give Ned en heltebegravelse. Euan nød selv at holde gravtalen, hvor han nævnte broderens 'krigerånd, som aldrig vil blive glemt'. Da hans far, som fik endnu en elsket at sørge over, gik i graven måneden efter, var ordene mindre hjertelige og ceremonien ganske kort. For at fejre sin kroning og glorværdige sejr forvandlede Euan på mindre end én dag sin fars gemakker til et bordel og fik sine soldater til at indsamle en bred vifte af ungmøer fra hele egnen. Tjenestefolkene skammede sig og lod som ingenting. Men de sladrede. Og rygterne om kongens besynderlige smag fik ben at gå på, hver gang en ung pige vandrede den forsmædelige tur hjem fra slottet uden at se nogen i øjnene.

Nogle gange blev der hvisket, at de slet ikke kom hjem igen.

Men kong Euan fandt snart en langt større lidenskab end at kaste sig over forsvarsløse kvinder.

Han var begyndt at trænge dybere ind i skoven på jagt efter ulve.

Inden året var omme, hang der over ét hundrede gråpelsede hoveder på spyd i den store festsal, hvor hans far engang havde budt velkommen til den årlige blomsterfest. Nu drak jægere, som den gamle konge ikke ville have værdiget så meget som et blik, al kælderens mjød. Der sad de så i deres sorte læderkjortler og pralede hver især af at være ham, der havde nedlagt flest dyr den dag. En jæger ved navn Padraic udhulede et ulvehoved og skænkede det til Euan som tak for husly. Kongen tog imod det med ægte glædestårer og satte det på sin egen isse. Det passede næsten for godt og fik både det døde og det levende par øjne til at funkle i faklernes skær. Han havde det på hele aftenen og tog det ikke af, da han

83

kravlede i seng med tre piger, der knap var gamle nok til at forstå, hvorfor man havde bragt dem til kongens gemak.

Og morgenen derpå omdøbte han sit fædrene slot, så det passede bedre til hans nyeste lidenskab.

Dún an Bhaintrigh var ikke længere et passende navn, besluttede han. Især ikke nu, hvor enkemanden selv var død. Derfor skulle slottet med den sorte port nu i al fremtid kendes som *Dún an Fhaoil*. For hvad kunne passe bedre end Ulveslottet? Han lod fjerne sin families tusindårige våbenskjold og erstattede det tremastede skib med en frygtindgydende ulv, der sprang gennem skovens allerdybeste afkroge, som et tegn på sin egen lykke og sit utæmmede begær.

I knap tre år fortsatte kong Euan med at regere således.

Lige indtil den dag, hvor Gud ikke længere belønnede fejhed og forræderi.

Euan havde kun en lille eskorte med sig og red ude på sit riges fjerneste marker. Han havde det storartet. Hans tjenestefolk var mindst en mil bag ham, fordi de var nødt til at samle de ulve op, han slog ihjel. Man havde vist allerede mere end tre gråpelse og to unger på nakken i de store lædernet. Han gav sin hest pisken og strøg snart ned ad en sti, som ledte ind i en del af skoven, han ikke kendte. For første gang i årevis steg angsten op i ham, og han måtte kæmpe for at tøjle den. Klokken var kun tre efter middag, men skyggen under grenene så allerede ud til at have antaget fast form. Fra hvert et træ emmede nu den samme stønnende, knagende lyd, han huskede fra dengang, han blev sin egen brors banemand.

'Overtro,' råbte han ad træerne, som ikke svarede ham. 'Gamle eventyr!' Hans livvagt råbte hans navn i nærheden, kunne han høre. Men han svarede ikke. For hvordan kunne han drømme om engang at generobre hele Munster og drive normannerne tilbage i havet, hvis ikke han først holdt op med at være mørkeræd? Måske kunne han så blot regere over Cork. Det blev mørkere overalt. Han red videre, og hans mænds urolige stemmer blev snart opslugt af løvet. Han styrede rundt om et træ og opdagede, at han ikke længere var alene.

Der sad en ulv foran ham på stien.

Den virkede næsten menneskelig, som den sad der og ventede tålmodigt. Men Euans hest blev skræmt og kastede ham til jorden, før den galoperede bort i vild panik. Morderkongen trak sit sværd og kom usikkert på benene. Han ulvehjelm var faldet af og tumlet livløst hen foran sin levende navnefælle, som bare blev roligt siddende. Det var, som om den ventede på et tegn.

'Er du ægte?' dristede Euan sig endelig til at spørge, mens han gispede efter luft.

Ulven blinkede langsomt med øjnene og begyndte så at nærme sig ham. Euan huggede foran sig med sværdet for at komme synet til livs. Men dyret kom blot nærmere, uden at han kunne høre dets poter kvase de sprøde efterårsblade. Til sidst stod ulven så tæt på, at Euan kunne se de sorte splinter i dens honningfarvede iris.

'Lige så ægte som du,' sagde den uden at bevæge gabet. Det var kun dens stemme, som gav genlyd i hovedet på Euan. 'Svar mig på dette: Gjorde det liv, du stjal, dig lykkelig?'

'Forsvind!' skreg Euan og slog igen ud imod ulven, som uden besvær undveg hans håbløse udfald, før den atter vendte tilbage som en herreløs hund.

'Bliver du mindre bange, når du dræber de unge kvinder og mine slægtninge herude i skoven?' Den havde nu sænket hovedet og blottede sine pegefingerstore hugtænder. Børsterne stod lige ud i luften, som var den blevet ramt af lynet.

'Jeg beder om tilgivelse for alle mine synder,' sagde Euan, men i sit hjerte mente han det slet ikke.

'Du kommer til at bøde for hvert et liv, du tog,' sagde ulven, idet den angreb Euan og fik ham væltet om på ryggen. Sekundet før han mærkede tænderne på sin hals, hørte han stemmen i sit hoved gjalde: 'Og jeg lover dig, at du får en ny slags frygt at kende. Du vil snart vide, hvordan det føles at være forhadt, altid at være på flugt, at blive jaget og dræbt for fornøjelsens skyld. Og glem ikke dette: Du kan kun få dit gamle liv igen, hvis du ofrer dig for nogen, som du får til at elske dig på trods af deres had til dit væsen. Men hvad nu, hvis du ikke længere kan huske, hvordan det var førhen?' Dyret stirrede forbi Euans ydre forsvar og direkte ind til hans sorteste begær. 'Måske får du mig at se igen,' sagde ulven. 'Og måske ikke. Det er op til dig.'

'Hvad skal dét sige?'

Hvis ulve havde kunnet smile, så gjorde den her det næsten og lagde koket hovedet på skrå. 'Du får se. Med tiden.'

'Hvor lang tid ... vil det så tage?' gispede Euan og kunne ikke få luft. Dyrets øjne borede sig gennem ham som faklen, han havde båret med sig den nat, han myrdede sin bror.

'Det ved kun Gud og skæbnen,' sagde den og bed til.

Smerten i Euans hals overvældede ham, og han besvimede.

Da han atter vågnede, var han sikker på, han var kommet i Himlen.

Sanglærkerne kvidrede, og han kunne mærke solen på sit ansigt. Der svævede stadig brudstykker af en hæslig drøm rundt i hovedet på ham, men de forsvandt efter et øjeblik. Det havde vist været noget med en ulv, der flåede struben op på ham. Han åbnede øjnene ganske forsigtigt og så, at han stadig var i skoven, hvor nat var blevet til dag. Vinden fik af en eller anden grund bladene til at rasle tydeligere. Hans næsebor opfangede hurtigere end nogen sinde lugten af friskmejet hvede, og før han kunne nå at tænke over det, fik en ny lugt ham næsten til at besvime. Det var den salte duft af en nylig dræbt hjort, hvis ramme safter lugtede sødt i den kraftige varme. Han fornemmede den særlige blodsang i ørerne, denne særlige opstemthed lige før drabet, som han kun havde mærket én gang før i sit liv, da han stampede Ned til døde.

'Der er han!' var der en i nærheden, som råbte. 'Derovre!'

'Gud være lovet,' sagde Euan, for han genkendte sin mest nådesløse jæger på stemmen. 'Jeg har bedt til, at ... '

Han holdt inde, fordi hans mund ikke formede de lyde, den ellers skulle. Det eneste, han hørte, var en slags uforståelig rallen. Så kom han i tanker om biddet i sin strube og tænkte, at hans stemmebånd nok var beskadiget. Han rejste sig. Før han kunne vinke jagtselskabet hen til sig, borede en pil sig ind i træet ved siden af ham, så han spjættede.

'Padraic, det er mig, hvad gør du dog?' forsøgte han vredt at råbe, men kunne ikke få ordene til at makke ret, idet en rytter i sort læderkjortel gungrede direkte hen imod ham med en morgenstjerne i den ene hånd. Da løb Euan, som han aldrig havde løbet før i sit korte liv. Min Gud, hjertet bankede i hans bryst, som om det var vokset til tredobbelt størrelse i løbet af natten. Han spurtede forbi klippefremspring og levende hegn med et lethed, han ikke engang kunne have drømt om som dreng, og mærkede musklerne spjætte, så han på det nærmeste fløj af sted. Da han endelig tillod sig et lille hvil, var han kommet ned til en bæk, hvor ikke en vind rørte sig. Euan bøjede sig ned for at drikke.

Så hørte han sin egen knuste hals knurre i rædsel over, hvad han så. Nede på den sølvblanke overflade stirrede en ulv op på ham.

Han så for første gang ned ad sig selv og opdagede poter og en tyk pels, hvor hans hænder burde have været. Euan lukkede øjnene og rystede på hovedet. Han drømte vel stadig. Han åbnede dem igen og bøjede sig denne gang helt ned til vandet. Han mærkede, hvordan hans blanke, sorte snude blev våd. Dernede kunne han lugte alle laksene og frøerne og vidste instinktivt, at vandløbet var friskere et par bugtninger længere oppe mod kilden. Der var også waliserblod dernede, og dets stank blandede sig med de rådnende grene. Han trak knurhårene til sig og sad bare der, mens han stirrede på sin grå ham, som engang havde været hud. Nu var hans krop stor og muskuløs, og kun en lille sårskorpe fra ulvens bid vidnede om et tidligere liv.

På trods af bestyrtelsen kunne han ikke lade være med at beundre sig selv.

Aldrig mere ville han opleve at blive gjort nar af bag sin ryg som den 'splejsede tvilling', sin fars krone til trods. Hvilken kraft! Sikken magt! Han kunne ikke have ønsket sig en bedre –

'Denne vej!' gjaldede råbene fra de drabslystne ulvejægere et par hegn bag Euan, som hørte hestenes hove ramme jorden som tusind kanoner, der gik af samtidig.

Nu løb Euan igen og standsede ikke, førend himlen var blevet sort og havde bredt sin diamantdyne ud. Den blændede ham med sin glans. Var det mon *Ursa Minor*, han kunne se deroppe? Hvad hed nu den perlesnor af blinkende lys ved siden af den? Han tænkte på, om hans bror kunne se ham deroppefra, og om han ville kunne genkende ham nu. Men Euans sultne, nye blod skyggede snart for de gamle glansbilleder i hans hoved om Ned, som for længe siden vist nok havde fortalt ham alt om 'Guds skinnende øjne'. En ulv var ligeglad med, hvad stjernebillederne betød. Det eneste, der betød noget, var, at det ville være sværere for jægerne at finde ham nu, hvor der ingen måne var at se.

Han drejede hovedet og lyttede. Noget bevægede sig i græsset derovre. Et let bytte.

Samme nat åd han kaninen, han havde fanget, og huggede den i sig i tre mundfulde, mens den stadig vred sig i hans greb. Mens kødet gled ned, overdøvede blodets nye rytme i hans ører alt omkring ham, og han kunne ingenting høre. Våd og træt af at flygte lagde Euan sig endelig til rette ved foden af et træ. Hans poter var svulmet op og gjorde ondt. De sidste minder, han havde om et liv i silkelagener, mellem kvinders ben og i sin fars festsal, hvor hundredvis af udstoppede ulvehoveder stirrede misbilligende ned på ham, begyndte at fortone sig. De blev snart erstattet af en lyst til at overleve, lige meget hvordan.

Ulven i ham jublede over at være blevet forvandlet til dette prægtige rovdyr.

Hvad der end måtte have været tilbage af menneskelighed derinde, følte kun barnlig angst.

Euan hvilede sig lidt ved bækken og lyttede til træernes knirkende stemmer, fornemmede hjerteslaget hos ethvert rådyr og hørte skrækken hamre i enhver rotte og ugle, så langt ind i tykningen hans nye øjne rakte. Forvandlingen var fuldendt. Den gamle ulvs forbandelse svævede overalt omkring ham som røgelse, og dens advarsel rungede stadig i hovedet på ham. Han kunne mærke, hvordan trykket steg mellem hans ører, og han åbnede gabet for at få lindring.

Uden at tænke over det satte han snuden i vejret og hylede.'

9

Jeg kan stadig se Jim sidde der på sin barstol og labbe bifaldet i sig, den selvsikre stodder.

'Således slutter første del af min fortælling,' forkyndte han som en ægte *seanchaí*, mens både vejrbidte brugdefiskere og Paris Hilton-wannabe-tøser i deres første bh klappede som sindssyge. Han nikkede som tak og skulle til at forlade scenen, da der lød en pigestemme.

'Men hvad sker der så med Euan? Bliver han altid ved med at være en ulv?'

Jeg kiggede mig omkring. Det var ikke svært at se, hvem der havde stillet det kiksede flirtespørgsmål. Sarah McDonnell gik lige op til ham med sit bedste skal-det-være-os-to-om-fem-sekunder?-dress på, hvor den lyserøde trussekant stak langt op over bukselinningen bagi. Hun havde også en sort T-shirt på, som hun havde klippet af til en stumpet top, så begge bryster kiggede lidt ud forneden. Hendes sko havde similisten på. Sarah blinkede til ham med sine alt for blåsminkede øjenvipper og smilede. Jeg havde godt set hende øve sig på netop dén manøvre med et lommespejl, da vi stod i kø forleden nede i banken, og hun ikke troede, nogen kunne se det. Hun var vel ikke mere end tyve år gammel på det tidspunkt, smuk som en forårsdag og dum som en pose hår. Hendes øreringe så ud, som om hun havde hugget dem fra lampeskærmen på en indisk restaurant.

Okay, måske var hun ikke så slem, og det er også småligt af mig at tale ondt om de afdøde. Tilgiv mig, nådige Jomfru Maria. Men hvis en tøs som mig ikke har lov til at føle bare et lille stik af jalousi, mens hun fortæller sin livshistorie uden selv at have langt igen, hvornår må hun så, spørger jeg bare?

Nå, men Jim var heller ikke vild med hendes metode og svarede hende og resten af publikum på samme tid. Han skruede ned for charmen som på en lysdæmper og badede resten af os i sin stråleglans, mens han efterlod Sarah i totalt mørke. 'Alle sandfærdige og ægte historier har en begyndelse, en handling og en afslutning,' sagde han, hvilket fik tøsen i de afblegede jeans til at rynke panden. *Hvaffornoget?* Spørgsmålet var ellers ret ligetil. Hun havde sikkert heller aldrig oplevet, at en mand sagde nej til hende. Specielt ikke, når hun viste ham så meget bar mave og var klædt ud som en komplet nar.

'Men I kan finde mig igen i en af byerne heromkring i de næste par dage,' fortsatte han og bevægede sin ene hånd over i retning af den asiatiske herre ved baren. 'Tomo derovre er min ... ja, man kan vel godt kalde ham en slags turnémanager, kan man ikke? Den trofaste kompasnål i midten af mit ellers så forvirrede liv, hva', Tomo?'

Tomo vendte sig halvt om imod os og smilede uden megen overbevisning. Hvad jeg tidligere havde troet var en cowboyjakke, kunne jeg nu tydeligt se var lavet af oilskin; den slags med en million lommer til fiskegrej og sådan noget. De var alle sammen fyldt med et eller andet. Jakken havde samme farve som en afsveden mark, og den lugtede fedtet. Hvad grunden så end var, bad Tomo med øjnene Jim om for helvede at holde sin kæft og komme med udenfor. Jeg husker også tydeligt, at han skulede over til mig. Men det lagde jeg ikke så meget mærke til dengang. Da det gik op for ham, hvor mange lokale par øjne der egentlig hvilede på hans meget fjerne verdensmandsagtige fjæs, gav han os alle et overdrevent dybt buk og slog ud med den ene arm som en plakatfuld balletdanser.

'Det er så sandt, som det er sagt, mine damer og herrer, piger og drenge, som er tapre nok til at høre fortsættelsen,' sagde Tomo med en stemme så blød som et barns, at det rystede mig. Ham hér var sgu ikke nogen almindelig spise-her-med-hjem-kineser. Han kunne sagtens være trådt ud af en fiskerhytte lige her i Castletownbere, på dialekten at dømme, men hans optræden var en billig discountversion af Jims talent. Tomo kunne ikke have været mere end femogtyve og så alligevel oldgammel ud. Som om smøgerne og sprutten var begyndt at suge væsken ud af hans hulkinder, da han var ti. 'Det er ikke til at sige, hvor vi helt præcis optræder næste gang,' fortsatte han. 'Men rygtet vil vide, at man med held kan aflægge den smukke by Adrigole et besøg i overmorgen aften, på *The Auld Swords Inn.* Alle er velkomne, fra nær og fjern. Og tag en ven med, som kan lide at gyse lidt.'

Tomo greb en gammel, grå filthat, som lå med pulden nedad på bardisken, og tog den på. Jeg kunne høre drikkepengene indeni klinge mod skallen på ham. Børnene grinede. Så gav han Jim endnu et hvast blik og bukkede en sidste gang.

'Vel talt, min trofaste makker Tomo,' sagde Jim og bundede sin nu lunkne øl. 'Mange tak. Og med dén varme anbefaling, mine allerkæreste herskaber, byder vi jer farvel og på glædeligt gensyn.'

Jeg havde allerede rejst mig op, før jeg blev klar over, hvad jeg havde gjort.

Jim var på vej udenfor med sin manager, men han vendte sig om og kiggede på mig. Hvis man havde rørt ved Sarah McDonnell i præcis dét øjeblik, ville man have fået en tredjegradsforbrænding. Hun var pissesur. Jim hviskede Tomo noget i øret, og den japanske irlænder så ud, som om han havde fået en lussing. Han hvæsede noget tilbage til Jim, som standsede ham med en enkelt håndbevægelse. Lidt efter kom Jim stille og roligt over til mig. Tomo gik udenfor med et ansigt så stift som en ørred, der var blevet hevet op på land for at dø af iltmangel.

'Er der to af dig, eller er du bare overalt her i byen?' spurgte han mig og satte sig ved siden af os uden at være blevet spurgt. Róisín himlede med øjnene, inden jeg kunne nå at sparke hende, men Aoife indsnusede uforsigtigt den sex-og-læder-cocktail, som hans ansigt udstrålede med en sådan kraft, at selv hundene udenfor begyndte at pibe. Hun begyndte at pille ved sit hår, og det havde jeg dog aldrig set hende gøre så åbenlyst, når der var en mand til stede. Hun plejede at være komplet uforfængelig.

'Måske står der flere af mig og venter udenfor, det er ikke helt til at vide,' svarede jeg og var lidt stolt af mig selv. 'Hvad så, er du her bare for at score, eller hjælper du stadig svenskere til færgen i din fritid?'

Han smilede bare til mig.

'Hvad er det egentlig, I taler om?' ville Róisín vide.

'Det er lidt en privat joke, miss,' sagde Jim og kiggede ikke på andre end mig, nøjagtig på samme måde, han havde gjort det tidligere. Jeg vidste, før jeg rørte ved hans hånd, at jeg ville være Finbarr utro mindst tre gange den aften, og var lige ved at få det dårligt over det. Mine søskende rejste sig og tog deres tasker, som om jeg havde sendt dem et usynligt 'skrid nu'-telegram. Aoife blinkede til mig. Rosie bundede begge vores glas i to bazooka-slurke og uglede mit hår, inden hun også gik.

Nu hvilede hans sirupsfarvede øjne kun på mig.

'Quick, siger du, du hedder. Hvor Quick er du så egentlig?' spurgte jeg, men det var nu bare for at se hans pupiller bevæge sig. For jeg vidste det sgu da godt.

Og når det ringede ind til første time næste morgen, ville sfinksen være nødt til at håndtere alle mine små sjette klasse-uhyrer helt alene.

Er jeg nu nødt til at fortælle dig mere om, hvad der skete den nat?

Nå, men det er jeg vel, hvis ikke du selv kan gætte dig til det. Så lad os få det overstået. Men hvis du regner med, at han fik vendt bunden i vejret på mig på et halvt sekund, mens jeg tiggede om en svingtur, kan du godt tro om igen, og slap forresten lige helt af. For det her var anderledes. Hvad Jim var bedre til end nogen anden, var at lytte efter, hvad *du* havde brug for, og derefter trække pinen ud, lige til den endelige overgivelse virkede, som om den var forudbestemt.

Vi sad i mit køkken, hvor jeg havde lavet to stærke kopper *Bewley's* med mælk, før jeg nåede at spørge, om han ville have te. Mens jeg så plaprede løs om Rosies radiofetich og om, hvordan Aoife gik rundt og troede, hun var selveste Robert *feckin'* de Niro i *Taxi Driver*, sagde han selv ikke ret meget til at begynde med. Han kiggede sig derimod omkring, som om han ventede nogen. Jeg smugkiggede på mit eget spejlbillede i køkkenvinduet og snakkede videre om vores tante Moira og hendes genfundne kærlighed til senkatolsk indretningsstil. Jeg fyrede vist en billig joke af på hendes bekostning, tror jeg nok. Jeg kan ikke helt huske det.

Men jeg husker helt tydeligt, at han først rørte ved min kind.

Det var bare en let berøring, ikke andet, og så var han gået hen forbi mig for at udforske min lejlighed. Havde nogen gjort det i dag, ville jeg nok genkende signalerne fra en, som afmærkede sit territorium, før han nedlagde byttet. Men dengang syntes jeg bare, han var supercool, fordi han ikke bare smækkede mig op ad væggen med det samme og lynede ned, som Finbarr havde gjort første gang, vi var på date. Jim standsede foran alle mine små figurer og smilede. Jeg rødmede. Der var nemlig mange af dem, skal jeg sige dig. Hemmelige lykkeamuletter fra steder, jeg ville ud og se, når jeg en dag slap ud af byen, selv om jeg vidste, at det aldrig ville ske i virkeligheden.

Dér stod Frihedsgudinden med sin påmalede, grønne patina. Jeg havde også et plastic-Colosseum og endda et Eiffeltårn, der alle stod i vindueskarmen ved siden af *hurling*-pokalen i messing, som min far havde vundet som dreng. Den forestillede ham selv med en *hurley*-stav over hovedet, hævet til slag, som var han en gammel keltisk kriger. Det var i hvert fald, hvad han altid selv havde sagt. Der hang også postkort fra Mallorca på køleskabsdøren ved siden af feriebilleder derfra af mig og mine søskende, der solskoldede som hummere alligevel havde både smøger og kæmpecocktails i hænderne. Jeg må desværre indrømme, at der også var et par billeder af gamle Tutankhamon, bare for god ordens skyld. Da Jim smilede, kunne jeg se, hvor regelmæssige hans tænder var. Han havde stadig ikke kysset mig, og jeg begyndte at blive lidt i tvivl. Finbarr havde allerede sendt mig tre sms'er uden at få svar.

'Hvor er så De Hængende Haver i Babylon?' drillede han. 'Dem mangler du da.'

Jeg knipsede med fingrene. 'Nåhr, ja, dem har jeg glemt. Men jeg tror nu ikke, de vander dem ret meget mere.'

Jim satte sig igen ved køkkenbordet. Han duftede af motorolie og den øl, han havde drukket tidligere. 'Hvad hedder du så egentlig?'

Jeg hørte mig selv sige 'Fiona', lige før han kyssede mig.

Jeg har vist fortalt dig, at jeg tidligere samme dag havde følt mig både sårbar og tryg, da han kiggede på mig for første gang, ikke? Gang så lige den fornemmelse ud i det uendelige. Han tog langsomt tøjet af mig og ville ikke lade mig gøre det selv. Hans tænder glimtede over og ved siden af mig, mens han lynede min nederdel ned, knappede min bluse op og snørede begge mine vildt usexede sko op, mens han kærligt tjattede mine hænder væk, når jeg prøvede at hjælpe ham. Mens det stod på, lå jeg bare dér og gættede på, hvor mange gange han havde kørt lige netop dén variant, for der var en indøvet ro over hans bevægelser, så de næsten mindede om et ritual.

Selv om jeg havde fået det at vide, ville jeg også have været ligeglad. Helt ærlig.

For han kneppede mig på den rigtigt gode måde og i alle mulige hjørner af mine lille bitte lejlighed. Det overraskede mig, at han lod *mig* styre det hele, snarere end at overtage føringen som den sexdesperado, jeg troede, han var. Og hvor stakkels Finbarr skulle have en diagram for at finde min krops blødeste hemmeligheder uden at fare vild på halvvejen, kunne Jim aflæse mine lyster med lukkede øjne. Han pejlede sig frem ved hjælp af mit åndedræt og skiftede retning, hver gang hans berøring allerinderst fik mig til at skælve. Og han standsede ikke, før han fandt et sted, vi begge to kunne lide. Det var, ligesom om vi dansede en eller anden sindssyg cubansk sengesalsa, mens vi både lå ned, stod op og alting midtimellem. Han udforskede nye afkroge af mig, som han godt kendte i forvejen, men også ville have, at jeg selv skulle opleve sammen med ham.

Selv om han gav mig hele turen, var det ikke kun noget rent fysisk. Det var jeg sikker på.

Jo, selvfølgelig forførte han mig i alle ender og kanter. Og jeg overgav mig til det hele. Og naturligvis havde jeg haft kærester, før jeg mødte Finbarr. Nogle af dem havde nu været søde og erfarne nok med deres tunger og fingre, så jeg rødmer ved tanken. Men Jim var som den eneste ikke en skid interesseret i at bevise, hvor macho han var, ved at komme ud over mig på rekordtid som alle de andre mænd, jeg havde kendt. Han var uforudsigelig, og det både irriterede og tændte mig. Hans lidenskab stak langt dybere og boede sikkert i en hule neden under al den raffinerede teknik, lige uden for rækkevidde. Det var vel hans flygtighed, som gjorde, at jeg ville have mere, hver gang vi var blevet færdige. Han fik alt det, jeg havde at give, og jeg fik til gengæld kun en flig tilbage af det, han selv gemte indeni. Nu jeg tænker over det, var det måske egentlig meget godt, for jeg blev højere end pyramiderne af bare dén lille dosis. Hele dynen ville sikkert have slået mig ihjel.

Der var gået en fem timers tid, før jeg kunne begynde at tænke klart igen.

Jeg lå på gulvet med kinden på Jims helt glatte brystkasse og drømte om de smøger, jeg havde glemt henne på pubben. Han legede igen tankelæser, rakte ud efter sin jakke og fiskede to cigaretter op af lommen. Vi lå bare dér lidt og prøvede at få røgringene til at vare, mens havmågernes skrig udenfor mindede os om, at det snart ville blive daggry.

'Hvad hedder han?' spurgte Jim og holdt mig ind til sig.

'Hvem?' spurgte jeg og vidste præcis, hvem han mente. For min mobil havde brummet kraftigere hele natten end Courtney Loves vibrator. Denne gang ville jeg virkelig få ballade. Og ingen af mine fikse løgne ville kunne afværge det.

'Han behøver ikke at få noget at vide om det her.' Et halvsmil for lige at få dén til at glide ned.

'Alle hele vejen ud til Bantry ved det sgu da godt allerede. Folk så os gå hjem sammen. Ta'r du pis på mig?'

Han grinede og rørte ved mit inderlår. 'Så lad være med at fortælle ham alting.'

'Det gør jeg heller aldrig,' sagde jeg og standsede ikke hans hånd, da den fortsatte videre opad.

Han stod og tog sine cowboybukser på, da solen lod mig vide, at jeg ikke ville kunne nå anden time.

Jeg sad på min køkkenskammel og lod, som om jeg tjekkede noget hjemmearbejde. Men det eneste, jeg tænkte på, var det eventyr, Jim ikke havde fået fortalt færdigt. 'Hvad sker der så med den varulv?' spurgte jeg og bemærkede lige tatoveringen på hans venstre arm, inden han dækkede den til med skjorteærmet. Et eller andet symbol, var det vist, og måske noget skrift. Jeg havde ligesom for travlt med andre ting tidligere til at lægge ordentligt mærke til den, ikke? Men noget sagde mig, at Jim nok ikke havde en, hvor der stod KÆRE MOR med et hjerte i midten eller noget i den retning.

'Euan er ikke nogen varulv,' svarede Jim og blev pludselig gravalvorlig. 'Han bliver ikke menneske igen, hver gang fuldmånen forsvinder. Det er vist tegneserier, du snakker om. Sølvkugler og alt det mytologivrøvl. Næh, ham her er lige så meget ulv som alle de andre ude i skoven. Han strejfer omkring overalt som både rovdyr og bytte lige så længe, det varer at finde en, der kan elske ham.'

'Kommer han så nogen sinde til at finde en?' Jeg kan ikke sige dig hvorfor, men jeg ville bare så gerne have, at ulven kunne blive forvandlet om igen. Måske var det bare måden, Jim havde beskrevet dens ensomhed nede ved bækken på.

'Hvordan skulle *jeg* kunne vide det?'

Jeg følte et stik af skuffelse. Aftenen forinden havde han opført sig, som om han havde planlagt hele historiens forløb, næsten som en saga. Jeg fandt hans pakke cigaretter, som var tom. 'Så du finder bare på det sådan hen ad vejen, eller hvad?'

Det var umuligt for mig at tyde hans smil. 'Det er omvendt, skat,' sagde han. 'Det er historien selv, der har styr på mig og ikke omvendt. Jeg siger bare ordene, som de kommer til mig inde i hovedet. Og som min gamle ven Tomo selv sagde, så finder vi alle sammen ud af, hvad der sker, når vi ankommer til den pub ovre i Adrigole i morgen aften.' Han snørede sine støvler, der så ud, som om han var vandret til verdens ende i dem og ikke var standset. Snuderne havde stålbeslag.

'Hvor fandt du så ham kineseren? Han så altså rimelig irriteret ud på dig i går.'

'Han er faktisk japaner, men det er nu lige meget. Han var manager for et rockband, jeg var med i for flere år siden. Resten af drengene fik en pladekontrakt og smed os to ud først. Vi har hængt sammen som ærtehalm lige siden. "Tomo" betyder "tvilling" på hans sprog.'

'Men hvis det er dig, der er sheriffen, og han er din trofaste indianerven, hvor er så *hans* jernhest?'

'Han bliver søsyg på motorcykler. Om jeg fatter hvorfor. Han kører rundt med vores mikrofoner og sager i en varevogn i stedet for.'

'Men han var skidesur på dig, var han ikke?'

Jim svarede helt uden at flirte. 'Nej, han blev bare jaloux, da han så os kigge på hinanden.'

Jeg knappede ærmerne op og i uden at se på dem. 'Og det er du sikkert tit ude for, kan jeg tænke mig.' Jeg havde med vilje ikke gjort det til et spørgsmål, for jeg var sikker på, jeg ikke ville bryde mig om svaret.

'Sjældnere end du tror.'

Jeg så ud ad vinduet, hvor solen fik motorcyklens røde lak til at flamme op. Nøjagtig som dagen før sænkede folk farten bare for at glo på Jims Vincent Comet. Han rejste sig, tog sin læderjakke på og åbnede

96

armene for at give mig et knus. Da jeg nærmede mig ham for at tage imod det, ærgrede det mig, at jeg ikke var tapper nok til at spørge, om vi skulle ses igen.

'Lad nu være med at falde og brække halsen på den tingest,' sagde jeg og prøvede at lyde ligeglad.

'Det er aldrig sket,' svarede han og rakte ned forbi elastikkanten bag på mine trusser og aede mig lige på lænden, den fucker.

Og så var han ude ad døren, mens han gav mig et drilsk vink med to fingre, som jeg prøvede at hade, men det kunne jeg bare ikke. Jeg lukkede døren i stedet for at stå der og lege den forsmåede kæreste. Et øjeblik efter dirrede mine vinduer, da han startede sit forkromede dyr og forsvandt op ad gaden. Jeg stod bag døren og lyttede efter kubikbrølet, til det ikke kunne høres mere.

Så hørte jeg min mobil brumme igen.

Finbarr, tænkte jeg og gruede allerede for den samtale. Jeg havde en halvdårlig undskyldning parat i baglommen, da jeg opdagede, at det var min djævlesøster, som ringede.

'Gider du ellers *godt* lige smide ham din digter ud af sengen og svare, når man ringer!' råbte hun, da jeg endelig trykkede på knappen. 'Har du ikke hørt, hvad der er sket med Sarah McDonnell?'

'Hvad, blev de der nordmænd endelig stive nok til at gi' hende en tur?'

Róisín sukkede over min uvidenhed. 'Hun er lige så død som tante Moiras helgener. Okay? Bronagh og alle de andre mus i uniform er allerede oppe på Glebe Graveyard.'

Bronaghs ansigt var blevet pæonrødt, mens hun viklede blå-hvid GARDA-tape omkring en lille klynge træer på indersiden af det lave stengærde, som var umuligt at se ude fra hovedvejen. Hun havde tudet og var tydeligvis dødtræt af at svare på spørgsmål, selv om ingen var begyndt at stille dem endnu.

'Jeg vil bare ikke tale om det,' sagde hun hult, da jeg kom prustende forbi på cykel. 'Der er en hel masse forbandede journalister på vej herud. Helt fra Cork endda.'

'Nej, selvfølgelig, Bronagh,' sagde jeg og lagde en hånd på hendes skulder.

97

Der gik hul på hendes strissermaske igen, og hun bed tænderne sammen for at standse tårerne. En højere rangerende *garda* skubbede to fotografer væk og stirrede over på Bronagh med en mine, der sagde: Tag dig så sammen, eller tag hjem. 'Jeg har aldrig set noget lignende. Ved du godt det?' betroede hun mig med en næsten lydløs hvisken.

Plasticpresenningen havde ikke tildækket Sarah ordentligt. Hun lå halvvejs nede ad den snoede sti, hvor kirkegården efterhånden var blevet for tilgroet til nye kunder. Vinden tog fat i et hjørne og fremviste hendes ben. Hun manglede en sko, men den, hun havde tilbage, tindrede som diskolys i solen. Det billige ligklæde raslede, da Bronagh sprang over for at slå pløkken tilbage i det våde græs.

Men ikke før jeg havde set, at hun manglede en af sine øreringe.

Hendes ansigt? Det kan jeg ikke fortælle dig om. Hvad jeg end vælger som beskrivelse, vil forekomme dig at være en dårlig kliché. Men brug din fantasi og forestil dig et ansigt, der simpelthen bare ikke er der mere.

Jeg trak Bronagh til side, idet to nye patruljevogne ankom ned ad grusvejen og distraherede hendes overordnede et øjeblik. 'Hvad skete der?'

'Sergent Murphy siger, at det var en narkoman, som gjorde det, fordi hendes ansigt er så smadret.' Hun tyggede på en negl og skævede igen til det, der var tilbage af Castletownberes regerende sexdronning.

'Men det tror *du* ikke, eller hvad?' spurgte jeg.

'*Garda*, hvis De lige har tid et sekund?' Ham superstrisseren nede fra Bronaghs station på hovedgaden stirrede olmt på hende, og hun drejede om på sine blankpolerede støvler og løb over til ham uden et ord. Mens hun bøjede hovedet for at modtage, hvad der lignede dagens største skideballe, kendte jeg svaret.

Og af en eller anden grund kunne jeg ikke lade være med at tænke på hende enken fra avisartiklen, som panserne sagde var død uden nogen mystik overhovedet.

Hele Róisíns fjerne stemmekor i radioen hviskede allerede om alle mulige slags fantasifulde dødsfald, længe før mig og Aoife kom forbi til middag.

Hun sad i dyb koncentration foran sin blinkende tingest og hørte os ikke engang, selv efter at vi var kommet ind ad døren. Sådan havde hun nu altid været. Men netop dén aften var der mere kulør i kinderne på Rosie, næsten nok til at brænde igennem den hvide puddermakeup.

'... et rygte om, at en *anden* pige er blevet fundet for fem dage siden helt ovre ved Kenmare,' sagde en åndeløs kvindestemme i de enorme højttalere, Rosie havde hængt op i slagterkroge fra det sortmalede loft. 'Strisserne siger selvfølgelig ingenting, vel? For hende hér, hun havde også fået hele turen, og *du* ved vist godt, hvad jeg taler om, Nattevinge, *over.*'

Nattevinge. Det var min kære lillesøsters kaldesignal. Ikke ligefrem et navn, der lå hende fjernt.

'Fortæl mig det alligevel, Master Blaster, *over*,' sagde Róisín, som endelig lagde mærke til, at vi stod lige ved siden af hende, og vinkede til os med et smil.

'Trusserne helt nede om anklerne, ligesom med Sarah,' fortsatte stemmen. 'Og med hovedet trykket ind, som om hun var blevet ramt af en bus. Morderen havde taget sig nogle *souvenirs*, siger min kilde. Mindst fire øreringe, og det ene par var fra hendes forlovede, *over*.'

'Altså fuldkommen som med mrs. Holland, *over*?' spurgte Róisín og skriblede ivrigt noget ned på sin notesblok. Hun havde den altid på sig, som om hun hvert øjeblik, det skulle være, kunne risikere at høre en verdensnyhed. Men ved den sidste kommentar begyndte jeg at høre efter for alvor. For Master Blaster havde lige nævnt navnet på den døde kvinde ovre fra Drimoleague, som havde efterladt sig en seksårig søn.

'Så holder vi *lige* en pause med det der, ikke?' sagde Aoife og satte poserne tungt ned på køkkenbordet. Hun blev altid gnaven, hvis ikke hun fik sin mad, og havde lagt alle vores indkøb frem i vasken, før jeg kunne sige noget. Selv i dag kan jeg ikke forklare, hvorfor jeg tydeligt kunne mærke, at det, der skete rundt omkring i området, ikke var tilfældigheder. Forstår du, det her var slet ikke ligesom året før, hvor en rumænsk bande havde knækket den ene egnsbank efter den anden og hver gang skudt kassereren for ligesom at slå det helt fast. Det her føltes tættere på os. Jeg kunne høre en demonstrativ raslen med bestik og pander ude fra køkkenet, mens mig og Rosie bøjede os hen over kortbølgeradioen.

'Lige præcis, Nattevinge,' forklarede Master Blaster, 'men hendes ansigt havde ikke lidt overlast. Ellers var det helt det samme, med øreringene hevet ud og alting. Men der var ingen fingeraftryk, siger min *garda-spion, over.'*

En brusen af statisk elektricitet blæste Master Blaster længere ud på overdrevet. Hun blev erstattet af en lakonisk drengestemme, der lød, som om dens ejermand stadig gik i sjette klasse.

'Jeg har hørt, at hende damen ovre fra Drimoleague ikke var alene den nat, *over,'* sagde den og prøvede ikke engang at dække over, hvor fedt det var at have overgået de voksne, som efterhånden kun brugte UHF-båndet til at lede efter skandaler på.

'Skal de være lyserøde indeni, eller skal jeg bare lade dem brænde?' råbte Aoife, mens den salte lugt af bøffer begyndte at brede sig i lejligheden. Overalt omkring os dystede overfyldte askebægre om den trange plads med Róisíns dårlige portrætter af Oscar Wilde, som hun havde afbildet uden andet på kroppen end læderbukser og i stillinger, som bispestiftet i Kerry bestemt ikke ville have givet tilladelse til. Vi viftede begge to utålmodigt ad Aoife, som bare rystede på hovedet af os.

'Ja, det har vi også læst i avisen, lille ven, *over,'* sagde en meget stramtandet Master Blaster, som var kravlet tilbage på frekvensen.

'Jeg hedder altså Mørkets Fyrste, frue, og jeg har gode kilder, der siger, at mrs. Holland blev set den aften sammen me –'

Zzzzt!

Et elektrisk jag gennemborede resten af hans fantastiske nyhed. På trods af Rosies vriden frem og tilbage på alle knapperne vendte knægten aldrig tilbage.

'Jamen så siger vi gennemstegt til hele banden, ikke?' sagde Aoife, mens hun dækkede bord og sendte os et blik, som kun vores salig mor kunne have gjort hende efter.

'Vi høres ved, Master Blaster, Nattevinge er *over and out,'* sagde Rosie resigneret og klikkede to gange på sin håndmikrofon.

'I lige måde, min pige, og pas lige på ryggen, ikke? *Out,'* sagde stemmen, og jeg kunne høre et dobbeltklik i den anden ende. Så var der kun sus på frekvensen.

'Så er der serveret for frøkenerne,' sagde Aoife med påtaget højtidelighed. 'Og jeg nægter at høre mere om det forbandede mord, til *efter* at vi har spist.' Det var i orden med mig. Jeg havde ikke ret meget lyst til at tale om det alligevel.

Vi havde ikke engang smagt på maden, før Rosie så op og ned ad mig, mens hun grinede som en flækket træsko. 'Du ligner en, der bare har fået *så* meget. Fortæl, fortæl.'

'Jeg aner ikke, hvad du snakker om,' sagde jeg, men kunne ikke være rigtig irriteret på hende. Jeg sad vist også og kom til at smile lidt.

'Okay, på en skala fra et til ti, hvordan var han så?' spurgte Aoife og drejede kniven rundt i såret, som kun tvillingerne kunne gøre det.

Rosie rynkede på næsen. 'Vent lige, det kommer altså an på, om du mener ifølge superlækker fyr-skalaen eller bare den almindelige Finbarr-skala?'

'Kæft, hvor I snakker, mand,' sagde jeg og savede et stykke kød af med en bevægelse, som gerne skulle have virket lidt vred. Sandheden var nu snarere, at Finbarr aldrig ville have skaffet mig så god omtale i min egen familie. 'Okay, han kunne det hele. Baglæns og forlæns. Og gider I *så* passe jeres eget?'

'Hvor mange gange ku' han så det hele?' ville Róisín vide.

'Det ved kun Gud og skæbnen,' sagde jeg i en lidt Jim-agtig, alvorlig tone, mens jeg drejede på min tallerken med tommelfingeren.

'Hold endelig ham ude af det,' sagde Aoife.

Jeg lagde bestikket fra mig og stirrede ud ad vinduet. Det var stadig lyst nok til at kunne se træerne mod himlen. Jeg kom til at tænke på, hvem Jim mon fyrede op under her til aften.

'Jeg skal altså bruge din Mercer i morgen aften, er det okay?' spurgte jeg og smilede til Aoife. 'Det er alligevel søndag. Jeg skal nok betale dig for de to dårlige ture, du ellers ville have fået.'

'Ja, helt fint,' sagde Aoife og kørte sine grønlakerede negle gennem commando-håret.

'Okay, var han så fræk?' spurgte Rosie imponeret og sendte mig et djævlesmil.

'Det kan du slet ikke forestille dig,' sagde jeg og forsøgte at smile igen. Men jeg sad egentlig og forsøgte at jage synet af Sarah McDonnells forsvundne ansigt væk fra mit indre øje for ikke at komme til at kaste op på tallerkenen.

Der var allerede en lang kø ude foran *The Auld Swords*-pubben ovre i Adrigole, da jeg langt om længe kom raslende i min søsters ramponerede Idi Amin-agtige limo.

Rygtet havde åbenbart spredt sig siden sidst, for der var langt mere makeup end skægstubbe på de forventningsfulde ansigter. Jeg opdagede Bronagh blandt dem. Hun var trukket i civil og prøvede at være usynlig. Der var mindst tre andre hjemmefra. Jeg gik hen og stillede mig allerbagest og lyttede til, hvad folk sludrede om, mens de ventede. På trods af en helt bibelsk styrtregn kunne jeg sagtens opfange ordene 'røvsexet' og 'såd'n lidt farlig' og var helt klar over, at de ikke mente dørmanden.

Alle vendte sig samtidig, da et motorbrøl rungede gennem gaden.

Jim var næsten endnu mere Quick, end han havde været hjemme hos mig. Han drønede lige op til forenden af køen og blinkede til alle eller slet ingen. Det var umuligt at sige. Så parkerede han sin dyrebare maskine og lod kvinder, der var gamle nok til at være hans bedstemor, stå der og savle over ham.

'Hvordan har vi det så, de damer?'

'Jeg er kommet for at høre næste kapitel, sønnike,' sagde en tung, rødmosset mor til to, hvis medbragte teenagedøtre sendte den dyngvåde *seanchaí* et blik, der var langt mere voksent end det glimmer, de lige havde kommet på øjnene.

'Bare et lille øjeblik, så skal jeg være der,' sagde han og forsvandt indenfor. Til lejligheden havde han valgt en ny sort T-shirt, som jeg kunne se sad tættere på hans overkrop end den, jeg allerede var blevet lidt vant til at røre ved.

Jeg gemte mig bag skulderen på en høj kvinde i en gul regnfrakke, da jeg så Tomo følge efter ham gennem døråbningen. Den surmulende lærling gjorde sit bedste for at fyre op under damerne, men intet af Jims tryllestøv smittede af på hans mugne ansigt, og det usikre smil blev hurtigt til en tvær maske, inden de begge forsvandt ud af syne. Da pubben lukkede folk ind et par minutter senere, lød det nærmest, som når man ryster en sodavand rigtig godt og fjerner kapslen.

Jeg kan ikke helt forklare dig hvorfor, men jeg havde sat mig i den bageste ende af lokalet ved siden af en smadret cigaretautomat og tre piger, hvis øjne var større, end hvis de havde taget tyve baner coke hver.

Det forsænkede blyloft og den mugne lugt kunne ikke lægge en dæmper på stemningen. Folk fnisede. Det hvinede og hylede i højttalerne, mens Tomo tjekkede mikrofonen. Henne fra min barstol kunne jeg kun se kvindeskuldre og halse og opsat hår. Og jeg fattede simpelthen ikke, hvorfor jeg ikke bare rejste mig med det samme, gav alle de andre en albue i siden og lod Jim se, at jeg var kommet. Det var selvfølgelig helt åndssvagt, så jeg rejste mig til sidst og bevægede mig derhen.

Og dér så jeg min tante Moira.

Hun havde sat sig ved et bord helt henne ved scenen som en eller anden desperat Madame Butterfly i sin ultrakorte nederdel og sine høje hæle. Hun havde de dråbeformede øreringe på, som hun havde arvet efter min mor, og hendes læbestift lignede indianerkrigsmaling. Tag ikke fejl. Hun var ikke kun kommet forbi for at få en godnathistorie. Jeg dukkede hovedet og gik baglæns ind i væggen. Der var noget ved hele måden, hun sad på, som skræmte mig. Jeg var bare kommet for at se Jim igen, men nu var min familie blandet ind i det. Jeg havde kun set tante maje sig sådan ud én gang før, og det var, da hun forsøgte at imponere Harold. Men denne gang udstrålede hendes alt for stramme ansigt meget mere end almindelig beslutsomhed.

Lige idet Jim tjattede til mikrofonen, som for at bekræfte sin rituelle magt over lokalet og dets publikum, vendte Moira sig om og kiggede på mig. Jeg havde ikke været hurtig nok. De selv samme øjne, der stadig en gang imellem mindede mig om min egen mors, fastholdt mine. Hun smilede ikke, men så mig an som en bokser, der bliver vejet før det store mesterskab. Bliver det dig eller mig? Der var ingen nåde at finde i dét blik.

Jeg sværger ved Gud på, at kvindemennesket gloede på mig, som om hun ønskede mig død og borte.

'Nå, har vi det alle sammen godt?' spandt en stemme, der fik min mave til at slå kolbøtter, som jeg stadig ikke forstod. Alle andre end jeg svarede 'Ja!' af deres lungers fulde kraft. Jeg havde bare travlt med at trække vejret.

Jeg kunne ikke se Jim derfra, hvor jeg sad, men det var lige meget. Tante Moira tog endelig øjnene til sig igen og rettede dem i stedet mod manden på scenen, som sikkert allerede begavede damerne helt nede ved nødudgangen med sit allermest tindrende smil. Jeg kunne høre lyden af en barstol, der blev slæbt hen over scenegulvet. Jim rømmede sig en enkelt gang, og den øjeblikkelige stilhed, der fulgte, var øredøvende.

'Har I nogen sinde tænkt på, hvorfor man aldrig kan stole på en ulv?' spurgte han.

10

Dyret, som engang havde været prins Euan, havde lige smagt menneske-blod for allerførste gang.

Det havde nu ikke været dets mening. I løbet af de sidste to vintersol-hverv havde han kun alt for tydeligt set, hvor dygtige væsenerne på to ben var til at forsvare sig. For blot fire nymåner siden, mens ulven Euan havde flænset et dådyr, han lige havde nedlagt, blev han forskrækket, da han hørte menneskenes strubelyde gjalde meget tæt på. Han havde vendt sig om og set tre skikkelser iført sorte lædervamse med noget skarpt ved siden løbe hen imod sig. Han kunne høre deres klodsede fødder knuse de tørre efterårsblade, mærke hver mands bankende hjerte og var lige ved at gå til modangreb, da han fik øje på en fjerde ulvejæger, som havde et net med. Det største af menneskene lavede en højere strubelyd, og Euan hylede ham ud at den ved først at springe til højre, så til ven-stre, for derefter at flygte lige mellem benene på dem alle sammen.

Mens han flygtede forbi en lille kystby i midten af absolut ingenting, som mennesket Euan ville have vidst hed Allihies, hvis han ikke også havde glemt nogen sinde at have gået på to ben, så han, hvad disse men-nesker var i stand til. Mændene i de sorte kjortler var forsamlet ved vej-en, hvor de havde rejst en galge. Herude ved klipperne var landskabet så øde og forladt, at det eneste tegn på liv var gult mos, der voksede oven på kampestenene, der som faldne kæmpers tommelfingre stak op af jor-dens dyb. Jægerne havde en ulv i hver hånd, og dyrene vred sig. Det stør-ste af menneskene tog sig tid til at hænge dem op ved bagbenene, hvor-efter de alle sammen langsomt blev tæsket ihjel. Euans forpjuskede brø-dre skreg højere end den kat, han selv havde revet itu forleden som ad-spredelse. Nej, det her var værre. For de skreg jo som menneskehvalpe.

Han var blevet liggende på sit gemmested, ude af stand til at holde ly-den ud. Men der var ingen steder at flygte hen uden selv at blive fanget.

Og dybt i sin sjæl følte han en langt skrækkeligere form for angst, end den gamle ulv fra skoven havde truet ham med.

Da menneskene endelig satte sig til hest og red tilbage op i bjergpasset, hvor de var kommet fra, gemte Euan sig stadig bag de sparsomme græstotter. Vreden sved i hans øjne som tårer, og hans bagben begyndte at ryste, jo tættere han dristede sig til at kravle hen til galgen. Til sidst stod han ved siden af de døde ulve, hvis røde liv dryppede fra deres åbne gab. Deres ellers så skarpe træk var svulmet op, så de øjne, Euan vidste måtte være der, nu var skjult. Han peb og kiggede på dem en sidste gang. Så løb han væk derfra så hastigt, at hans hjerteslag overdøvede tankerne om hævn, der eksploderede i hovedet på ham.

Ved et tilfælde havde menneskeblodet kaldt ham til sig et par dage senere.

Solen bevægede sig hen over toppen af himlen, da et dådyr var trådt ind i lysningen, som lå i nærheden af det gamle slot med den sorte port. Ulven Euan vidste ikke hvorfor, men selv om de stolte tårne nu var begyndt at forvitre, gjorde det ham altid bange at komme alt for tæt på. Der var færre jægere i skoven end førend, men nu havde de alle sammen net med, når de red forbi. Alligevel spidsede han ører, hver gang han hørte de sprøde trompetstød gjalde smukt derinde bag murene et sted. Og han kunne ikke lade være med at lade sig drage af den mærkelige stønnen, han nogle gange kunne høre fra de små glughuller oppe i det højeste tårn. Der var et eller andet i netop disse særlige strubelyde, som indgød ham selv noget, der mindede om lidenskab, hvis han ellers stadig havde kunnet huske, hvad dét var. I korte glimt, der stak i hjernen som en daggert, så han syner af unge kvinder, der vred sig neden under ham, førend åbenbaringen forduftede for evigt.

Det var derfor, han godt turde forfølge dådyret hen mod slottet, men så hørte han en blødere slags strubelyd lige bag sig i skoven.

Han glemte alt om dådyret.

Og hans efterårsfarvede øjne kunne ikke begribe, hvad de så.

Der rullede en mand rundt på skovbunden og forsøgte som en anden liderlig skildpadde at hive sin brynje af. Lidt længere borte drillede en kvinde ham ved at tage sit skørt af, men holde sig lige uden for rækkevidde og fnise, mens skildpadden blev ved med at snuble på vej derhen.

Endelig holdt de begge op med at grine og tav stille. Snart kunne Euan se to stykker nøgen menneskehud, der gned sig mod hinanden uden at bryde sig om, at tjørnekrattet gav dem rifter. Kvindens øjne var så blå som kornblomsterne, der voksede ved bredden af bækken, hvor Euan engang havde set fjendens døde soldater vugge mod hinanden som træstammer.

Nu kredsede han omkring dem. Hans hjerte var som et frådende hav, en tordenkile af lyst. Menneskekroppene drog ham på en velkendt måde, som alligevel forekom ham fremmed i sin utæmmede styrke. Selv da han sidste vinter nedlagde et rådyr, der var tre gange så stort som ham selv, havde han ikke følt noget så berusende. Kvinden kyssede manden på maven, som var glat og hvid, og ingen af dem hørte grenen knække, da Euan krøb fremad og ventede på, at åndedrættet slog i takt med blodets sang i hans ører. De lagde ikke engang mærke til ham, da han trådte frem bag træerne, for da havde kvinden allerede taget mandens lem i sin mund og bevægede hovedet op og ned, mens hun lavede strubelyde. Nu kunne Euan huske, at mandens stønnen var den samme, han havde hørt komme oppe fra tårnværelset. Begærets melodi. Et billede fra hans egen fortid forsøgte at trænge ind i hukommelsen ved at banke forsigtigt på øjnene indefra, men det forblev utydeligt.

Imens havde manden rullet kvinden om på maven og gjorde sig klar til at trænge ind i hende bagfra.

Da han endelig så op, var det for sent.

Euan bed sammen om mandens hals, før han kunne nå at skrige, og holdt ikke op med at ruske hovedet frem og tilbage, før han havde hørt det første knæk. Hans mund blev straks fyldt med varmt, klistret, vidunderligt blod, der gjorde ham så rundtosset, at han ikke kunne afgøre, om det var skildpaddens dødskamp eller kvindens strubeskrig, der ophidsede ham mest.

Han havde gnavet sig tværs igennem halsen og var godt i gang med den bløde kind, da han opdagede, at kvinden ikke var der længere. En sær forvirring blandede sig med den mættede blodtørst, for nu skulle han jo netop have følt sig tryg og tilpas. I stedet blev han atter hjemsøgt af de underlige fornemmelser, han havde haft før, når han så vaskekonerne nede ved bækken hive op i deres kjoler for bedre at kunne slå tøjet mod stenene. Det var som et støt stigende tryk dybt bag hans hjerte, som han ikke kunne forstå. Men han vidste, at kvinden med de blå øjne kunne hjælpe ham med at finde ud af det. Dog havde der nu været noget fordækt ved hendes skrig, syntes ulven Euan. De havde nærmest lydt, som om hun ikke var rigtig bange, men kun havde besluttet sig for at lade som om.

Euan stak sin blodige snude ned i skovbunden og snusede.

Han så med det samme for sit indre øje, nøjagtig hvilken vej det nøgne væsen var flygtet. Han vendte sig atter om mod den døde skildpadde, flåede et frisk stykke af de blårøde trævler, der hang ud af mandens hals, og jog af sted.

Regnen styrtede ned og forvandlede stien til ufremkommeligt mudder. Snart var det umuligt at følge færten længere. Træerne strakte og våndede sig og gentog deres evige advarsler om fare ret forude, men selv som ulv gad Euan ikke lytte til dem. Hans snude fornemmede, at kvinden gemte sig et sted i nærheden af den nedsunkne kirkegård på den anden side af en klynge birketræer. Dens gravstene var så tilgroede, at de lignede muldvarpe i hi, som kunne vågne op, hvert øjeblik det skulle være. Han opfangede et glimt af hud på stien, og bagbenene spjættede kraftigere, så han igen strøg af sted.

Han så ikke engang nettet.

Men nu kunne han høre vrede strubelyde omkring sig og lugtede brændevin. Euan vred sig hjælpeløst, mens han hang kun et par tommer fra jorden, men viklede sig derved kun endnu mere ind i fælden, som havde hængt ned fra en gren. Han så en ung mand med tætsiddende øjne og tyndt, sort hår, som blottede tænderne og lavede en hånlig halslyd. Et nyt minde flakkede forbi Euans øjne. Deri så han den samme unge mand løfte et bæger til Euans ære, mens han rakte ham en gave. Det lignede et ulvehoved. Nu huskede han! Slottet, hans bror, alting! Denne mand var hans ven, det var han sikker på.

Mindet splintredes, da han mærkede den første støvlesnude hamre imod sin ryg.

'Padraic!' skreg Euan, mens han stadig kunne huske synet. 'Det er mig – Euan! Vi kender hinanden!'

Men jagtselskabet hørte kun en syngende knurren, der lød, som om ulven prøvede at fortælle dem noget. 'Denne her er mere snakkesalig

108

end de andre,' sagde Padraic, mens han greb Euan om halsen, før han kunne nå at bide, og klemte til. 'Lad os se, om han også kan synge lige så smukt, når vi hænger ham op ved haserne sammen med de andre.'

Alt det forstod Euan intet af, men kunne høre på Padraics strubelyd, at han snart selv ville ende som de ulve, han før havde set dingle i galgen nede ved kystvejen.

Og dermed smed jægerne Euan tværs over en hest og red som død og helvede tilbage gennem skoven, hvor træerne stirrede ned på dem i tavs sorg over, at ingen nogen sinde hørte efter, hvad de sagde. Han gnavede i læderremmene, som var vævet for tæt til, at han kunne lave hul. Inden længe tonede slottet frem, og dets sorte port åbnede sig med en dyb ga belyd. Idet Euan hørte hestenes hove klapre hen over vindebroen, lukkede han øjnene og erindrede atter brudstykker af en fjern fortid: Skammen i hans fars øjne den dag, Ned var draget ud for at møde fjendens hær. Hans egen hjemkomst og triumftog. Og de talløse ungmøer, han havde pint og endda kvalt for sin egen fornøjelses skyld lige bag de samme slotsmure.

På gårdspladsen stank der af frisktørret blod, som om det var blevet en vane at slå ihjel derinde. Han åbnede øjnene og så en række galger, hvori flere ulve allerede sprællede og hylede, mens de ventede på smerten. Han vred sig og sparkede selv, men det fik blot mændene til at frembringe endnu mere ubehagelige halslyde, og vaskekonerne overdøvede dem endda.

'Syng en sang for os, din legesyge rad,' sagde Padraic og hev Euan ud af nettet ved halen. Euan satte kløerne i jorden, men de fik ikke ordentligt fat på de glatte brosten, og slottets kvinder begyndte at banke ham med stave.

'Flå ham levende!' råbte en lille dreng.

For første gang i sit liv fortrød Euan den del af sig selv, der elskede at slå ihjel. Han huskede sit fordums liv som prinsen, der nød at klemme til om en ung piges hals, indtil hendes øjne først spiledes op og siden blev tågede og udtryksløse. Han hylede om tilgivelse fra en Gud, hvis navn han ikke engang kunne udtale længere, mens de andre ulve én for én blev smadret til ukendelighed. Han blev nu selv slæbt op til skafottet og mærkede læderremmene stramme om bagpoterne.

'Giv ham til mig.'

Det var en kvindes strubelyd, og nu kunne Euan forstå ordene. Hendes tone var afdæmpet, men havde langt mere autoritet bag sig end Padraics brutale fremgangsmåde, og det blodtørstige kor forstummede brat. Krigere, jægere og ungmøer vendte sig alle om for at se den unge kvinde, der langsomt banede sig vej gennem mængden. Hun var iklædt en mosgrøn kjole, der gik hende til anklerne. Et gyldent bælte var spændt om hendes smalle liv, og hun havde sit lange hår sat op med en broche i form af et ulvehoved.

Hendes øjne var blå. Og hun havde friske rifter på hagen, der hvor tjørnebusken havde revet hende.

Hun var kvinden fra skoven.

Padraic så modfalden ud. 'Vi ofrer blot disse dyr til ære for Deres Højheds familie og –'

'Og det vil De blive ved med, hofjægermester, men denne ene ulv skal skånes, er det forstået?' Hun smilede på en måde, der ikke efterlod nogen tvivl om, hvad der ville ske med Padraic, hvis han nægtede.

Hofjægermesteren tog et skridt baglæns og bukkede dybt. 'Deres Højhed må gøre, hvad hun finder for godt.'

'Hvor det glæder mig, at De er enig, Padraic. Fortsæt endelig.'

Stærke hænder løsnede Euans bånd og smed ham tilbage i et andet net. Han blev derefter slæbt op ad mange stentrapper. Foran sig kunne han se kvindens næsten svævende skikkelse, og hun var hele tiden lige et par skridt foran. Synet af hendes hofter og svajende ryg fik selv hans nye, næsten menneskelige angst for døden til helt at forsvinde. Bag dem kunne han høre noget hårdt, der slog mod kød og blod og gav genlyd nede i gården. Dyreskrig og hvin blev overdøvet af brølet fra et lykkeligt publikum, der var taknemmeligt for ikke at være blevet frataget sin eftermiddagsunderholdning.

En dør blev åbnet, og man bar Euan ind i et gemak, han genkendte med rædsel.

Det var hans eget gamle sovekammer. Den sidste kvinde, han havde været sammen med herinde, havde været bundet til himmelsengens gærde i mere end fire dage. Han havde givet hende mange grunde til at trygle om døden.

'Læg ham i de lænker dér,' sagde kvinden til en soldat, mens hun sad på sengen og betragtede ulven.

'Som Deres Højhed befaler,' sagde vagten og lagde Euan i en halslænke, der var boltet til væggen. Han havde selv fået den installeret og huskede nu, hvor mange ungmøer fra landsbyen der forgæves havde prøvet at slippe fri.

'Lad os være ene,' sagde hun uden at tage blikket fra Euan. Vagten lukkede døren udefra, og der blev snart stille ude i gangen.

Hvor Euan først havde følt lettelse over at være blevet benådet, fik en syndflod af modstridende impulser nu hans kæber og ører til at gøre ondt. Hvorfor blev hun bare siddende dér og stirrede på ham? Var han i virkeligheden blevet bragt herop, så hun kunne pine ham helt for sig selv? Han vidste ikke, om han skulle prøve at undslippe eller springe op på sin egen seng og parre sig med hende. Blodets sang i hans fint afstemte ører, som aldrig tidligere havde ledt ham af sporet hjemme i skoven, når han undveg jægere eller støvede bytte op, klang nu aldeles falsk. Euan følte igen en attrå, han ikke kunne beskrive. Han havde lyst til kvinden, men ønskede samtidig også at se hendes blod gydes ud over gulvet inden aften. Modsætningen forvirrede ham, fordi der nu var to Euan'er inden i hans grå pels, som begge ville bestemme, om det var ulven eller dens resterende menneskelighed, der bestemte.

Han sprang opad mod sengen så langt, kæden rakte. Så peb han og lagde sig for hendes fødder.

Hun løsnede brochen i nakken, og de rødblonde lokker faldt ned over skuldrene på hende. Euan følte noget velkendt dirre i sine lænder, som føltes både vidunderligt og skræmmende. Kvinden bøjede sig ned og lagde sin hånd på ulvens pande, ganske uden frygt for at miste et par fingre.

'Jeg kender dig, min søde fælle,' sagde hun med sin honningstemme. 'Jeg kender dig bedre, end du tror.'

'Hvem er du?' hørte Euan sin strube fremkvække og sprang baglæns af lutter overraskelse. Han kunne sige menneskeord!

'Efter at du forsvandt i skoven, begyndte slottet at gå til grunde. Herolden sendte bud efter min far for at få hjælp, men *han* havde travlt med at jage walisere hele vejen tilbage til Leinster. Derfor drog jeg hertil,

111

med hvad der var tilbage af soldater og bueskytter, og indtog dit slot.' Hun bøjede sig længere ned, og Euan kunne nu tydeligt se hendes udskæring og de to snehvide kupler bag det tynde stof. 'Mit navn er Aisling, og jeg er din kusine. Jeg må indrømme, at ingen af vores fædre var meget værd som krigere, men det ser ud til, at vi begge to har gjort dem rangen stridig, synes du ikke?'

Det svimlede for Euan. Smerten i hans kæber havde nu spredt sig til hele hovedet. Det føltes, som om kroppen prøvede at vende vrangen ud på sig selv, skifte ham og igen fremvise den glatte, lyserøde hud, den engang var født med. Hver en sene lå dirrende og ventede på, om den atter ville blive forvandlet til noget andet.

'Det gør ondt, ikke sandt?' spurgte hun og klappede ham på hovedet. 'Jeg kan gøre dig til menneske igen. Give dig den belønning, du så rigelig har fortjent.'

Han genkendte glimtet i hendes øjne som sin egen fordums glæde ved at betragte smerte, så længe den ikke var hans egen. Skrækken jog hurtigere gennem ham end før. 'Hvad vil du gøre ved mig?' spurgte han.

'Derude i skoven i dag vidste jeg med det samme, at du og jeg var i familie,' sagde hun og tog sit bælte af. 'Padraic har ofte nok fortalt, hvordan du øjensynlig forsvandt ned i underskoven dengang, men jeg troede ham aldrig. Han er sød, men ikke særlig klog. Jeg har også hørt alle ulvelegenderne og betalt spåkoner en formue i guld for at finde ud af, hvor du blev af. Jeg fik endda en sandsigerske til at læse i indvoldene på en gammel ulv, vi slog ned lige efter din forsvinden. Alle tegnene pegede i samme retning: Du var nær ved, men ikke i menneskeform. Og lige siden har jeg afholdt disse latterlige jagter, som befolkningen elsker, men som kun har ét formål. At finde dig. Og da vores øjne mødtes, vidste jeg, at min søgen var til ende.'

'Du vil hævne Ned,' sagde Euan og indså, at han ikke ville slippe levende ud af hendes kammer.

Da lo prinsesse Aisling blot så dejligt, som betragtede hun en kurv fyldt med nyfødte killinger, der missede med øjnene mod lyset. 'Ham den tapre soldat, som kun levede for at tjene sin far? Nej. Min interesse drejer sig kun om dig. Om din styrke, din snuhed. Du vandt slaget dengang ved at være tålmodig og arvede et kongedømme, førend du havde fået dun på hagen.' Et lille smil til. 'Tror du virkelig, at jeg ville have hevet den stakkels soldat ud mellem træerne i dag for at more mig, hvis ikke jeg var overbevist om, at du stadig kunne kende forskel på familie og gemen madding?'

Euan var for måløs til at kunne svare. Hans tidligere tilværelse i kongelig silke og hermelinskåber vinkede atter forude. Og som om det ikke var nok, så havde hans kusine sprættet den gamle ulv op, som havde kastet forbandelsen over ham til at begynde med. Gud og skæbnen har ingen magt her længere, tænkte han og blev optændt af triumf.

Aisling rejste sig endelig fra sengen og gik hen for at låse hans halslænke op. Hun duftede af vanilje og nyvasket hår og lagde en hånd på hans bankende hjerte. Det var, som om hendes øjne skiftede farve et øjeblik. Det himmelblå i dem veg for hans gyldenbrune iris og blev så atter til to kølige safirer.

'Ene kvinde har jeg regeret her på slottet i over tre år,' sagde hun. 'I al den tid er stakkels Padraic blevet dårligere til at kende sin plads og tror endda, at han en dag vil sidde ved min side med sin egen krone på. Jeg tager en gang imellem en tjener eller to med op på mit kammer for fornøjelsens skyld. Men jeg ventede kun på dig.' Hun knappede sin kjole op. Den faldt ned med et næsten umærkeligt whsshh. 'Mine sandsigersker siger, at der kun er én måde, hvorpå vi kan hæve forbandelsen. Kom da nærmere, og gør ikke deres gode råd til skamme.'

Hun stod nøgen foran ham, blottet for frygt, og forsøgte ikke engang at skærme for sin sparsomme hårvækst, mens Euan langsomt kravlede hen imod sengen.

Som et indre kompas lyttede han til blodet, der rullede gennem hans ører på ny, men fik hele tiden forskellige ordrer.

'Dræb hende!' sagde én stemme, som aldrig tidligere havde svigtet ham ude i det fri.

'Nej, elsk hende,' hørte han en anden og hidtil ukendt stemme forkynde. Den stemte overens med dele af ham selv, som han først nu langsomt begyndte at genfinde.

'Kom til mig, min kære fætter,' sagde Aisling.

Euan sænkede hovedet og snusede til hendes fødder, før han så op. Hendes bryster var små og lyserøde, og hendes fingre var så fine som en kaninfod. De blå øjne gjorde det næsten umuligt for ham ikke at rejse sig og tage imod belønningen.

Han vrængede læberne fri og viste tænder. De stridende impulser i hans dyrekrop holdt endelig våbenhvile og blev nu til én. Hans snude rørte forsigtigt ved hendes skinneben. Han slikkede på det. Hun smagte af mandelsæbe. Blodet tordnede igen i hans ører med en lyd som hundrede mænd, der kun er ude på død og ødelæggelse.

En knurren begyndte at tage form dybt nede i hans rovdyrhjerte og bevægede sig op i den stærke hals, hvor lyden tog til i styrke.

Ulven havde truffet sit valg.

11

Der kom aldrig noget bifald. Fra mit gemmested kunne jeg se folks hoveder bevæge sig lidt forover i forventning om en afslutning. Men Jim var færdig for i aften.

'Nå?' sagde en utålmodig ældre kvindestemme. 'Og hvad gjorde ulven så?'

Nu fik jeg endelig et glimt af Jim, som sad deroppe på sin barstol med en tændt smøg, og så skide være med rygeloven. Det var der ingen, der brokkede sig over, især ikke De Enlige Kvinders Brigade, som modvilligt holdt op med at mandsopdække ham. Han lagde benene over kors og nød den anspændte stemning. Han smilede bredere, end da han lynede mine bukser ned, og sørgede for, at lidt af hans rockstjernehår tilfældigvis faldt ned i panden.

'Jamen hvad tror I selv?' spurgte han. 'Vil han dræbe eller elske hende?'

De fleste røster i lokalet stemte uden tøven på kærligheden, og kun et par knuste hjerter syntes at Euan skulle lave kødfars af prinsesse Aisling, fordi hun vist havde været en kende for indladende af en kusine at være.

'Elsk hende!' råbte en stemme, jeg kendte alt for godt, en brøkdel af et sekund, efter at alle andre var færdige med at give deres følelser til kende.

Tante Moira havde fået kirsebærrøde kinder, og i hendes øjne kunne jeg se det skær, man kun udstråler, hvis man er en af de ægte troende.

'Tja, de damer, vi må desværre vente på svaret i en uges tid, er jeg bange for,' sagde Jim og gav dem sit tryllekunstnerbuk, hvor fingerspidserne strejfede scenegulvet. 'Min assistent og jeg har brug for lidt rekreation efter alt det rejseri, vi har været igennem. Men frygt ikke, for Euans og Aislings videre eventyr fortsætter nu på næste søndag på O'Shea's Pub ovre i det idylliske Eyeries, hvor selv husene ser lige så farvestrålende og glade ud som deres indbyggere.' Han lænede sig lidt forover og blinkede faktisk. 'Og sig det nu ikke til nogen, vel? Men jeg har nu altid selv satset på kærligheden.'

Da brød et øredøvende bifald endelig løs, selv om et par damer råbte 'Åååårhh!' i skuffelse over, at den smukke Elvis-klon holdt dem på pinebænken igen. En af dem rakte endda hånden frem og rørte ved hans krave, som om det var selveste Sankt Bono, der defilerede forbi.

Mens den tvære Tomo for længst havde opgivet at være venlig og kun lod hatten gå rundt som en anden gårdmusikant, sprang Jim ned fra barstolen, tog læderjakken på og skyndte sig over mod mig. Et par tøser veg til side, mens jeg hev et lommespejl frem for lige at tjekke min læbestift, som selvfølgelig så ud ad helvede til. Da jeg klappede det sammen igen og så op, var han forsvundet.

Jeg vendte mig om, fordi hans stemmes bløde mumlen steg til vejrs lige bag mig.

'Kelly, siger du? Et smukt navn. Kelly. Smelter på tungen helt af sig selv, ikke?'

Og dér stod han og aede den smukkeste pige i lokalet på underarmen. Hun havde altså sin fyr med, men virkede pludselig ret ligeglad med ham. Det ved jeg også, at Jim var. Så i stedet for at lade sig udsætte for ynkende blikke fra hele den kvindelige forsamling fortrak den stakkels fyr hurtigt ud ad døren med sin ydmygelse under armen.

Jeg havde rigtig meget lyst til at gå derover, det havde jeg altså. Men ikke så længe tante Moira også var derinde og lagde an til selv at tale med Jim. Jeg huggede en pakke smøger fra pigen ved siden af mig, da hun vendte ryggen til, og tændte en, mens jeg ventede. Min kære tante gav sig endelig, fordi hun indså, at hun var chanceløs over for Kellys fortrinlige barm, dyre kjole og kilometervis af fyldige læber. Hun sneg sig ud med det samme nedslåede blik, som hun havde haft, dengang Harold ikke efterlod hende andet end hjertesorg og gæld i banken.

Jeg sad også og kunne have ædt mit eget hjerte til aftensmad, da Jim fulgte Kelly hjem en halv time senere. Hun satte sig bag på hans Vincent, mens jeg fulgte efter dem så diskret, jeg nu kunne. Ja, du læste rigtigt. Hvad fanden ville du ellers have, jeg skulle have gjort? Gå hjem og ta' en tudekiks? Han var allerede kravlet ind under huden på mig. Jeg kunne ikke gøre for det. Jeg kiggede mig omkring efter Tomos hvide varevogn, mens jeg startede den grønne Mercer, men så kun Jims tilbedende publikum, som var på vej hjem på fortovet. De skræppede ivrigt som pingvinerne i zoo om deres store aften.

Den røde motorcykel tordnede ud ad kystvejen mod Glengarriff og drejede skarpt til venstre op i de halmfarvede Caha-bjerge, hvor der er færre huse end får. Så jeg var nødt til at holde afstand, så godt jeg kunne. Aoifes bil slingrede og strittede imod, mens jeg tog hårnålesvingene lige så krapt som Jim og undveg blåsorte klippefremspring på størrelse med folkevogne. Den kraftige vind havde revet masser af irisblomster op af jorden, og de strøg nu forbi køleren i en gul strøm. Sommernætterne var lige om hjørnet, og på enhver anden aften ville jeg være standset op og have set, at det var smukt.

Jim drejede ind gennem et stengærde, bag hvilket jeg kunne se en lille hytte, der var i bedre stand end de fleste. Toetagers kalksten, med nye vinduer og døre og en spritny Audi ude foran. Hun har nok ladet sin anden bil stå nede i byen, tænkte jeg. Helt sikkert en af de nyrige tilflyttere. De kyssede hinanden, før han havde slukket motoren. Jeg så mig omkring efter en passende sten, jeg kunne plante i skallen på ham, men lod være. Jeg ventede, til de var gået indenfor, før jeg parkerede bilen nede på en blind grusvej og sneg mig ned mod huset som en anden indbrudstyv.

Jeg skulle ikke have taget høje hæle på, tænkte jeg, mens jeg listede bag om huset og snart stod i mudder til anklerne. Jeg kunne høre lyde oppe fra første sal, som jeg helst ikke vil udpensle for dig, men jeg er sikker på, du kan gætte dig til resten. Det havde taget ham mindre end to minutter at få hendes trusser af. Utroligt. Jeg overvejede igen at gøre noget drastisk, da jeg hørte en motor med meget få hestekræfter liste sig nærmere.

Jeg kiggede op på hovedvejen og så en hvid varevogn bakke op bag en kampesten og standse. Tomo steg ud og gik hurtigt, men lydløst ned og lagde øret mod husets hoveddør. Han var åbenbart tilfreds med, hvad han hørte, for han lagde en behandsket hånd på håndtaget og drejede på det. Han gik indenfor som en kold brise og lod døren stå på vid gab.

Parringslydene deroppefra tog til i styrke, mens jeg så, hvordan mine fødder fulgte Tomos indenfor, og prøvede ikke at lade mit bankende hjerte afsløre mig.

'Min egen darling ... darling Jim,' stønnede hun, den so, mens jeg kiggede mig omkring efter Tomo. Hvis Jims assistent havde været lidt træg før, så blev han altså til en lynkineser herinde. Jeg gemte mig bag køkkenbordet og så, hvordan han uden tøven ragede sølvlysestager, smykker, iPods, tonsvis af rede penge, og hvad der vist nok var et ægte Cartier-ur, ned i en vadsæk uden at ryste på hånden. Loftet knirkede så meget, at Jim virkelig måtte have lagt rygstød i. Så Tomo kunne have fyret kanonslag af, uden at Kelly havde hørt en lyd. Med en rask håndbevægelse pegede han rundt i stuen for at se, om han havde fået det hele med. Så gik han igen. Han havde ikke engang ridset mahognibordet.

Jeg blev siddende på hug i et helt minut, før jeg fulgte efter ham. Showet ovenpå var ved at nå sit storslåede klimaks, og jeg bryder mig stadig ikke meget om at tænke for meget på det, for at være helt ærlig. Jeg ventede, til ham læderfjæset med den tungt lastede pose var nået op forbi klippefremspringet til venstre, før jeg selv forlod huset. Jeg kan dog stadig huske, at jeg følte en vis tilfredsstillelse ved, at Kelly havde betalt fuld entré for Jims talenter. Tomo havde rapset alt, hvad der ikke var naglet til gulvet. Og vær nu ærlig. Du ville have haft det på samme måde.

Jeg mærkede kniven på struben, idet jeg satte nøglen i bildøren.

'Hvordan kan det være, at I *aldrig* er tilfredse med den ene tur, I får?' hvislede Tomo i øret på mig. Han lugtede af våd uld. 'Jeg siger hele tiden til ham, at det er for farligt at gøre det sådan her, men tror du, han gider høre efter? Gæt selv, du.'

'Jeg ved ... ved ikke, hvem I er, så du behøver ikke at –'

Han greb fat i mit hår med den anden hånd og vred hovedet bagud, som med grisene hos slagteren. 'Selvfølgelig gør du det. Jeg er den sidste skøre japser, du får at se før Dommedag. For mig og Jim kan ikke have, at detektivspirer som dig render hen og flæber til en fantomtegner nede på *garda*-stationen, kan vi vel?'

Jeg stak nøglespidsen ind mellem knoerne og prøvede at få vejrtrækningen under kontrol. Jeg aner ikke, hvor modet kom fra, men Jim havde gjort mig vred nok til at sige ordene. 'Er dét, hvad du også lirede af til hende staklen ovre i Drimoleague, eller hvad?' skreg jeg. 'Eller til lille

Sarah McDonnell? Hvad havde hun gjort ved dig, *you manky fucker!* Stjålet dine spisepinde? Du kan sgu da bare købe et par nye, kan du!'

Han tøvede præcis længe nok efter dén fornærmelse, til at jeg kunne vende mig rundt og stikke nøglen ind i, hvad jeg går ud fra var hans ene øje. For han hylede og skreg som de evigt fordømte, mens jeg låste bilen op og kørte væk uden at se mig tilbage.

Nu er det enten strisserne eller mine søskende, tænkte jeg og var ikke et øjeblik i tvivl om, hvor jeg skulle køre hen.

'Du er altså virkelig *nuts,* ved du godt det?' sagde Aoife, mens hun sendte sin tilsvinede mudderbil et misbilligende blik. Hun havde en af vores fars tweedkasketter omvendt på og lignede en gammel Hollywood-gangster. Hun var vred, kunne jeg se, fordi hun smilede overdrevent til lejligheden og havde viklet noget rundt om sin stemme, der var skarpere end knust glas.

'Men jeg så ham fyren – Tomo – rydde hele bulen og –'

'Jamen det er jo storartet. Så kan du fortælle Bronagh og alle de andre pansere, at du har opklaret et banalt indbrud. Jeg er helt sikker på, at de vil kaste sig over det, lige så snart de er blevet færdige med citronhalvmånerne.'

'Du hører altså ikke efter,' sagde jeg og var ved at blive dødfrustreret, mens en ubehagelig følelse prikkede til mig. Det lignede ikke min yngste søster at være så afvisende over for klokkeklare beviser. 'Han holdt en kniv op for struben på mig, okay? Det er ham, der slog Sarah ihjel og også hende damen ovre i ... hvor det nu var. Du ved, jeg har ret. Og Jim er med i det. Det er sådan, de kører deres forretning. Tomo indrømmede det praktisk talt selv.'

Aoife tog sig tid til at sætte haveslangen ordentligt fast til den udendørs vandhane og skrue op. Mens hun demonstrativt spulede Merceren ren, kunne jeg se, at hun allerede havde valgt side.

'Gjorde han virkelig? Så nu *aaantager* du altså' – hold kæft, hvor hun dog kunne trække nogle ord ud til verdens ende – 'at din ven Jim og hans vanekriminelle ven afsluttede alle deres pubforestillinger med et festligt mord? Hvor ulogisk er *dét,* spørger jeg bare?' Noget af muddervandet ramte mig på kinden. Ved et tilfælde, er jeg sikker på. 'Desuden varmede

Jim vist sin lækre røv i *din* seng den aften, Sarah blev myrdet, gjorde han ikke? Det sørgede du jo for. Hvordan ved du overhovedet, at han optrådte samme aften, som den første kvinde blev myrdet – hvis hun da overhovedet blev det? Tag en slapper. For du ser altså syner.'

Jeg var lige ved at svare igen, da hun hev slangen hen til kofangeren bagi. Blikket i hendes ellers så milde lillesøsterøjne standsede mig.

Der var det samme skær af ufortyndet jalousi i dem, som jeg havde set i tante Moiras ansigt aftenen forinden. Et stramt lille smil, der fulgte afvisningen til dørs og sagde: 'Kom ikke til mig for at få medfølelse, nu da Jim har fundet noget bedre. Det her er du selv skyld i.' Hun lagde slangen væk og gik indenfor i huset uden at invitere mig med.

Søsterlig kærlighed har altså sine grænser.

'Nå, men jeg ringer senere, ikke?' sagde jeg og fik kun en selvmedlidende mumlen tilbage som svar. Jeg stod målløs lidt og var kun glad for én eneste ting.

Vores fars haglgevær sov nu trygt nede i *min* taske. Og jeg havde allerede planer om at tage det med i seng samme aften og bad til, at ham den grimme stodder med kniven kom forbi for at gøre sit arbejde færdigt.

Lige meget, hvad du ellers tror om mig nu, er jeg altså ikke en kujon.

Det var derfor, jeg stod op lige før daggry, fordi jeg ikke kunne falde i søvn alligevel, og gik over til Finbarr. Hans tsunami-agtige sms-beskeder var blevet til små bølger, men der kom stadig nogle tikkende ind, som var bedende og triste. *HVOR ER DU?* Og *RING T MIG* lød lidt bedre end de tidligere *JEG HØRER TING, JEG IKK KAN LI, MEN ELSKER DIG STADIG*, efterfulgt af den superhyggelige *VA FAEN HAR DU GANG I, F???!*

På nuværende tidspunkt kunne man have drænet hele Bantry-bugten for vand og hældt min dårlige samvittighed derned i stedet for, og der ville stadig ikke være plads nok. Sandheden var jo, at jeg havde været Finbarr utro i samme sekund, jeg så Jim, og ikke da han endelig rørte ved mig.

Jeg gik gennem byen og hen til Finbarrs hoveddør, som havde et hak, fra dengang Rosie havde kastet en stilethæl efter mig for et par nytårsaftener siden. Jeg tøvede lidt. Tallon Road førte op ad bakke til et næs,

120

hvor en lille klynge huse havde den bedste havudsigt. Selvfølgelig havde min kæreste som den eneste installeret dobbelte termoruder og en tyverialarm, jeg kun har set på film. Du ved den slags, hvor en mandlig amerikansk skuespillers stemme blærer sig med, at 'systemet er slået til', som om tyvene ville blive imponerede nok over hans fine udtale til ikke at hugge noget.

Gadelygterne skinnede ned på Finbarrs bil, som ikke havde så meget som en død flue på køleren, mens de andre ved siden af så ud, som om de lige havde fået et mudderbad. Jeg kunne se ham gennem køkkenruden. Han stod ved vasken og tørrede tallerkener af, selv om han havde brugt en formue på en tysk vaskemaskine, der kostede mere end mig og mine søskendes Mallorca-tur tilsammen. Han havde hovedet på skrå på lige præcis den måde, der fortalte mig, at han var vred nok til selv at komme ned til mig og sparke døren ind. Men den her køkkenmeditation tog toppen af raseriet. Han bevægede hænderne metodisk, uden egentlig nydelse eller irritation. Og sådan var han egentlig med alting. Som om han havde lunkent vand i årerne. Jeg fik lyst til at samle en sten op og tyre den igennem hans vindue, bare for at få en ny reaktion at se.

Men jeg tørrede i stedet fødderne på dørmåtten, lyttede til mit eget åndedræt og ringede på.

'Fiona,' sagde han bare, som om jeg selv havde glemt navnet. Han havde barberet sig så ofte og så tæt for nylig, at jeg i hvert fald kunne se tre dybe rifter, som så grimme ud. Der hang en stank af citronsæbe overalt, som på et hospital, og mine øjne løb i vand.

'Må jeg komme indenfor?' spurgte jeg og smilede gustent, som jeg en gang imellem gjorde, når jeg rendte ind i Father Malloy nede på hovedgaden. Masser af tænder og ingen rigtig øjenkontakt. For jeg behøvede ikke at se efter for at vide, hvad Finbarrs øjne indeholdt. De var helt sikkert fyldt med kontante spørgsmål snarere end anklager, og hvor ville jeg dog hellere have mærket hans vrede i stedet for. For det sidste, jeg havde lyst til, var at svare på, hvor hende den gode, gamle Fiona var forsvundet hen.

'Jeg stod lige og vaskede lidt op,' sagde han med en stemme, han havde lånt ude i byen. Den var tyk og fremmed, som om han havde spist honning og glemt at synke den.

Jeg satte mig i en af de hvide IKEA-sofaer, han havde lagt kassen for at få fragtet hele vejen over fra London og overtalt mig til at sidde på gulvet og hjælpe ham med at samle i dagevis. Hvor jeg dog havde lært at hade skandinaviske L-formede nøgler og 'nemme' vejledende tegninger, der bare fik mig til at føle mig endnu mere dum.

Finbarr tørrede hænderne i et snehvidt forklæde og satte sig i den helt ens sofa over for mig. En krystalstatuette af en havfrue, der krammede en eller anden liderlig fisk, kunne så mægle mellem os. Som hun stod der på det afpillede glasbord, så hun ikke ret glad ud for at have fået det job. Fisken virkede dog ret ligeglad, vil jeg sige.

'Jeg har ingen undskyldning overhovedet, Finbarr, og jeg er bare så ked af det,' begyndte jeg lidt haltende og prøvede at trække vejret samtidig. Nu da jeg faktisk sad her, var det, som om noget af den trylleopium, Jim havde sprøjtet ind i mig, var ved at fortage sig. Jeg kunne igen fornemme de velkendte bankelyde lige under hjertet, der betød, at skammen inde bagved prøvede at kravle ud derfra helt af sig selv.

Først sagde Finbarr ingenting. Han sad bare og gnubbede sine knastørre hænder mod forklædet. Da opdagede jeg, at han var fuld. Jeg havde kun to gange før set ham miste kontrollen over sig selv. Første gang, det skete, var han blevet hele landets største ejendomsmægler, og jaloux kolleger havde inviteret os ud på en fancy italiensk restaurant i Cork. Han havde drukket to flasker Champagne selv, og da jeg kørte os hjem, sad han bare og børstede støv af jakkesættet, selv om det var helt rent. Jeg oplevede det også, da vi var i seng sammen for første gang. Lige inden han kom, sagde han, at han elskede mig. Jeg forstod pludselig, hvorfor han ville have, at hele hytten skulle lugte af frugt i stedet for gammel whisky. Hans øjne var lyserøde, men det behøvede nu ikke at være på grund af sprutten. For han havde også grædt.

'Du skal altså med til den middag,' var det eneste, han sagde til at begynde med.

Jeg ventede på resten, men Finbarr havde lagt hænderne på knæene og tav.

'Hvad snakker du om?'

'Nu på lørdag. Rabengas *ristorante* ovre i Glengarriff, ikke? Firmamiddagen. Man forventer at se os begge to.' Han pressede ordene ud, som

122

om det voldte ham smerte at udtale længere sætninger. Han havde stadig ikke forsøgt at smile, og det var faktisk det eneste ved hele den aften, der gjorde mig glad.

'Måske ... er det ikke nogen særlig god idé, okay? Jeg mener bare, som sagerne står lige nu.'

Finbarr holdt sig for munden, før han svarede. 'Og hvordan står de så, egentlig? Kan du ikke sige lidt om, hvad for nogen *sager*, du tror, vi snakker om her?' Han læspede, som om hans læber var begyndt at handle på egen hånd og fortælle historier, som munden ikke vidste noget om endnu. Han gloede hen på krystalhavfruen i stedet for på mig. Og det så ud, som om hun snart ville få sig en røvfuld af de helt store.

'Det var ikke planlagt,' sagde jeg. 'Og jeg er ked af, at jeg løj om at have set ham. Men det gjorde jeg altså, og det kan jeg ikke ændre.' Jeg stirrede på Finbarrs hænder og kunne ikke fatte, hvorfor jeg aldrig havde kunnet mærke en skid, når han nulrede mine bryster lige så hårdt, som hvis han havde æltet dej. For hvis bare Jim kiggede hen på mig én gang, blev jeg pjaskvåd med det samme.

'Vil dét sige, at du ikke tager med til middagen?' spurgte han.

Jeg rejste mig, gik hen bag ham og rørte ved hans nakke. Jeg overvejede et øjeblik at gå i seng med ham af bare medlidenhed. Men det ville for alvor have sendt ham ud på vanviddets rand, tror jeg. Så jeg aede ham bare lidt dér og kunne fornemme hans puls og den kærlighed, vi aldrig helt havde fremtryllet sammen, indtil han viftede min hånd væk.

'Vi ses, Finbarr,' sagde jeg og åbnede døren. Men det vidste jeg godt, vi ikke ville.

Jeg kunne godt høre, at rektor vidste, jeg var fuld af løgn, da jeg ringede til hende næste morgen.

'Nå, men så god bedring da, Fiona,' sukkede mrs. Gately, som lige havde måttet høre på min tårevædede undskyldning om, at jeg havde lungebetændelse. Dermed overlod jeg min nådesløse sjetteklasse til en vikar, som de helt sikkert ville flå i småstykker, inden første time var forbi.

'Tak, mrs.,' sagde jeg og passede godt på ikke at overdrive. 'Jeg vil helt sikkert have det meget bedre om en uges tid.' Men egentlig var det sandt nok, at jeg var blevet lidt klatøjet efter at have mødt Jim og mistet ham igen. Jeg sjoskede ud foran spejlet i badeværelset og så de mørke rande under øjnene, med lidt ekstra grå ligfarve i kinderne.

'Godt gået, Fiona,' sagde jeg til mit spejlbillede, før jeg tog jakke på og gik. Som du allerede har regnet ud, så var det ikke bare for sjov, at jeg sådan undgik mine sjetteklasse-monstre. Fornemmelsen af Tomos kniv mod min strube havde holdt mig lige så vågen som billederne inde i hovedet på Kelly, som sikkert lå helt alene ude i sin hytte i en sø af blod, der allerede var størknet.

Derfor havde jeg besluttet mig for at gå ned og snakke med Bronagh, byens tapre forkæmper for lov og retfærdighed.

'Du ser sørme rask ud for én med galoperende lungebetændelse,' sagde hun tørt og betragtede mig fra sit overlæssede skrivebord. Det var lige omkring morgenkaffen, og alle de andre gardaí sad nede på den lokale og åd æg og ristet brød, mens de trygt overlod lovovertrædelserne til den yngste garda på stationen.

'Årh, du ved, vi Walsh'er, vi bliver hurtigt raske,' sagde jeg, mens jeg rakte hende en kop kaffe med masser af sukker og mælk, som hun ikke kunne få nok af. Hvis nogen havde lavet en bajer, der smagte af mokka, ville hun have klappet i hænderne, puttet fløde i og bundet den i én slurk.

Hun tog lunkent imod min forsoningsgave og lagde ligesom min søster ikke skjul på sit mishag, mens hun nippede til den. Jeg havde lyst til at fortælle hende, hvor bitter Finbarr havde været, men vidste, at det ikke ville gøre hende mildere stemt.

'Hvad kan jeg så gøre for dig?' spurgte Bronagh, mens hun kiggede efter sergent Murphy med et halvt øje. Det var ham, der havde givet hende en overhaling ude ved den gamle Glebe Graveyard, fordi hun ikke kunne holde op med at græde. Et billede af en stadig levende og flirtende Sarah McDonnell hang på opslagstavlen under ordet EFTER-FORSKES. Jeg kunne ikke se et billede af hende den døde kvinde, jeg havde læst om i avisen. Men Jim og hans lynkineser stod da helt sikkert på spring for at hjælpe strisserne med at rede alle trådene ud.

'Jeg så noget,' sagde jeg og tog mig sammen, så jeg ikke lød helt åndssvag. 'I går aftes. Oppe i bjergene ude ved Glengarriff.' Jeg kom i tanker om Kellys stemme oppe fra hendes soveværelse, og det gjorde mig mere rasende – selv da – end mindet om Tomo, der hviskede stakåndede dødstrusler i øret på mig.

'Gjorde du det? Hvad mon det kan have været? Vel ikke ham den armenske lommetyv, som stak af fra mine klumpfodede kolleger derovre? Og så i dét der grimme tjenerjakkesæt. Var det ham, du så? Godt, du kom herover for at sige det.'

'Hold nu op, Bronagh, jeg mener det alvorligt.'

Hun lænede sig forover og glemte alt om den dampende fredsgave. Hun var blevet højrød i ansigtet og pegede på en stak papir. 'Og det tror du ikke, *jeg* gør? Tror du, jeg bare kan pjække fra mit liv ligesom dig? Vi har kun åbent fire timer om dagen til at klare vores sager. Når jeg henter Ava hos min mor, er hun altid beskidt og fyldt med sukker op til begge øjne. Gary er ved at lægge an til landing med hende den rødhårede ovre i SuperValu og endelig forlade mig og min datter. Jeg har bare ikke *tid* til at høre på dine syge teorier, Fiona Walsh, det har jeg bare ikke. Ikke i dag.' Hun begravede hagen helt nede i sit uniformsslips, som om hun var til mønstring eller prøvede på ikke at græde.

'Kan du huske ham den japanske fyr?' blev jeg ved. 'Hvad? Ham, der samler penge ind efter Jims forestillinger? Jeg tror, han slog nogen ihjel i går aftes.'

Bronagh rørte sig ikke af pletten, men betragtede mig på en måde, som fik mig til at huske, hvorfor hun havde søgt ind hos politiet til at begynde med. Hendes øjne borede sig igennem mig, væggen, hele Castletownbere og ud til den fjerneste del af Irland, hvor de endelig skuede på en ukendt forbrydelse, hun sikkert en dag ville opklare og blive forfremmet på grund af. 'I går aftes?' spurgte hun og skjulte en bid af noget hemmeligt bag stemmebåndene. Selvtilliden skinnede igen i hendes ansigt.

Jeg nikkede ivrigt, fordi hun endelig hørte efter. 'Ja. Et par veje forbi Adrigole, mod øst. Jeg fulgte efter Jim og ham Tomo op ad vejen. Og denne her kvinde, hvis fulde navn jeg ikke kender, hun hedder Kelly og bor vist alene i en stenhytte. Mens Jim gik ovenpå med hende, så stjal Tomo simpelthen alt, hvad hun ejede og havde. Da han opdagede mig, prøvede han at skære halsen over på mig. Men jeg slap fri. Bronagh, du er altså nødt til at sende en bil derop med det samme, du er.'

Det tog i hvert fald fem sekunder. Så lyste Bronagh op i et af den slags smil, som folk, der føler sig overlegne, bare ikke kan lade være med at fyre af. Jeg tror, strisserne øver sig i at lave dem rigtigt hver morgen. Hun rejste sig og gav signal til, at jeg skulle følge med hende ned ad trappen.

'Hørte du overhovedet efter, hvad jeg sagde?' spurgte jeg og nikkede til to *gardaí*, der kom tilbage på arbejde med wienerbrødskrummer på uniformen. Den ene mumlede noget om 'lungebetændelse' og smilede hvast til mig, mens han gik forbi.

'Klart og tydeligt,' sagde min lille panserbasse i en selvtilfreds tone. Vi gik dybere ned ad den støvede vindeltrappe, til vi endelig kom til en rust-plettet jerndør. Hun gav den et skub mod højre, og den åbnede sig.

'Nu er du *sikker* på, at alt det her skete i går aftes, ikke?' spurgte hun.

'Lad nu være med at være sådan en heks, Bronagh. Det har jeg jo sagt. Og hvis du kigger den hytte ordentligt efter i sømmene, vil du sikkert opdage, at hende Kelly hvad-hun-så-end-hedder blev myrdet af Tomo, som også slog Sarah og hende Holland-damen ovre i Drimoleague ihjel.'

'Det lyder sgu som en hel bølge af kriminalitet, gør det,' fortsatte Bronagh, mens hun låste et metalskab op og åbnede en skuffe med en elegant håndbevægelse.

Efter et højlydt *klang!* hev hun et gummilagen til side.

Lige dér i skuffen, for næsen af mig, lå min lynkineser og var lige så død som plastic-Jesus.

Hans slanke, hesteformede ansigt var svulmet op til dobbelt størrelse. Det så ud, som om nogen havde hamret ham på kindbenene med noget tungt, indtil de gav sig. Gud havde sat sig på ham, tænkte jeg. Eller også havde Jim givet hans tobaksfarvede hud en tur med baseballkøllen. Dén skade kunne umuligt være forårsaget af en flugtbilist. Medmindre nogen havde sat den i bakgear bagefter for at gøre et ordentligt stykke arbejde.

'Gider du godt forklare mig, hvordan han kunne have prøvet at dræbe dig i den tilstand?' spurgte Bronagh.

'*Jaysus!*' sagde jeg og knaldede nakken mod køledisken, hvor de opbe-varede alle de andre uheldige.

'Jeps. Det var nemlig, hvad jeg selv sagde, da gamle mrs. Monaghan ringede tidligt i morges, fordi hendes barnebarn havde fundet noget grimt nede i vandet.' Bronagh nød mit forfjamskede ansigtsudtryk. 'Vi har stadig ikke foretaget en ordentlig teknisk analyse, men det ser ud til, at nogen gav ham et lag tæsk, inden han blev våd.'

'Har var stadig i live i går aftes. For jeg så ham.' Jeg drejede hovedet, så Bronagh kunne se den røde stribe, hvor Tomos kniv havde gnavet i huden. 'Dér. Kan du se?'

'Du skulle passe lidt mere på, når du barberer dig,' sagde hun og trak på skuldrene. Hun skubbede Tomo tilbage til evigheden og gennede mig helt ud på fortovet. Vi stod ude på hovedgaden, hvor hun lagde den ene hånd på skulderen af mig, som om hun efterlignede noget, hun havde set i en film. Et par fiskere, der stod og sludrede om en eller anden pige, lod som ingenting, men sænkede stemmerne, så de kunne få det hele med.

'Nu skal du altså høre efter,' sagde Bronagh. 'En ting er, at du knuser stakkels Finbarrs hjerte ved at karte rundt med ham motorcyklisten. Men det er fandeme noget andet, når du blander dig i vores efterforskning. Så hold dig for fremtiden til dine pyramider og mumier og overlad de døde til os, okay?'

'Jeg så ham altså,' sagde jeg stædigt og prøvede at styre min stemme. Den altid nysgerrige sergent Murphy havde åbnet vinduet oppe på første sal for at holde øje med os, og det fik Bronagh til at bruge sin voksenstemme, så han ikke ville blive skuffet.

'Gå nu hjem,' sagde hun. 'Og tag dig lidt af den ... lungebetændelse, ikke? Måske kan din nye kæreste fortælle dig et godnateventyr?' Og så var hun drejet om på hælen og gået ind på stationen, hvor hun håbede på den slags kollegiale respekt, hun aldrig ville opnå, lige meget hvor mange politiskilte hun pudsede.

Min egen familie havde afvist mig. Og min ældste ven syntes, jeg var splittergal.

For første gang så langt tilbage, jeg kunne huske, følte jeg mig helt alene.

Vinden havde taget ordentlig fat i det seje græs oppe i Caha-bjergene og prøvede at hive det op.

I over to timer havde jeg cyklet tilbage op til højsletten bag klipperne og forceret den stride modvind. Nu lå jeg så med røven i vejret og næsen plantet i jorden, mens jeg prøvede at regne ud, om der stadig var nogen i live dernede i hytten. Ja, grin du bare, hvis du har lyst. Men det var altså surt at lege Hercule *feckin'* Poirot, mens sanglærkerne kvidrede lige oven over mig, de sladrehanke. Der kom også bortløbne får hen for at gumle græs en halv meter fra mit geniale gemmested. Jeg var ved at dø af hedeslag i min alt for varme overfrakke, og skøderne blafrede i vinden som iturevne bannere fra en eller anden for længst begravet armé.

Ingen rørte sig dernede. Audi'en, jeg tidligere havde set, var ikke blevet flyttet siden sidst. Nu stod der også en skallet gammel Land Rover, som lignede noget fra et jagtkatalog med sine mudderpletter og ridser. Det kriblede i mig for at gå derned, men noget holdt mig tilbage. Det var sikkert frygt, selv om jeg dengang sikkert bare ville have kaldt det forsigtighed.

Da jeg holdt op med at lytte til fuglesangen og græssets hvisken, kunne jeg høre en svag klaprelyd. Det lød, som om nogen smækkede håndfladen ned på et bord og ventede for at se, om nogen reagerede, før de prøvede igen.

Jeg sneg mig nærmere i græsset og malede derved store, grønne bremsespor på den gule sommerkjole, jeg havde nappet fra Aoife, inden jeg så, hvor lyden kom fra.

Hoveddøren stod på lige så vid gab som aftenen før, og den bankede mod karmen, som vinden blæste. Jeg turde endelig rejse mig op og havde det, som om nogen havde hældt isvand i årerne på mig. Hvis Kelly lå ovenpå med fluer kravlede ind og ud af sig, havde jeg ikke lyst til at se det. Men hvis hende den tapre sherif inde i byen troede, at jeg var både sindssyg og en skulker, så havde jeg jo ikke noget valg, vel?

'Hallo?' sagde jeg, men vinden snuppede ordet, inden det nåede helt hen til dørtærskelen. Jeg kunne se mine egne størknede fodspor i mudderet fra tidligere. *Bump* gentog døren, og jeg spjættede flere centimeter i vejret. Jeg satte næsen mod vinduet og kunne heller ikke se noget nyt derinde. Der stod ingen mælkekartoner eller kaffekopper, som kunne have afværget min frygt for et frisk lig oppe i soveværelset, leveret af en vis hr. darling Jim Quick.

Jeg forbandede min nysgerrighed langt væk, men var endnu mere rasende på min lyst til at se ham igen. For nok ville jeg gerne opklare, hvad

128

jeg var sikker på var en mordsag, men kun som undskyldning for at kunne stirre ind i de ravfarvede øjne én gang til og afkode deres hemmelighed. Værsgo, sådan var det, og døm mig så bare. Min søstersolidaritet holdt altså ikke til verdens ende. For selv med alt det, jeg allerede vidste, tilhørte en skjult del af mig stadig Jim.

Jeg tog endelig en dyb indånding og gik indenfor.

Der var stille inde i dagligstuen bortset fra vinden, som pustede på glasdøren ud til havet og fik den til at knirke ganske let. Bugten var fyldt med sejl, der vuggede omkring som hvide servietter på Neptuns frokostbord. Jeg blev stående lidt af frygt for, hvad jeg nu var nødt til at gøre, og gik hen imod trappen.

'Hallo?' gentog jeg, men fik kun det samme insisterende *bump* som svar. Jeg var nået halvvejs op til reposen, da det gik op for mig, at jeg ikke engang havde taget så meget som en kartoffelkniv med til selvforsvar. Og fars frygtelige haglgevær tog sig stadig en skraber hjemme under dynen. Jeg rodede rundt i min taske for i det mindste bare at have et par nøgler som knojern, da jeg hørte de døde tale for første gang.

'Hvad i alverden laver du så her, egentlig?' spurgte en kvindestemme.

Jeg så op og lige ind i øjnene på en næsten påklædt Kelly, som holdt fast i bæltet til sin slåbrok med den ene hånd, mens hun holdt et tungt træfad med den anden.

Jeg var fuldkommen målløs og også lettet over ikke at skulle se et lig til, så til min egen overraskelse smilede jeg. 'Jeg, øh, døren var åben, så –'

'Det er, fordi jeg åbnede den for at lufte ud. Smart, ikke?' Hendes stemme var lige så skarp som hendes vinkeljernsformede hage, men hendes ene knæ skælvede, da hun tog et skridt hen imod mig. 'Og du er ikke inviteret. Så tag lige og svar, inden jeg planter det her i kraniet på dig.'

Jeg gik baglæns ned samme vej, som jeg var kommet, og prøvede at forhindre min stemme i at gå i småstykker, mens jeg svarede. 'Mit navn er Fiona Walsh, og jeg er skolelærer ovre i Castletownbere.' Kellys ansigt afslørede ingen tegn på genkendelse, idet hun trådte et par trin ned efter mig. Min kortvarige glæde over ikke at have set størknet blod blev afløst af en frygt, som jeg ikke havde følt, siden jeg slæbte begge mine søstre udenfor, efter at branden havde svedet deres fodsåler. 'Sacred Heart-skolen, du ved, ikke? Lige bag kirken?'

129

'Og de betaler dig så lidt, at du er tvunget til at stjæle fra andre, er det sådan?' Hun langede ud efter mig og jeg dukkede mig lige, mens jeg skvattede de sidste par trin og knaldede nakken ned i hendes nyvaskede trægulv.

'Nej,' kvækkede jeg. 'Det er en misforståelse.'

'Det er *dig*, der er en misforståelse, hvad du så end hedder i virkeligheden.' Hun var rasende, og jeg kunne se, at hun overvejede at give mig et gok til, mens jeg lå ned. 'Tror I skide indvandrere, at I bare kan benytte lovlydige borgere som jeres egen hæveautomat? Hvad? Nå, hvad hedder du så? Sveta? Valeriya? Eller ... nej, det er løgn. Du siger ikke, at du er en vaskeægte sigøjner fra en af karavanerne oppe nordpå, vel? Jeg troede, at I *tinkers* var forsvundet samme vej hen som telefoner med drejeskive.'

'Jeg kom bare forbi for at se, om du var okay,' sagde jeg, mens jeg satte mig forsigtigt op og tog mig til hovedet. 'På æresord. Ring ned til *garda*-stationen, hvis du ikke tror på mig. Spørg efter Bronagh.'

Dét fik Kelly til at blinke med begge øjne, og hun strammede bæltet om slåbrokken, som sikkert tilhørte hendes faste – og nu ret så ydmygede – kæreste. Hun var køn. Jim havde god smag, det måtte jeg indrømme. Min jalousi skubbede forsigtighed og retfærdighed ud på kørebanen og satte sig igen bag rattet. For første gang den dag havde jeg lyst til selv at lægge begge hænder om hendes afpillede hals og klemme til.

'Om *jeg* var okay?' spurgte hun.

'Ja. Efter alt det, der skete i går aftes. Jeg så ... nogen gå ovenpå med dig. Og så troede jeg bare, at –' Jeg kunne ikke glemme, hvor højt hun havde råbt, da Jim gav hende hele turen, og mærkede mine kinder blusse. Nu følte jeg mig både flov og dum. Jeg skulle have lyttet til Bronagh.

Hun rynkede panden og lagde fadet i skødet, mens hun satte sig ned. Der gik et kort øjeblik, hvor vi hver især afvejede den andens kampiver, hvis det kom så vidt. Så skød hendes øjenbryn i vejret, og hun greb igen sit våben med noget, der lignede tilfredshed. 'Nå, så det var *dig*! skreg hun og tacklede mig som en rugbyspiller. 'Jeg vidste, at jeg havde set dit ansigt før et sted. Jo, jo. Du var også nede på pubben, ikke? Og så forfulgte du mig og Jim helt herop, hvad, dit syge apparat?' Hendes ansigt var blevet hvidt som skum. 'Det hele er væk! Ringen, jeg arvede efter min mor, mit pas, penge, nøglerne til Audien og alle mine telefonnumre! Og så er du fandeme fræk nok til at komme igen for at se, om jeg har *mere*? Kan du komme her, du!'

Træmissilet hvirvlede lige forbi mig med en *swissh*-lyd, og min ene sko faldt af, mens jeg strøg ud ad døren for at undgå flere angreb. 'Kom tilbage, din *tinker*-bitch,' råbte Kelly efter mig.

'Kan du huske ham den asiatiske fyr, som også var på pubben?' skreg jeg tilbage og løb så hurtigt, jeg kunne.

'Du lyver, gør du!' hylede hun og halede ind på mig som en vild hund. 'Hva' for en fyr?' Oppe på hovedvejen var en bil trukket ind til siden for at følge optrinnet, og vinduet blev rullet ned.

'Jims assistent – han fulgte også efter dig herop,' gispede jeg. 'Okay, jeg indrømmer, at jeg selv var her i går, fordi jeg var jaloux over, at Jim havde fundet en anden. Men ham hér, jeg så ham altså stjæle alle dine ting. Det er sådan, de gør, kan du ikke se det? En mand åbner døren, og den anden følger efter.'

Hun fik fat i mit hår, og det lykkedes hende at hive et par totter ud, før jeg fandt lidt ekstra adrenalin et sted og satte farten op.

'Ja, den er god,' sagde hun gispende. 'Jim er en gentleman.'

'Det er han,' sagde jeg, 'lige indtil hans små hjælpere siger det forkerte. Så dræber han dem. Ham kineseren er død som en sild.'

Jeg så mig tilbage, og Kelly var standset op. Begge hænder hang slapt ned, som om de pludselig var blevet for tunge.

'Hvad sagde du?' spurgte hun.

'Den er god nok,' vedblev jeg og faldt sammen i græsset. 'Jeg så ham selv for mindre end en halv time siden nede i lighuset, med hele hovedet smadret.' Nu havde Kelly også sat sig ned og gumlede på et usynligt græsstrå. Jeg besluttede mig for at bore min sidste knivspids viden lige ind i hendes lille yuppiehjerte. 'Og sig mig lige, forresten,' sagde jeg og prøvede på ikke at smile samtidig, 'fortalte han dig noget om, at det ikke er ham selv, men *historien*, der bestemmer? Det vil jeg vædde på, han gjorde. Fik du også set hans tatovering? Hvad er det nu, den forestiller? Er det Fedtmule eller vores nationalhelt Cúchulainn? De ser sgu en gang imellem helt ens ud, ikke?'

'Hold kæft,' sagde hun og slog blikket ned, men jeg kunne se, jeg havde ramt plet. Alle vil gerne have præmien. Men der er ingen, der bryder sig om at dele den, vel?

'Det er Jims opgave at charmere sig frem og fortælle historier, mens hans lille tjener rydder op efter ham,' sagde jeg og følte ingen vrede denne gang, for fremgangsmåden var egentlig ret genial, og det måtte man sgu respektere.

'Jim havde ikke noget med det her at gøre,' påstod Kelly uden helt at stole på, hvad hendes egen stemme sagde. Hun rejste sig og børstede græsset af badekåben med et udtryk, der var lige så beklemt, som hvis nogen havde holdt hende for næsen. 'Den mand må være død ved en ulykke. Og nu vil jeg gerne have, du går. For som jeg jo siger til dig, så er Jim en ægte gentleman.'

Jeg så op ad bakken, hvor Bronagh langsomt kom ned mod os mellem kampestenene med et triumfsmil lysende foran sig som et fyrtårn.

'Ih, ja,' sagde jeg. 'Det er han vel nok.'

Min djævlesøster forbarmede sig over mig. Hvem ville ellers have taget sig lidt af pigen, som havde råbt, at ulven kommer? Som tingene var, så havde hele byen hørt om min latterlige mordteori, inden solen var gået ned. Nu fnisede man ad mig, da jeg gik på fortovet hele vejen fra *garda*-stationen og hjem til min søster.

Og efter Bronaghs belæring på vejen tilbage fra Kellys hytte om, hvor nemt hun kunne have sat mig fast for indbrud, siden jeg havde efterladt fodaftryk overalt deroppe, var mere formaning det sidste, jeg havde lyst til.

I stedet fik jeg en ordentlig dosis Evgeniya, da jeg bankede på Rosies dør og så en blond pige med fregner lukke op. Ja, jeg ved det godt. 'Evgeniya' lyder lidt som en kønssygdom eller noget, gør det ikke?

Men Evgeniya var altså min søsters kæreste, selv om ingen af os nogen sinde havde kaldt hende det og stadig lod tante Moira omtale hende som 'hende din gamle kollegieveninde'. Vi kunne vel alle sammen havde modsat os det, men prøv du selv bare at komme ud af skabet i en del af verden, hvor du kun må vælge din egen søster, hvis du har lyst til at holde en pige i hånden og ikke også vil have bank.

Hun kom ude fra de russiske stepper et sted, og jeg kunne aldrig hitte ud af at udtale hendes navn rigtigt, selv med et hoved fuldt af Guinness

132

og alle Moiras helgeners tålmodighed. Derfor kaldte jeg hende bare Evvie. Hun var skidesød og var også den eneste udefrakommende person, som gjorde lidt for at hanke op i Rosies humør. Evvie bevægede sig med en afbalanceret ynde, som jeg kun havde set hos svømmere, bortset fra, at hun gjorde det på land. Hendes alfeagtige ro passede underligt nok godt til Róisín, som Gud havde skabt i en af sin fantasis mørkere afkroge. Da Rosie gik på universitetet, havde de delt en lejlighed, hvor Evvie stadig boede, og hun kom på besøg ude hos os, når hun havde lyst.

Evvie rakte mig en slank hånd og klemte kun lige hårdt nok til, at jeg vidste, hun var glad for at se mig. Hun havde lynet den brune sweater op forbi sine spinkle, søheste-agtige ører, fordi olieselskabet ikke kunne se det morsomme i, at min søster nu igen havde set stort på at betale regningen til tiden. Så de havde lukket for varmen. Igen.

'Hvo'n går det så?' spurgte Evvie med sin sjove, hoppende accent og gik ud i køkkenet, som ikke var blevet brugt til at lave mad i siden sidst, hun havde været forbi.

'Det går vel okay,' sagde jeg og løj. 'Hvad er du i gang med at lave?'

'Dampet laks med grøntsager,' sagde hun og udtalte hver en stavelse, som om den var dyrebar. Selv Rosie, som havde kysset på hende i over et år og stadig heller ikke kunne udtale hendes navn ordentligt, kaldte hende også 'Ivana den Grusomme'.

'Lækkert. Hvor er så hende den skønne?'

Evvie stak en tommelfinger hen i retning af soveværelset, hvor de velkendte elektroniske stemmer fortalte mig, hvor jeg kunne finde det eneste medlem af min familie, hvis omdømme stadig var værre end mit eget. De spredte sætninger summede hid og did som et desperat englekor, der var blevet låst ned i radioen for evigt, men stadig ledte efter en nødudgang.

'Oi, hva' så, geni?' sagde jeg og var helt lettet over at se den foroverbøjede skikkelse med POG MA HON-T-shirten på, som styrede slagets gang i æteren, mens hun samtidig forsøgte at suge livet ud af en cigaret. Jeg vidste, at Evvie i hvert fald ikke havde foræret hende noget tøj, som bad alle, der gad se på hende, om at kysse hende i røven. Hun havde sikkert lavet den selv.

'På tide, at man ser dig,' sagde hun og gav mig et powerknus. Hun nikkede hen til Evvie. 'Hendes Højhed bliver her et par dage, hvilket *også* betyder, at du og jeg scorer æg og bacon til morgenmad i stedet for gammel toast.' Men hendes ansigt så alt for alvorligt ud, og nu lignede hun en, man kunne såre bare ved at se skævt til hende. 'Jeg har godt hørt, at vores lille Columbo udleverede dig for at få skulderklap fra de andre drenge i polysteruniform. Fuck hende.' Hendes sorte negle borede sig ned i mine håndflader. Hun var parat til at slå ihjel for min skyld lige dér. Som det skulle vise sig, så ville vi begge snart begå mord, men af en helt anden grund.

'Tak, Rosie,' sagde jeg og måtte se væk et øjeblik for ikke at komme til at græde af lutter lykke. 'Har du hørt noget fra vores egen Taxi Driver i dag?'

'Åh, tag dig ikke af hende,' sagde Róisín, mens hun drejede en knap en millimeter til venstre for at opfange en stemme længere ude på overdrevet, hvor kun de allermest hardcore radioamatører befandt sig. 'Hun havde lyst til selv at give din smukke *seanchaí* en tur og har allerede ringet til mig og fortalt, at hun sagde nogle ting til dig, som hun fortryder. Typisk, ikke? Nu er hun sikkert sammen med ham sin fodboldspiller igen, for hun har rullet ned derovre, og Merceren har fået presenning på.' Hun smilede til Evvie, som dækkede bord. 'Hvorfor er det egentlig lige, at alle verdens smukke mennesker udnytter sådan nogle stakkels bondetøser som os?' Sølvringen på hendes pegefinger var formet som et dødningehoved, og det skinnede, mens hun med frekvenssøgeren prøvede at indfange en mandsstemme, som knap kunne høres gennem det gnistrende lydtæppe.

'Jeg føler mig som en komplet idiot, Rosie,' sagde jeg og rakte hende artiklen om den afdøde mrs. Holland, som åbenbart ikke havde efterladt spor af "tegn på kamp", vel? 'Jeg var bare *så* sikker på, at –'

'Du er min storesøster, og jeg ville drikke rævepis for din skyld,' sagde hun og tog et fastere greb om min hånd. 'Men nu må du altså slappe lidt af. Din fyr dér er sikkert ikke helt pletfri, og det tror jeg, vi alle sammen ved. Måske stjal han også mere end folks hjerter. Men hvis du bliver ved med at se mordere alle vegne, så falder du altså fra hinanden.' Hendes mund krøllede sig sammen i et smil så skævt, at cigaretten næsten brændte hende på næsetippen. 'Og hvem sku' så ta' sig af *mig*?'

Jeg klemte igen, men svarede ikke. Jeg overvejede, hvor lang tid det havde taget for Tomo ikke længere at mærke, hvad der end havde slået ham til plukfisk. Jeg mindede mig selv om at se nærmere på Jims knoer, hvis vi nogen sinde mødtes igen.

'Du, jeg mener det altså,' sagde Rosie, fordi hun så, at jeg bare nikkede uden rigtigt at høre efter.

'Fem minutter til, venner,' sagde Evvie og sendte Rosie et meget voksent blik.

'Javel, fru Kejserinde,' svarede Rosie og gjorde honnør med cigarethånden, men slap stadig ikke knappen med den anden. Hun drejede lidt til højre denne gang og blev endelig belønnet for sin vedholdenhed.

'...ra mit slot i den dybe dal, langt ude i skoven. Kan nogen mon høre mig?' lød nogens afbrudte stemme fra det store intet. Den tilhørte en mand og var både varm og beroligende. Blandingen mindede mig om noget, jeg ikke lige kunne komme i tanker om.

'Du hører Nattevinge fra den dybeste del af verdens røvhul ude i Cork, og du kommer fint igennem, over,' bjæffede Rosie ind i sin gamle sorte CB-mikrofon, som var så stor som en håndgranat.

'Sikke en fornøjelse, sådan at møde en så charmerende ung dame,' fortsatte stemmen, mens Rosie gav knappen et nøk til for at fjerne suset. 'Men hvorfor sidder du der helt alene foran mikrofonen på sådan en smuk sommeraften?'

'Så er der serveret,' sagde Evvie og kom med de portionsanrettede tallerkener. 'Ellers bliver grøntsagerne kolde.' Jeg signalerede til hende, at vi nok skulle være der lige så snart, vi forstod, hvorfor vi stadig sad der og lyttede til stemmen snarere end bare at slukke for kassen og for ham. Min opiumsmodtager – det samme sted, som Jim først havde berørt med sine øjne før noget andet; den skjulte side af mig, som jeg ikke ville indrømme var drivkraften i min søgen efter ham – begyndte at banke voldsomt. Det føltes, som om der var flydende vingummi i mine blodårer, som pumpede en slags vidunderligt, dødsensfarligt stof helt ud i fingerspidserne på mig.

'Hvorfor? Fordi det er dér, det hele sker, du gamle,' sagde Rosie, og jeg kunne høre på hendes snerren, at hun var irriteret over, at stemmen ikke afsluttede sine sætninger med et 'over', som det var kutyme at gøre. 'Og

135

hvad hedder så mon sådan en ægte prins, når han sidder derhjemme på sit slot, *over*?'

Vi hørte kun en fjern hyletone i et par sekunder. Jeg troede, han var forsvundet.

'Så er det altså *nu*,' sagde Evvie med eftertryk og slog med gaflen på sit glas.

'Det har jeg egentlig aldrig tænkt på,' svarede manden og kluklo ved tanken. 'Man kan vel kalde mig ... Portvagten. Ja. Det lyder godt, synes jeg.'

Jeg forsøgte at lytte rundt bag om kanterne i hans stemme, for den var lige så umulig at gribe fat i som vådt marmor. Gid Rosie dog ville slukke for den satans tingest, tænkte jeg, men ombestemte mig. For jo mere stemmen greb fat i mig, desto hurtigere bankede blodet i mine ører.

'Jamen det lyder da skønt,' sagde Rosie uimponeret. 'Så du sidder altså dér for dig selv ude i skoven? Nå, men jeg må altså smutte nu, for kæresten har lavet mad. Og hun sender mig til en arbejdslejr i Sibirien med bar røv, hvis den bliver kold, *over*.'

'Den *er* kold,' sagde Evvie, men kunne samtidig ikke lade være med at grine. Sådan var min djævlesøster.

'Det lyder godt,' sagde stemmen, der kaldte sig Portvagten. 'For en gang imellem er der ting, der kravler ud af skoven, som burde være bl –' Der lød en lang, melodisk hyletone, idet en popstation oppe fra Kerry druknede resten af sætningen i Kylie Minogue-sovs, før den forsvandt igen. '... orsigtig, når du lytter til smukke mænd, der fortæller eventyr, ikke?'

Jeg tog mikrofonen ud af hånden på Rosie og trykkede taleknappen ind. 'Hvad var det, du sagde? Om smukke mænd, der fortæller eventyr? Hvad er det, de gør?' Det føltes, som om hele resten af mit liv afhang af, hvad stemmen i skoven svarede.

Portvagten tænkte sig vist om, men signalet gik igen tabt i pibekoncerten af stationer, der prøvede at få vores opmærksomhed.

'Er du der?' råbte jeg næsten og holdt knappen inde. 'Portvagt?'

'Du er ikke hende den samme unge kvinde som før,' sagde manden, som var længere borte denne gang, som om han transmitterede dybt nede fra en digitalbrønd. 'Men jeg kan godt lide lyden af din stemme. Dit spørgsmål virker oprigtigt. Skjalde, forstår du, de vil helst have, at du lægger mærke til alt andet end det, de holder skjult inde i sig selv. Når de først har opnået din tillid, så bilder de dig ind, at de har opfundet hvert eneste eventyr til dig og kun dig. Tro dem endelig ikke.'

'Sådan en har jeg mødt,' indrømmede jeg og anede ikke, hvorfor ordene var fløjet ud af munden på mig. Det var fuldkommen som skriftestolen nede i landsbykirken. Men denne gang havde jeg lyst til at række hånden ind i radioen og røre ved manden på den anden side. Jeg havde derimod aldrig haft lyst til at røre ved Father Malloy, undtagen måske hvis jeg havde haft gummihandsker på. 'Jeg er begyndt at mistænke ham for ...' Jeg tøvede og fornemmede, hvordan Portvagten holdt vejret og lyttede. 'Han har gjort mange kvinder fortræd, tror jeg. Det er ikke bare deres følelser, jeg taler om, men værre ting. Meget værre.'

'Javel,' sagde stemmen uden at sige, hvad han syntes om dét. Der var blevet så stille i den lavloftede stue, at jeg kunne høre sekundviserne på Rosies ur og den klikkende lyd af stegepanden, der langsomt kølnedes i køkkenvasken. 'Så har han allerede kysset dig, har han ikke også? Det er hele hans trick. Og hvis han har været rigtig snu, så har han også tilbragt natten hos dig.' Stemmen var blevet mere insisterende, uden at være dømmende. 'I skal glemme alt om ham, hvem I to piger så end er, og leve resten af jeres liv i fred. Jo længere man kender ham, desto værre føles det efterhånden.'

Rosie og jeg kiggede på hinanden ligesom børn, der var overbevist om, at de lige havde set et spøgelse.

'Årh, gider du ikke holde kæft med det der,' sagde den mindst spirituelle goth-pige, jeg i mit liv har set, og snuppede sin mikrofon tilbage igen. 'Det var dog den største gang *shite*, jeg nogen sinde har hørt, Portvagt. Er du sikker på, du ikke har stirret lidt for længe på dit heksebræt efter at have røget en ordentlig bønne eller hvad, *over?*'

'Det må I selv om,' sagde manden, mens de elektroniske porte omkring vores lille seance langsomt begyndte at lukke sig. 'Det kan meget vel være, at jeg bare vrøvler.' Et sidste, kraftigt signal trængte tydeligt igennem, og Portvagtens stemme lød nu så knivskarp i højttalerne, som om han sad lige henne på sofaen i kød og blod og stirrede på mig.

'Men hvis skjalden begynder at fortælle om kærligheden,' sagde han, 'så løb for livet.'

12

Selv nu, set i bakspejlet, var det muligt at bære næsten alt, hvad der var sket indtil da, så skørt som det måske lyder.

Men da Moiras fredagsmiddag igen lå og truede, ændredes vores liv for evigt.

Efter at Portvagten var forsvundet, blev jeg siddende og spiste Evvies indtørrede fisk og lo ad min søsters vittigheder, mens jeg lod, som om jeg ikke længere havde tvangstanker om skjalde, der muligvis også var massemordere. Men mens vi spiste, måtte jeg lægge bånd på mig selv for ikke at gå hen til radioen og tage fat i frekvenssøgeren med begge hænder i håb om igen at fremmane den hypnotiske stemme fra skoven.

'Portvagten er sgu da bare en ensom børnelokker ude fra ghettoen, som har alt for meget fritid,' sagde Róisín og skar ansigt. 'Det er næsten, ligesom han *kender* Jim, ikke, og giver sig selv et kaldenavn, som lige passer til den sorte port fra Jims eventyr, hvad? Uuuha. Super-spooky!' Hun skar ansigt og vrængede. 'Gider du ikke godt! Det er da det billigste trick, han kunne komme med. Han er sikkert på bistand et sted. Og så på et slot? Dem har man sjovt nok også i alle eventyr. Er der flere ærter tilbage?'

Men jeg vidste nu bedre.

Det samme gjorde Evvie, men holdt klogeligt sin mund. Hun gav bare Rosies hånd et forsigtigt klem, når hun viftede sin tændte smøg omkring bordet som en ladt pistol, mens hun blev ved med at snakke om, hvor godtroende hendes storesøster var på trods af sin ellers så sunde skepsis. Evvie og mig havde begge to hørt noget, der lå og lurede lige bag Portvagtens advarsel. Det havde lydt som en hvisken dybt inde fra en eventyrskov, som jeg allerede fortrød, jeg var i stand til at forestille mig.

I dagene, der fulgte, indkasserede jeg al den ydmygelse, jeg havde sparet sammen til, da jeg rendte rundt efter Jim og Tomo, mens jeg samtidig lod, som om jeg var lige så syg som en præst på et drengetoilet. Når jeg gik forbi folk på fortovet, så smilede de alt for bredt. Og da Father Malloy sagde godmorgen til mig, var han ved at snuble over sin egen tunge.

Men det var for intet at regne sammenlignet med den foragt, min sjetteklasse udviste.

'Mrs. Harrington vidste *overhovedet* ikke nok om Det Andet Egyptiske Dynasti,' sagde lille Mary Catherine Cremin og sendte mig et blik, der kunne have fået blomster til at visne, da jeg endelig viste mig i klasselokalet igen. 'Derfor har jeg lavet en liste over alle de ting, vi er kommet bagud med, mens De har været ... fraværende. Det *er* bare ikke det samme med en vikar.' Hun lagde et tætskrevet stykke papir på katederet og smilede så sødt, at jeg kunne have langet hende én. Hvor måtte den vikar dog have lidt, tænkte jeg. Derefter var jeg magtesløs. Hverken løftede pegefingre eller trusler om at tage David med ned til rektor, når han huggede pigernes iPods, gjorde indtryk på dem længere. Den lille heks styrede simpelthen klassen som hunulven Ilse fra SS.

Og mig? Jeg var blevet brændemærket overalt som 'hende søen, der scorede ham sigøjneren på den seje motorcykel'.

Finban sendte mig ikke flere sms'er, men var i stedet begyndt at nikke nedladende til mig, når vi mødtes på gaden, som om jeg var spedalsk. Han solede sig i den sympati, han fik fra de blåhårede gamle damer nede på den lokale.

Jeg blev selvfølgelig ved med at gennemtrævle alle aviserne for at finde nyt om Jim og for at se i nekrologerne, om der var andre ude i en eller anden ravnekrog, som var skredet i svinget lidt for pludseligt. Men der stod ikke et muk om unge piger, der var blevet voldtaget eller myrdet. *The Southern Star* var derimod fyldt med historier om dejfjæsede skrabelodsvindere fra Clonakilty og med forsidebilleder af solskinsvejr. Jeg turde ikke spørge Bronagh mere, for udadtil var alt næsten ved det gamle. Det var, som om den røde 1950 Vincent Comet aldrig havde holdt sit indtog i byen.

Medmindre man kiggede lidt nærmere på min tante.

For det første havde hun tabt sig og var begyndt at tage stiletterne på igen. Aoife havde hørt hende bede frisøren om at lave lyse striber. Når hun blev spurgt, om hun havde vundet i lotteriet eller noget, så smilede hun bare og sagde ingenting. Og hun ringede til hver eneste af os for at sikre sig, at vi kom til middag næste fredag.

'Velkommen, små venner,' kvidrede hun, mens hun åbnede døren. Mig og Aoife var allerede blevet gode venner igen, som vi altid blev, ved at gøre nar af Finbarr, som nu nægtede at hilse på nogen af os. Og idet vi gik længere ind i vores tantes hus med Rosie lige i halen på os, viftede en ukendt duft om vores næsebor, som ellers kun var vant til at lugte branket oksekød og selvdøde grøntsager derinde. Det duftede vidunderligt. Som kylling og fisk og noget helt tredje, som var blandet sammen på en måde, der var ubeskrivelig. På en almindelig fredag ville jeg have løbet forbi både statuerne og mine søskende for at finde ud af, hvad der var sket. Men denne fredag aften var ualmindelig.

'Hvad skal vi have til middag, tante Moira?' spurgte Róisín sukkersødt.

'Jeg håber, I er sultne,' var det eneste, hun ville ud med. Og så forresten et smil, som var mere hemmelighedsfuldt end sfinksens.

Der stod en tom stol ved bordet. Moira havde sat rene krystalglas på en nystrøget damaskdug og støvsuget overalt, så der var renere end på en operationsgang. Mens vi satte os, skævede Aoife til mig med et fuldkommen uforstående blik. Hvad fanden foregik der? Rosie sad bare og gloede på vores tante, som vimsede ud i køkkenet igen med et kæmpe tandsmil; sikkert for at forberede sin helt usandsynlige kulinariske overraskelse.

'Hvad har hun gang i?' ville min djævlesøster vide, og jeg kunne se, at Moiras nye selvtillid havde gjort hende nervøs. Hendes instinkter fejlede ikke noget. Det var nemlig ret uhyggeligt at være tilskuer til Moiras middagsshow. Der var noget febrilsk og verdensfjernt over det.

'Aner det ikke,' sagde Aoife og pillede ved en serviet, hvor prissedlen stadig sad på. 'Men jeg tror godt, jeg kan holde op med at lade, som om jeg kan lide hendes mad.'

Vi kunne høre fodtrin i gangen og en voldsom syden fra noget, jeg var sikker på var et jernfad. Mig og mine søskende lænede os frem i spænding. Det var fuldkommen, som om vi var til en forestilling, hvor tryllekunstneren får elefanten til at forsvinde og beder orkestret om at slå en trommehvirvel, mens han tryller den tilbage igen.

Jim kom ind ad entrédøren med to stegepander, der var fyldt med den lækreste mad, jeg nogen sinde havde set. Hans knoer var opsvulmede og havde rifter overalt, men han prøvede ikke engang at skjule dem.

'Så mødes vi igen, de damer,' sagde han og skruede op for sit berømte smil. Men det var kun mig, han kiggede dybt i øjnene.

Jim var altid to skridt foran alle andre.

Tidligere på ugen havde han ringet tante Moira op og bedt om et værelse, uden at nogen havde lagt mærke til noget. Og med en ironi, der var så tyk, at man kunne have smurt den på rugbrød, havde hun givet ham nøglerne til værelse nummer fem. Samme sted, hvor Harold engang havde ødelagt hendes liv i den gamle, knirkende jernseng.

'Han er bare *sådan* en nem gæst at have,' fnisede vores overlykkelige tante og gav Jims arm et besiddende klem, mens hun nippede til verdens allermindste bid af hans kylling *cordon bleu*. Det havde han ikke noget imod og holdt hende fast med sit slangeagtige blik, som for længst havde fået kvinder mellem Mizen Head og Kenmare til at glemme alt om, hvordan deres egne mænds ansigter så ud.

'Jeg blev efterhånden træt af små turnéhoteller,' forklarede Jim og belønnede Moiras interesse ved at stryge hendes hånd ganske let, mens begge mine søstre gloede hen på mig for at se, hvordan jeg ville reagere. 'Og jeres tante har sagt, at jeg kan blive boende, så længe jeg hjælper lidt til med det praktiske. Det er da en meget god ordning, ikke?'

Ih, jo, tænkte jeg, og jeg ved også nøjagtig, hvor du har tænkt dig at hjælpe til.

Jims øjne signalerede til mine hen over vinglassene. Jeg ved, at *du* ved det, sagde de. Men vi ved også begge to, at ingen mennesker længere stoler på dig.

I de næste ugers tid blev tilværelsen som en plage for mig.

Jeg vil ikke have, at du skal have ondt af mig, og jeg piver ikke. Det har jeg fortalt dig, tror jeg. Men jeg er nødt til at forklare, hvor surrealistisk det var at se min tidligere så klumpede tante smide Snickers-dellerne og igen fremvise den selvtillid, hun plejede at have, før Harold tog den med sig i rygsækken. Jim fyrede stadig op for sin vidunderlige Vincent-motor, når han fræsede ud på landet for at lede efter et nyt publikum, der ikke havde hørt eventyret om den fortabte prins Euan endnu. Men han kom hjem til vores tante hver aften efter tæppefald.

Det varede ikke længe, før værelse nummer fem blev behørigt indviet, og Jim fik smøget Moiras nye kjole og undertøj af. Og derefter blev hans vadsæk og sovepose flyttet ind i hendes soveværelse.

Jeg må indrømme, at jeg engang stillede mig neden for deres vindue og lyttede til den slags lyde, han engang fik listet ud af mig. Men det eneste, jeg kunne høre, var nogen, der mumlede. Først kunne jeg ikke forstå det. Men da jeg stillede mig så tæt hen til muren, at jeg næsten rørte ved den, blev alting klarere. De var ikke midt i noget vild pornosex, i hvert fald ikke lige på dét tidspunkt. Jim var i gang med noget meget mere forførende.

Han fortalte hende et eventyr.

Fra at have været en ugentlig øvelse i at kede sig mest muligt blev fredagsmiddagen nu til en blærerøvsforestilling, hvor Moira viste sig frem i stadigt mere afslørende kjoler med vores mors smykker drysset ud over sig som en frugtsalat. Hendes røv var nu lige så benet som de modeller, hun engang havde været misundelig på, og Jim strålede over hele femøren som en rigtig stolt kæreste. Hver gang han skar kødet for eller udbenede sin ellers fortræffelige ørred *à la mande*, så jeg på hænderne, der holdt kniven, og kom til at tænke på Tomo, mrs. Holland og lille Sarah McDonnell. Men som månederne gik, og der stadig intet nyt var om nye, grusomme mord, fordampede hvad folk måtte have haft af mistanke til Jim i deres hoveder som fugt. Bare ikke i mit.

'Du må altså se at komme videre,' sagde Aoife til mig en aften, hvor vi sad i hendes køkken og drak te. 'Altså, det gjorde *jeg* da. Du fik i det mindste lidt ud af det.' Hun prøvede at være lige så tapper som altid, men jeg kunne se en lille bitte smule misundelse prøve at skjule sig bag ved hjertet på hende. Hendes lækre fodboldspiller havde endelig forladt byen og var vendt tilbage til sin anorektiske kone nede i Dalkey.

'Tja, det gjorde jeg vel,' sagde jeg og lagde mærke til, hvordan hun tog sig til håret, når hun var irriteret. 'Der er bare noget helt ... forkert ved, at alle myrderierne holdt op på nøjagtig samme tid, hvor Jim flyttede ind.'

142

'Ejj, vil du ikke godt lægge dit indre politiskilt på hylden?' Hun fik et bittert udtryk i ansigtet, som altid havde været lidt strammere end Rosies hjerteform. 'Ham kineseren blev garanteret ramt af en bil, ikke? Og Sarah blev myrdet af en af de der armenske eller ukrainske gangstere, vi havde sidste år. Mrs. Holland fik sikkert et hjerteslag. Og er vi *så* færdige?'

'Okay, okay,' sagde jeg, og vi vidste begge to godt, at jeg ikke mente det.

Jeg er ikke spor stolt af at indrømme det. Men jeg begyndte snart at spionere rundt omkring i min tantes hus, hver gang det blev fredag aften.

Jeg brugte ethvert påskud til at komme ovenpå og rode Jims ting igennem, og det var ikke let, siden han godt vidste, hvad der rumsterede i mit hoved. Derfor måtte jeg benytte mig af strategiske 'toiletbesøg', når han havde travlt i køkkenet, eller hver gang min tante hev ham ned ad gaden, så hun igen kunne vise ham frem for naboerne. Jeg blev snart helt Tomo-agtig og var hurtigt i stand til at løfte sweatere, tømme lommer og lægge alting tilbage uden at efterlade nogen spor. Det føltes næsten som en leg, men ikke helt. For jeg var godt klar over, hvad han ville gøre ved mig, hvis jeg blev opdaget.

Til at begynde med fandt jeg ikke ret meget.

Kun kvitteringer, taletids-kort og slikpapir viklet omkring tilfældige kvinders telefonnumre. Ingen af de ting afslørede ham som andet end det, jeg allerede vidste, han var, nemlig en rejsende charmør.

Men jeg var tålmodig. I næsten en måned lod jeg som ingenting, mens jeg tillod mine små uhyrer nede i skolen at plage mig og spiste pænt op, hver gang Jim havde lavet fredagsmiddag. Jeg holdt også op med at se skævt til ham. Jeg begyndte endda at overbevise mig selv om, at han ikke længere opfattede mig som en trussel, for hans blikke var begyndt at blive venligere, næsten som en bror. Det betød, at jeg somme tider havde knap to minutter til at nå hele vejen rundt ovenpå, endevende madrasser og tæpper og én gang for alle finde bevis på, at den tvivl, jeg fornemmede dybt i hjertet, også var den skinbarlige sandhed.

Jeg fik mit første praj om, hvad der lå neden under Jims påtagede rolle som den betænksomme kæreste, en aften, hvor han gik forbi mig i gangen på første sal uden at bemærke mig inde i et af værelserne. Der hang et tungt, guldindfattet spejl deroppe med et stearinlys på hver side. Han standsede foran det og lænede sig ind mod sit eget spejlbillede. Så blottede han tænderne og vrængede læberne så langt ud, de kunne komme. Til sidst kunne man se selv visdomstænderne og flere centimeter af gummerne. Han blinkede ikke, men blev bare stående og beundrede sine bisser, mens øjnene blev til små kommaer. Jeg holdt vejret, mens jeg stirrede på ham gennem dørsprækken i værelse nummer syv. Og jeg huskede kun alt for godt, hvad han engang for ikke så længe siden havde spurgt publikum om nede på pubben i Adrigole.

Vil han dræbe hende eller elske hende?

Jeg var helt sikker på, at han altid havde satset på alt andet end kærligheden.

I de næste par uger skete der ikke andet end det sædvanlige. Turisterne svinede vores gader til med burgerpapir, knuste ølflasker og sig selv.

Det var blevet sent en fredag aften, mens Jim stod og kyssede på vores tante udenfor, da jeg endelig fandt det.

Jeg havde allerede været igennem nummer fem, syv og ni tidligere og fandt ikke andet end et brugt kondom. Det eneste, der hang frit fremme i soveværelset, var hans læderjakke. Som om han ventede på, at selveste James Dean ville vende tilbage fra de døde og tage den på. Jeg havde været lige ved at gå igen, da jeg stak hånden i den hemmelige lomme, jeg vidste, han havde fået syet ind i foret nederst på ryggen. Det var nemlig der, han havde lagt cigaretterne dengang hjemme hos mig. Jeg lyttede efter fodtrin på trappen, men hørte kun tante Moiras pigefnis dernedefra og vidste, at jeg havde cirka tredive sekunder igen.

Jeg lynede lommen op og stak to fingre derind.

Mine fingre rørte ved koldt metal. Og jeg tog noget guldfarvet og skinnende frem, som jeg sidst havde set i en død kvindes øreflip på hendes livs sidste aften.

Sarah McDonnells tabte ørering.

Jeg sad med den i hånden længe nok til at vide, at min tantes nye kæreste og mit eget følelseslivs opiumspusher var en nådesløs morder. I et kort sekund overvejede jeg at stikke den gyldne bue i min egen lomme, men Jim ville garanteret opdage, at den var væk. Så jeg lagde den tilbage så nænsomt, jeg kunne. Da jeg kom nedenunder, havde jeg alle-

144

rede valgt et smil, der passede til lejligheden. Kun Róisín opfangede mit robotblik og vidste, jeg gemte på noget grimt inde bagved.

Da mine søstre senere hjalp med at bære ud, blev jeg endelig alene med Jim.

Jeg stod med ryggen til ham og lagde skeer på underkopper, mens jeg prøvede at se helt afslappet ud, da jeg mærkede hans ånde i nakken. Og nu må jeg altså igen være helt ærlig: Det føltes som lige store dele skræk og begær. For på trods af alt det, jeg nu vidste, kunne jeg ikke glemme den nat, vi havde haft sammen på mit stuegulv.

'Du er altså utaknemmelig, er du godt klar over det?' spurgte han uden hverken at hæve stemmen eller gøre sig umage med at virke truende. 'Mig og Tomo, vi havde en ret god forretning kørende. Og så kommer du dér og følger efter os hele vejen op på bjerget og opdager sgu det hele. Derfor kan du da ikke bebrejde manden, at han havde lyst til at partere dig som en rullesteg, vel? Altså, helt ærlig?'

'Du slog Sarah McDonnell ihjel,' sagde jeg. 'Og tog hendes ansigt fra hende.'

Han lænede sig hen over min ene skulder med sine ulvetænder og lyttede ikke til andet end den mørke musik i sit eget hoved. 'Jeg slog Tomo ihjel for *dine* blå øjnes skyld, er du klar over det? Han ville ellers have dræbt både dig og dine to søstre og smidt jer i grøften et sted. Jeg kunne bare ikke få ham fra det. Jeg slog ham i ansigtet med en hammer. Spørg mig ikke hvorfor. Måske er jeg ved at blive blødsøden. Eller også var du lige lidt bedre i kassen end de fleste.' Smilet blev både varmere og bredere, mens han hældte sirup ud over sin stemme. 'Men jeg kan love dig én ting. Jeg er rigtig godt tilfreds med at gemme mig bag din tante Moiras skørter og hyle panserne ud af den. Hvis du bare én gang til snakker med hende Bronagh eller ødelægger det her for mig på nogen anden måde, så slukker jeg selv lyset på jer alle tre.' Han gav min nakke et næsten beroligende klem. 'Bare tag det roligt. Så kan vi jo alle sammen have det sjovt.'

Jeg skulle lige til at spørge ham om, hvor sjovt mrs. Holland havde haft det, da han kvalte hende, men så kom tante Moira ud i køkkenet med et stak tomme tallerkener i favnen og med en ultrakort tag-mig-nu-skat-kjole på.

'Hvad pønser I to på, måske?' spurgte hun for sjov, men aflæste mig alligevel med sine radarøjne, som udmærket godt vidste, hvor Jim havde parkeret sin pik, kort før hun selv fik lov at lege med den.

'Vi lægger lumske planer, min skat,' sagde han og gav hende et langsomt kys på halsen. Derfra hvor jeg stod, kunne jeg mærke hendes frydefulde sitren. 'Om hvordan jeg mon skal kunne holde alle byens mænd væk fra dig.'

Det var så forlorent, så uægte, at jeg var sikker på, at selv tante Moira nu kunne se, hvad der lurede lige neden under den blide stemme og det kække smil. Men fandeme nej. Hun gjorde ikke modstand, da han omfavnede hende, mens jeg bar kaffebakken og desserten ind. Selv med beviset blinkende lige for næsen af sig, valgte hun stadig at forblive den ægte – og blinde – troende.

Jeg tog ikke Jims trussel alvorligt. Må Gud tilgive mig, men det gjorde jeg altså ikke og nedkaldte dermed de sorteste dæmoners vrede over det ene af de to mennesker, jeg nok snart kommer til at dø for. I over to dage overvejede jeg, hvordan jeg kunne få fortalt Bronagh om Jim uden hverken at blive anholdt for rablende sindssyge eller at vække hans mistanke.

Men han var ikke færdig med at dække sig ind, næh, nej. Jeg har jo sagt, at han altid var to skridt foran. Så da Moira ringede til mig og mine søstre og bad os om at mødes til te næste søndag eftermiddag, vidste vi godt, at det ikke var for at snakke om, hvor fint staudebedet stod i år.

Tante Moira havde taget sit bedste Angelina Jolie-udstyr på – en sort kjole med læderbælte og nogle rakethæle, som ville have fået Father Malloy til at korse sig.

En diamantring på hendes finger lynede om kap med hendes øjne.

'Vi syntes, I skulle høre det før alle andre,' sagde hun og sænkede stemmen for at understrege, at vi dermed var blandt de særligt udvalgte. 'Han har spurgt, om jeg vil gifte mig med ham. Det bliver i dag om to uger, i Sacred Heart.' Moira så på mig og spidsede munden. 'Han spurgte især til dig, Fiona. Det er så vigtigt for ham, at du kommer.'

Dit dumme svin, tænkte jeg og kunne ikke sige noget. Selvfølgelig er det dét.

'Det var sødt af jer at tænke på mig,' var jeg endelig i stand til at fremkvække og tog en kæmpeslurk rødvin. Vores tante smilede, gav os luftkys og var rundhåndet med drikkepengene, før hun endelig svansede ud ad døren. Bagefter styrede mig og mine søstre lige hen på McSorley's Bar, hvor vi forsøgte at hitte rede i det hele ved hjælp af mange glas kulsort øl. Jeg havde det, som om Jim havde strikket en løkke af lige dele charme, jalousi og ren beregning og nu brugte mine egne længsler til at hænge mig med. Og jeg anede stadig ikke, hvordan jeg dog skulle få fortalt Bronagh om den ørering. Jo mere jeg drak, desto mere fik jeg lyst til at pumpe to patroner ind i Aoifes dobbeltløbede gevær og rydde op i det rod, jeg selv havde været med til at lave.

Bedst som jeg stod i klasseværelset og var midt i en time om irsk historie, satte Finbarr skub i tingene helt af sig selv.

'Hvor er hun?' kunne jeg høre ham råbe ude på gangen, og selv Mary Catherine så beklemt ud ved lyden. 'Slip! Jeg vil tale med hende. Fionaaa! Du kan ikke gemme dig for mig!'

Døren gik op med et brag, og dér stod en udgave af min ekskæreste, jeg aldrig havde kunnet forestille mig.

Hans skjorte så ud, som om han havde sovet i den, og slipset var flosset. Han vaklede ind i klassen og stank af dyr whisky. Mens alle de andre børn fortrak helt hen til bagvæggen, så holdt Mary Catherine stand ved sin pult lige foran katederet. Det var nemlig en plads, hun havde udkæmpet mange interne opgør for at opnå.

'Hvor kunne du gøre det over for mig?' spurgte han.

'Finbarr, jeg aner altså ikke, hvad du prøver at –'

'Du tillod bare, at han sådan bare lige flyttede ind hos din tante? Ham din sigøjnergigolo? Og så sidder du endda og spiser *middag* med ham, sådan helt afslappet? Er du klar over, hvad der bliver sladret om mig?' Hans stemme snublede over det sidste, spage 'mig' og blev til en hulken.

'Det her har overhovedet ikke noget at gøre med dig,' sagde jeg. 'Vil du ikke godt gå nu? Du gør børnene bange.'

'*Jeg* er ikke bange,' sagde Mary Catherine og greb fat om sin stoleryg med begge hænder, som om Finbarr havde tænkt sig at stjæle den. Hendes ansigt var en lille cirkel af rundstykkeformet vrede.

'Hold så kæft, Mary Catherine,' kom jeg til at snerre, men havde det alligevel skønt med at høre mig selv sige det. Men hun havde afledt min opmærksomhed fra Finbarr i et kort sekund. Da jeg igen så hen på ham, mærkede jeg hans knytnæve i øjet. Jeg blev slynget tværs igennem lokalet, hvor jeg landede i en pærevælling af væltede pulte og skrigende børn.

Da Bronagh og alle de andre uniformer ankom, så jeg herrens ud. Min kind var hævet, lille David tudbrølede, og hele skolen var på den anden ende.

'Vil du anmelde det her?' spurgte Bronagh, som for første gang i månedsvis havde ondt af mig. På gangen stod den selvfede sergent Murphy og holdt Finbarr i overarmen, mens han hviskede noget ubehageligt i øret på ham. Finbarr snøftede bare og blev ved med at nikke. Der faldt store klatter snot ned på hans håndlavede italienske sko.

'Nej, lad ham være,' sagde jeg og havde pissedårlig samvittighed.

Den beslutning så Bronagh tilfreds ud med, for hun lagde sin notesblok væk og gav mig endnu et af de der amerikanske tv-serie-skulderklap, som vist betød, at jeg bare var okay. Mrs. Gately gav mig fri resten af dagen. Jeg var ellers lige holdt op med at være i unåde siden det med lungebetændelsen. Men nu kunne jeg se på hendes glædesløse smil, at jeg var nødt til at begynde helt forfra, nu da jeg havde skabt totalt kaos på hendes skole som den letlevende kvinde, jeg åbenbart var.

Jeg sov som en sten hele eftermiddagen. Det var meningen, at både Aoife og Róisín skulle komme forbi til middag, men kun mit djævlebarn kom til tiden med en billig flaske rødvin i favnen som et spædbarn, hun lige havde ranet fra en klinik et sted. Vi drak det hele og røg en halv pakke, mens vi lavede mad. Men da klokken blev ni, havde Aoife stadig ikke besvaret nogen af vores opkald.

'Jeg så hendes bil lidt tidligere,' sagde Rosie. 'Den har stået oppe ved huset hele dagen. Hun er ikke ude på tur.'

'Hun skal nok komme,' sagde jeg og smagte sovsen til, men rædslen vældede op i mig som en underjordisk vulkan. 'Hun har sikkert scoret sig en ny fodboldspiller.'

'Ja, sikkert,' istemmede Rosie og så trist ud. 'Jeg savner Evvie,' tilføjede hun og surmulede. 'Men hun kommer herud om en uge.'

Da klokken var blevet langt over midnat, blev selv Rosie bekymret.

Hun havde sms'et til Aoife hele aftenen og ikke hørt noget tilbage, og det var aldrig sket før – selv ikke, når vores Taxi Driver havde samlet en sød fyr op. Så vi sprang på vores cykler, mens ternerne skreg oppe på sommerhimlen. Vi trampede mere til end nogen sinde før, fordi vi begge to havde en ubehagelig forudanelse, som ingen af os turde sige til den anden. Dybt nede i maven havde jeg gemt Jims trussel af vejen som en sort diamant. Men jo mere jeg ignorerede den, desto mere skræmmende voksede dens forbandede karat.

Bump-bump!

Jeg genkendte lyden, længe før jeg så den åbne dør, der smækkede i vinden.

'Aoife?' råbte jeg, men der kom ikke noget svar. Jeg kunne se, at Rosie for første gang i årevis ikke anede sine levende råd. Der var mørkt i hele huset, og entréen med de tørrede hippieblomster var tom. Vinden fik et par blade til at danse lidt sammen på flisegulvet. Mig og Rosie gik indenfor uden at høre andet end lyden af vores egne tanker.

'Er du her, Aoife?' hviskede Rosie, og jeg kunne se, hun derved gjorde sig selv endnu mere bange.

Mine fingre fandt endelig kontakten, da vi var nået ind i dagligstuen. Og nu kunne vi se helt tydeligt, hvad der var sket.

Begge hendes bløde sofaer var blevet parteret som kvæg, og der hang uldtotter ud af dem i forrevne bomuldssår. Der var glasskår overalt, og Aoifes yndlingsbøger var blevet revet itu. Henne ved døren var der dannet en lille indsø af spildt hvidvin, hvilket betød, at det her var sket for ganske nylig.

Vi var så chokerede, at vi ikke med det samme lagde mærke til, at vi ikke var alene i stuen.

Der sad en skikkelse henne i hjørnet. Den havde taget et tæppe over sig og rokkede frem og tilbage. Hun så oldgammel ud og stirrede indad på noget skrækkeligt. Ikke en lyd kom over hendes læber.

'Aoife!' råbte Rosie og sprang hen for at omfavne sin tvillingesøster. Jeg tog forsigtigt tæppet af hende og så det lag tæsk, hun havde fået. Hun havde røde striber på brystet, og hendes ansigt var ophovnet. Hendes polkaprikkede kjole var blevet smidt hen i hjørnet som en brugt serviet. Hun reagerede ikke, når man sagde hendes navn. Vi sad bare dér på gulvet i timevis, tæt omslynget som konerne i indianerlejren, der prøver at glemme de grusomheder, de hvides kavaleri lige har udsat dem for, mens vi lyttede til vores søsters hjerteslag.

Da det endelig blev daggry, vendte Aoife hovedet om mod mig og sagde: 'Han forklarede mig, at det var din skyld.' Hendes stemme var blevet kørt gennem et filter, som frasorterede enhver følelse.

Det var Jim, selvfølgelig. Hvem ellers?

Mens jeg lavede te og prøvede at få Aoife til at drikke bare lidt af den, fortalte hun os, hvordan han var kommet forbi under påskud af at ville fortælle hende en hemmelighed. Men så snart døren var smækket i, havde han brugt hende som fejebakke, flået hendes kjole itu og voldtaget hende i timevis.

'Han sagde, at den eneste grund til, at han ikke også slog mig ihjel, var, at tante Moira ventede derhjemme med den varme mad,' uddybede Aoife med sin kirkegårdsstemme. 'Men han lovede snart at komme igen.'

Jeg har tidligere fortalt dig, at vi alle tre blev mordere. Og vi traf vores beslutning den morgen på vores søsters stuegulv. Da Aoife endelig faldt i søvn i mine arme, så jeg Róisín tage den skarpeste kniv ud af køkkenskuffen og lægge den i sin taske.

'Så lukker og slukker vi for den *fucker*,' sagde hun med sin søsters beslutsomhed.

Men vent nu lige.

Jeg kan høre min yndlingstante rumstere dernede igen. Kan du huske, da du først åbnede denne bog, hvordan jeg fortalte dig, at vores tid sammen godt kunne gå hen og blive kort? Tja. Jeg tror, jeg fik ret, du. Så hvis du har læst helt hertil, så bed en bøn for os, vil du ikke nok? Og håb på, at min og Rosies dagbøger på en eller anden måde slipper ud herfra. Det kan være, at min ender på postkontoret, og at hendes bliver sendt helt ud til, hvor gamle Father Malloy kan strø blomster hen over den.

Måske kan jeg holde Moira stangen længe nok med den her gamle skovl, jeg har fundet, til at forhindre hende i at gøre Rosie ondt. Men det er jeg nu ikke så sikker på. Måske får hun has på os, inden jeg kan nå at svinge den. Jeg har kun lige brug for ét godt slag til at skille hendes hoved fra kroppen. Nu kommer jeg aldrig til at se pyramiderne. Så hvis du får chancen i stedet for mig, så tag lige et billede af dem, gider du ikke?

Nu kommer hun. Rolig, Rosie, rolig. Du må ikke græde. Hold dig parat. Jeg skal nok beskytte dig, lige så længe jeg kan.

Og til dig, kære ukendte læser, husk, hvad jeg har sagt. Send mine søstre og mig en kærlig tanke på trods af alle vores fejl. Gud velsigne dig, fordi du blev ved med at bladre. Alt, hvad du har læst, er den rene, skære sandhed – det bedste og det allerværste.

Glem mig ikke.

Glem ikke nogen af os.

Og hvis du nogen sinde skulle komme forbi vores skinhellige tantes grav, så spyt endelig på den, hvis du har lyst.

ANDEN DEL

ULVENS SPOR

13

Niall lod fingerspidserne hvile på ordet "grav" i lang tid. Han havde det, som om han var beruset af en sort, eksotisk vin, han aldrig mere ville kunne holde op med at drikke.

Han kunne mærke blodet suse for ørerne, og det var ham helt umuligt at vælge bare ét billede fra Fionas fortælling, så han kunne granske det nærmere. Måske hendes første møde med Jim? Nej, det var tydeligt nok. Men hvad så med den affære, der ændrede hele hendes liv? Eller måske skulle han hellere se lidt nærmere på de voldelige omstændigheder omkring hendes død sammen med Róisín i tantens hus, som havde ligget mindre end en halv kilometer fra det lille kontor, hvor han selv plejede at sortere post? Der var så mange steder, han kunne begynde. Fantasien og virkeligheden blandede sig sammen, og nu vældede det frem i hovedet på ham med løsrevne billeder af ulve og læderklædte ryttere, som jagtede kvindeskikkelser op ad stejle skrænter og dybt ind i uigennemtrængelige skove. Niall bladrede igen om på sidste side og følte næsten, at han kunne se Jim foran sig, række ud forbi det tynde, gennemsigtige papir, så han kunne røre ved hans skægstubbe og bevise, at det hele virkelig havde fundet sted. Det imponerede ham især, at Fionas håndskrift havde været støt som en morders pistolhånd til sidste punktum, og at hverken angst eller raseri havde fået den til at vakle. Hun havde understreget sidste sætning med en fed streg. En vandret gravsten. Men hvad betød det mon, at Father Malloy kunne "strø blomster hen over" Róisíns dagbog?

Men Niall ønskede mere end noget andet, at han selv kunne have sat sig ned og snakket med Fiona. Han havde aldrig mødt en pige som hende, der turde indrømme sine fejl og svagheder, men som samtidig også gjorde det klart, at hendes rygrad var lavet af en ganske sjælden slags metallegering. Ville vi mon have været venner? tænkte han. Det var mere sandsynligt, at hun slet ikke ville have lagt mærke til ham, ligesom det plejede at være med netop de piger, han allerhelst ville i kontakt med. Han havde for nylig været omkring det, som i folkemunde nu kun hed "morderhuset" i Strand Street. Og han vidste præcis, hvor Fiona havde svunget den skovl, som ikke helt skilte Moiras hoved fra kroppen, men dog alligevel sikrede hende en gravsten. Niall havde ikke tænkt sig at besøge Fionas grav og afgive hende et eller andet sentimentalt løfte om at se pyramiderne. For hun ville bare have himlet med øjnene og kaldt ham et skvadderhoved, der spildte tid på de døde.

Men hvad skulle han nu gøre?

Han vendte dagbogen mellem hænderne, men lidt anderledes end før. Nu føltes det, som om den var fyldt med porøse tanker, som kunne flyde ud gennem kommaerne i papiret, hvis ikke han var forsigtig nok. Men skulle han så prøve strisserne? Sidde i venteværelset, mens en eller anden garda-rekrut lyttede til, hvordan Niall havde bragt dagbogen ulovligt med sig hjem? Og hvad ville der mon derefter ske, når han smilede og prøvede at slippe væk fra stationen, og den samme overskæggede bonderøv tastede sig frem til, at en vis Niall Francis Cleary, enebarn af Martin og Sarah, engang var blevet anmeldt for vold?

Og hvad så, hvis han kun havde været femten dengang og havde stået med ryggen mod muren henne i skolen, mens tykke-Larry og hans ivrige sekundant rotte-Charlie overdængede ham med sten og kaldte hans mor en fucking krøbling, fordi hun gik med stok? Og hvad så, hvis Charlies og Larrys forældre kun havde trukket politianmeldelsen tilbage, fordi Nialls far havde sørget for gratis VVS-service og leveret tavse undskyldninger i årevis bagefter? De havde aldrig talt om det derhjemme. Men hver gang hans mor lavede mad til ham og spurgte, om det smagte, kunne han høre taknemmeligheden i hendes stemme.

Ja, den ville da gå rent ind hos strisserne, ikke? Klart.

Men resten af fortællingen om, hvad der var sket med Róisín og Aoife, lå begravet et sted ved Sacred Heart Church i Castletownbere, hvis altså gamle Father Malloy stadig var der. Niall lukkede øjnene og prøvede at forestille sig, hvem det mon var lykkedes at undslippe fra kælderen under Moiras morderhus. Var det Aoife? Og hvis det var, hvorfor havde man så aldrig fundet hende siden? Det kunne også have været den lako-

156

niske Evvie, som kom for sent til festen, men gik tidligst hjem. Eller måske havde stakkels Finbarr endelig tørret øjnene og var kommet til undsætning, men selv blevet taget til fange? Det kunne umuligt have været fedterøven og skeptikeren Bronagh, medmindre hun var begyndt at passe sit arbejde frem for at indynde sig hos de overordnede. Niall spændte en tyk elastik omkring Fionas historie og lagde den i sin rygsæk. Han havde i sinde at beholde denne tilfældets dødebog, så den kunne pege ham i den rigtige retning, når han var ved at miste modet.

For det her mysterium var han nødt til at opklare helt alene.

Rrringg!

Niall kunne allerede høre på det utålmodige åndedræt i den anden ende, hvem det var, inden mr. Raichoudhurys overbærende stemme gjaldede i røret.

"Klokken er halv ti, mr. Cleary," sagde Irlands allermest Overordnede Postmester, som Niall havde glemt alt om, siden han åbnede dagbogen og læste første side. "Kan man deraf slutte, at De enten har pådraget Dem en dødelig sygdom, eller at frække tyveknægte brød ind i Deres domicil i løbet af natten og frastjal Dem alle Deres vækkeure? For jeg ventede at se Dem på Deres post her klokken otte. Vær så elskværdig at vælge mellem disse to muligheder, mr. Clearly, så er De sød."

Fuck! Niall kiggede ud ad de møgbelortede vinduer og kunne allerede se solen stå højt over kranerne, som snart skulle forvandle The Mun til et yuppieparadis. Oscar gad ikke være vidne til den kommende skideballe og skulede til sin herre, mens han spurtede ud i køkkenet. Kattens orangeadefarvede hale gav Niall et sidste tjat på vejen, bare for at han lige skulle huske, hvem der bestemte.

"Jeg er virkelig meget ked af det, mr. Raichoudh –"

"Betyder det, at der altså intet er i vejen med hverken Deres hjerte eller lunger eller nogen anden vital legemsdel? Og at De ikke bliver holdt som gidsel for at forhindre Deres rettidige fremmøde?"

"Jeg sad og læste en bog, sir," sagde Niall og lod en fingerspids glide hen over dens sorte fibre en gang til. Han lod, som om han talte med Fiona på en slags guddommelig korttbølgefrekvens, som helt udviskede ham den lille Napoleon.

"Selv om det ganske sikkert er at foretrække frem for Deres forkærlighed for barnagtige billedbøger, har jeg som øverste repræsentant for An Post i Malahide intet andet valg end at fritstille Dem. Jeg håber ikke, De synes, min beslutning er urimeligt hård?" Mr. Raichoudhury lød næsten såret over endelig at måtte lade hammeren falde efter tre advarsler. Niall kunne høre, hvordan to års konstant skuffelse over ham kom ud af mandens aristokratiske næse som et vældigt fnys. Men tjenestemanden havde stadig den fødte officers indbyggede bekymring for sine folk – selv dem, der altid gjorde det forkerte.

"Det er i orden, mr. Raichoudhury. De er i Deres fulde ret. Jeg har ikke gjort det godt nok."

"Jeg skal sørge for, at De modtager Deres sidste check inden for fem arbejdsdage," sagde stemmen og var lige ved at lyde faderlig. "Held og lykke, mr. Cleary, og tøv endelig ikke med at bede mig om en anbefaling." Niall kunne høre en lille pause, inden paragrafrytteren tilføjede: "Tillader De, at jeg kommer med en personlig betragtning? De må endelig sige nej, hvis det er ubelejligt."

"Nu gør De mig helt nysgerrig, sir," sagde Niall og så Oscar gå i krig med de kokosmakroner, han havde købt til sig selv. De grønne øjne lynede og bad ham passe sig selv.

"Ser De, jeg havde engang en lærer, som var fascineret af billeder, ja, af næsten enhver afbildning af den æteriske verden," begyndte mr. Raichoudhury. Den bengalske lanseners flammevogter lød nu, som om han var århundreder borte, på fjerne steder, han bedre kunne lide end Malahide. "Hans kone og børn var langsomt begyndt at kede ham. En skønne dag, på markedspladsen, så han et gudebillede af Vishnu, der var afbildet som sovende på det evige hav, mens millioner af verdener flød ud af hans hud og formede universet. Men min lærer havde ikke råd til at købe det. Derfor købte han farvet blæk og papir i stedet og satte sig foran billedet dag og nat i forsøg på at efterligne dets pragt i enhver detalje. Monsunregnen kom skyllende, og det samme gjorde knasende tørke. Min lærer begyndte at få brystsyge, men holdt ikke op med at male. Hans kone og børn bønfaldt ham om at komme hjem, men han ville ikke høre efter." Mr. Raichoudhury rømmede sig som signal til, at pointen var lige om hjørnet. "Forstår De, mr. Cleary, min lærer døde i rendestenen samme nat, slidt op af lungebetændelse og udmattelse. Hans familie blev bragt til tiggerstaven, og det var kun med gudernes hjælp, at børnene ikke endte på gaden. Begynder De nu at indse, hvad jeg forsøger at sige til Dem?"

Niall kunne mærke vredens nålestik gennembore skyldfølelsen over at have forsømt sit arbejde, men styrede sig. "Nej, sir, for at være helt ærlig, det gør jeg altså ikke."

Den indbildte officer sukkede, som om han lige havde smidt perler for divisionens mest enfoldige svin.

"De må ikke ofre Deres liv for livløse billeder, mr. Cleary," sagde han og smækkede med tungen som en skuffet mor. "Ellers vil de suge Dem til sig og begrave Dem levende."

Så lagde mr. Raichoudhury på, og Niall vidste, at postfunktionæren havde ret. I hans hoved var der allerede ved at dannes et nyt billede af tre kvinder, som kredsede omkring en gråpelset ulv, mens de holdt deres knive lavt mod jorden og samlede sig til angreb. På et tidspunkt vidste han, at han ville være nødt til at tegne det. Ellers ville han få hovedpine af at slæbe alle de uforløste billeder rundt efter sig.

Niall proppede hurtigt nogle T-shirts ned i sin rygsæk, tog Oscar i favnen og bad de to biologistuderende overfor om at tage sig af ham i et stykke tid. Idet Jennifer og Alex smilede og lukkede døren til, opfangede Niall et sidste, fordømmende katteblik, der syntes at sige: Hvor du så end er på vej hen, så håber jeg, at du må falde og brække halsen.

Jo længere vestpå toget kørte, desto mere livagtig virkede hans ulv.

Niall var taget med det tidlige InterCity fra Heuston Station og havde fået en vinduesplads. Kupéen var næsten mennesketom, og hans eneste rejsekammerater var en sovende teenagepige med hovedtelefoner på samt en eller andens efterladte kuffert. Han spiste lidt af en sandwich og så ud ad vinduet, mens han tænkte på, hvor langt hans sparsomme hundrede halvtreds euro mon ville række.

Da betonrækkehusene blev afløst af forvitrede stenmure og oversvømmede brakmarker, tog Niall sin skitsebog frem og vakte ganske uden at tænke over det et uhyrligt øje til live, kun ved hjælp af kulkridt. Det stirrede lige på ham. Både pigen og togets vuggende bevægelser forsvandt gradvis, og han blev snart suget ned på det blanke papir, nøjagtig som mr. Raichoudhury havde forudset. Det varede ikke længe, før øjet var omkranset af stride børster, et smalt, nådesløst ansigt og en sort snude, der kun lige akkurat dækkede et sæt blanke tænder.

Niall hørte ikke engang højttalerstemmen, der bød rejsende velkommen om bord på det grøn-hvide tog og lod dem vide, at næste station var Thurles, med endestation i Cork City. For omkring hans ulv voksede nu langsomt en skov frem. Den var tæt og frodig, og hvis man lagde øret helt ned til papiret, kunne man næsten høre dens træer hviske advarsler om uheldssvangre væsener, der strejfede omkring derinde. Han var ved at tegne et slot med en kulsort port i midten af en vældig mur, da han så på ulven en gang til. Dens ben var næsten okay, men ikke helt. Der var noget medfødt i dyrets fysik, ja, ved hele dets natur, som han bare ikke kunne fange. Måske, tænkte han, kunne man kun tegne noget virkelig farligt, hvis man ikke bare kopierede ulvens fysiske fremtoning, men i stedet prøvede at fornemme dens rovdyrpuls, dens indbyggede reflekser og forhistoriske angst for at blive taget til fange.

Niall sukkede og lagde kulkridtet fra sig. Ulven lignede stadig en hund, men dog en lidt mere farlig én. Pigen med hovedtelefonerne vågnede og gloede uinteresseret på ham, hvorefter hun vendte skulderen til ham og prøvede at sove videre. Da tevognen kom forbi, foldede Niall tegningen sammen og lagde den væk i sin mappe. Han var nødt til at indrømme, at han vidste meget lidt om ondskab eller livsfare eller bare en eneste af de mange skrækkelige hændelser, Fiona havde beskrevet. Hvis han skulle komme helskindet igennem den rejse, han havde begivet sig ud på, måtte han i hvert fald for en tid rette sig efter postmesterens råd. Stemmen vendte tilbage over højttalerne, og han lød både dulmende og præcis:

"Godmorgen og tak, fordi De har valgt at rejse med Iarnród Éireann. Næste station: Limerick Junction. Der kan skiftes til Limerick, Ennis og Tralee. Dette tog kører mod Cork."

Niall spiste resten af sin sandwich og stirrede ud ad vinduet igen. Foran ham, bag det ridsede glas, lå en åben mark, som grænsede op til en blåsort tykning af forkrøblede træer. Bag den kunne ham ikke se mere.

Men for første gang, siden han havde samlet Fionas dagbog op og derved gjort sig selv til den impulsive vogter over hendes eftermæle, blev han bange.

Det var næsten blevet mørkt, da det endelig lykkedes Niall at få et lift til et sted, der lå bare i nærheden af, hvor han skulle hen. Der gik ingen busser fra Cork ud til Castletownbere før klokken seks om aftenen, så han havde stået og frosset i regnen i timevis foran stationen, mens han begyndte at tvivle på, om dette var det hele værd. Under jernrækværket, som forankrede Kent Station til resten af byen, kunne Niall se Cork City, der lå som et gråt tæppe af ensartede cementklodser, der kunne have været plantet hvor som helst i verden.

Taxachaufførerne havde i timevis skuttet sig mod regnen og skulet til Niall på deres ture frem og tilbage over gaden til pubben. Det var kun alt for tydeligt, hvor meget på røven han var. Niall vinkede halvhjertet til dem og tænkte på, om Jim mon havde følt den samme slags utilstrækkelighed, når han var rundt på turné i det samme landskab. Han afgjorde, at Jim nok aldrig havde det problem, men derimod for længst ville have fundet vej til en eller andens varme seng.

Fyren på motorcyklen holdt ind til siden, blinkede med bremselygterne to gange og drejede hovedet.

"Hvor skal du hen?"

"Så tæt ud mod Castletownbere, som jeg kan komme," svarede Niall og opfangede igen den sære musik i ørerne et sted, som advarede ham mod at flytte sig. Men hans gummisko var ved at falde fra hinanden. Og han havde allerede stået der i fem timer uden at få et lift.

Niall syntes, han kunne se et glimt af tænder bag det røgfarvede visir, og fyren bag styret nikkede og sagde: "Så hop op, medmindre du prøver at slå rødder."

Niall fortrød hurtigt, at han havde fuldt dét råd, og holdt godt fast om livet på sin chauffør. For det gule lyn strøg væk fra stationen som en katapult, og motorlarmens brøl fik ruderne i de velopdragne lyserøde rækkehuse til at skælve. Hans mave begyndte med det samme at blive klemt ind mod rygsøjlen indefra.

Med regnen piskende ind i ansigtet kiggede Niall hen over læderjakkeskulderen på, hvad han gik ud fra var en yngre mand end han selv, efter fyrens slanke liv at dømme, men kunne kun få øje på en utydelig masse træer, de vist kun med nød og næppe undgik at ramme. Cyklens vridningsmoment var så kraftigt, at hans fingre begyndt at glide af fyrens læderjakke, og han skreg til ham, at han for helvede måtte sætte farten lidt ned. Men hvad enten det var med fuldt overlæg eller ej, så drejede manden med de benede hofter gashåndtaget helt i bund.

"Nå, hvad skal du så helt ud til Beara efter?" ville fyren vide, mens han kastede maskinen ud i en halsbrækkende overhaling for at undvige en kæmpelastbil, som styrede lige imod dem på midten af vejen. "Der foregår ikke så meget andet, end at man kan drikke øl og score hollandske piger, tror jeg. Er du forfatter eller noget? Kom ikke og sig, at du kigger på fugle. For de fyre er sgu for langt ude."

"Jeg er postbud," skreg Niall tilbage, mens hans tænder klaprede som kastagnetter.

"Sejt," grinede den sorte chauffør og rettede motorcyklen ud, idet vejen gik skarpt ned ad bakke og afslørede havet, som var i frådende oprør. "Det er sgu sjældent, man ser en tjenestemand, der faktisk gider bringe posten ud, når det er lortevejr. Det er altså beundringsværdigt, det er det." Regnen løjede af og blev til tåge, som fejede hen over den smalle kørebane som skyer, der var kørt forkert ved den sidste rundkørsel. Motorlarmen overdøvede noget, den opstemte fartdjævel prøvede at sige, og det lykkedes ham endda at klemme en ekstra spastisk acceleration ud af den forpinte motor, mens han fragtede Niall dybere ind på et ukendt territorium, hvor selv de tålmodige kampesten ikke kunne tage sig af, om han levede eller døde.

Efter en halv times tid standsede de endelig. Niall havde flere gange overvejet at kaste sig af cyklen og i grøften, men var hver gang nået frem til, at han bare ville slå sig ihjel. Da vejens hårnålesving begyndte at rette sig ud og ind igen som en ubeslutsom næve, var han lige ved at kaste op på ryggen af fyren. Idet et bulet vejskilt proklamerede, at de var nået til BANTRY – *Beanntraí*, prikkede Niall ham på skulderen i et svagt håb om, at han ville holde op med at dreje på gashåndtaget. Til hans forbavselse døede larmen hen, og han mærkede, hvordan maskinen standsede brat op ved et kryds med to grusveje. Benene eksede under Niall, da han

162

steg af, og han prøvede at smile, mens han stak hånden frem til tak. Dyngvåde fyrregrene sjaskede mod hinanden som koste i den krappe vind.

Fyren smækkede visiret op og blinkede til ham.

Nu kunne Niall se, at kubik-dæmonen, som næsten havde taget livet af dem begge to flere gange, var en pige, som ikke kunne være en dag over atten.

"Tusind tak," sagde Niall. "Men jeg tror alligevel, jeg går resten af vejen."

"Det var så lidt," sagde pigen og sendte Niall et gavtyvesmil, som tydeligt bedømte hans søsyge. "Du holdt længere end de fleste. Men husk: På den her vej skal du ikke vente, til du ser forlygterne, men i stedet springe til side, så snart du hører motoren. Det er nu min mening. Ellers får du en kofanger i røven, før du ved af det. Og så er det lissom for sent, ikke?"

"Tak."

Pigen lagde hovedet på skrå og så den sørgelige figur foran sig lidt bedre an. Hans lange, tjavsede hår og lasede cowboybusker virkede ikke helt som en reglementeret postuniform. "Hvad var'et egentlig, du sagde, du skulle ude ved Beara?"

"Det sagde jeg ikke noget om," svarede Niall og følte sig meget alene herude på korsvejen, mens han prøvede at regne ud, hvor mange passagerer der havde besluttet sig for at springe af før ham og bare løbe risikoen. "Jeg leder efter nogen."

"Så find dem hurtigt," sagde motorcyklisten. Hun smækkede visiret ned igen og fyrede op for gashåndtaget. Så gav hun ham en advarsel til, men plasticet gjorde den utydelig, og den forsvandt, da hun lavede en U-vending og fræsede op ad bjerget og lige ind i en splinterny sky. Niall stod lidt i rabatten og lyttede til motoren, mens dens hosten hurtigt fortonede sig. Nu var der kun lyden af regnen, der gav vejskiltet lussinger. Og der var stadig mere end femogfyrre kilometer tilbage. Til fods. Sålen var gået så meget af den ene af hans gummisko, at hans sorte sokker tittede frem som en nysgerrig salamander. Et sidste motorbrøl gav ekko langt borte bag kampestenene, mens den ukendte rytter tvang motoren op i endnu højere gear. Så var hun borte.

"Jeg tror altså ikke på varsler," sagde Niall til træerne i et forsøg på at berolige dem og sig selv, og han følte sig ikke spor overbevist.

14

Den eneste indbygger, der bød Niall velkommen, da han endelig sjoskede ind over bygrænsen, var det ensomme IRA-monument, han kunne huske fra Fionas dagbog.

Han genkendte det med det samme og vidste derfor, at han måtte være et sted i centrum. Niall så sig omkring på det menensketomme torv, hvor ikke engang det spirende daggry fik byen til at tage sig mere indtagende ud. Han indså bare endnu tydeligere, mens det svage morgenlys strøg hen over tagene, hvor dårligt han havde planlagt sin tapre ridderfærd for at finde frem til sandheden bag Walsh-søstrenes grusomme død. Det mejslede stenansigt i midten af korset smilede ikke, men vendte sig nu og for evigt stift mod venstre. Figuren var afbildet i en nydelig overfrakke, som et patronbælte skråede hen over, og havde en erobret britisk Lee-Enfield-riffel i den ene hånd, som han tydeligvis ventede på ordren til at affyre. Mandens ene granitøje stirrede forbi Nialls og ud i en fjern fortid med borgerkrig og brodermord.

Hummerrestauranten og kaffestuen på den anden side af torvet var begge lukket for længst. Vinden havde taget fat i en trist udseende pandekagevogn af fugtigt træ og revet den løs fra sin ankerplads ved brandhanen. Nu bankede den ind imod parkerede biler som en blind hund. Der var lukket og slukket hos både pubberne O'Hanlon's og McSorley's, men Niall kunne høre den allersvageste mumlen inde bag de tykke mure og dristede sig til at finde ud af, hvor den kom fra. Han så ned ad sig selv og tænkte, hva' faen, jeg kunne godt klare en bajer, jeg er skrupsulten, og ét eller andet sted skal jeg jo blive tør.

Niall var blevet urolig efter i seks timer at have sprunget for livet i vejkanten, hver gang han hørte lyden af en lastbil. Så hans nerver hoppede lidt, da en messingklokke over døren hos McSorley's glad annoncerede hans ankomst.

Først spillede barens udformning Nialls øjne et puds.

Det føltes, som om Fiona havde taget fejl. Hun kunne da umuligt have hørt Jim begynde at fortælle historien om den forbandede prins Euan herinde? For der var jo bare hyldevis af *Bewley's* teposer, gamle aviser og kiks over det hele som i en gammel kolonialhandel. Men jo dybere han trådte ind i det tavse lokale, desto mere blev Niall klar over, hvor meget mindre Jims scene havde været, end han oprindelig havde troet. En døråbning adskilte forretningen fra en smal bar, og der var faktisk ingen scene. Jim havde kunnet holde øjenkontakt med alle fra sin barstol nede ved toiletterne, og det var naturligvis hele idéen. Her kunne han nemlig have stirret på dem som en slangetæmmer og gjort lige, hvad der passede ham med alle dem, der ikke var kloge nok til at se bort, mens tid var.

Kløvede skibsmodeller uden master eller rigning hang på væggen ved siden af træharper og gulnede avisudklip om stedets fortræffeligheder. Niall følte sig pludselig enormt tørstig. Han havde ikke fået andet end en knust pose chips til aftensmad. Han kiggede sig forgæves om i det tomme lokale efter tegn på liv, men så ingen bartender.

"Goddaw." Stemmen var både lav og tålmodig og tilhørte nogen lige bag ham.

Niall vendte sig om og kunne først ikke se noget. Men snart opdagede han, at der ved siden af indgangen var opført en separat slyngelstue. Det var den slags indendørs træskur, hans mor engang havde fortalt ham var blevet brugt til at planlægge giftermål i langt ude på landet, da hun var ung. Men på netop denne aften tittede et hoved endelig frem derindefra, som ikke virkede synderlig interesseret i at få to hjerter til at slå i samme takt. Det var fladt og utilnærmeligt, og dets tænder gemte sig bag et kødfuldt fremspring, som alt for mange bajere for længst havde forvandlet til en permanent talefejl. Idet Niall langsomt gik derhen, kunne han se, at manden ikke var alene i den tidligere kærlighedsbod. Der sad en anden, hvis skrammede knoer indtil videre klyngede sig til en porter og en ulovlig cigaret, som var røget ned forbi filteret.

"Jeg skulle be' om et glas øl," sagde Niall og lod sig ikke skræmme. Han lignede muligvis en nørd og gik stadig med T-shirts, hvor rumaben Pickles kravlede rundt på brystet. Men ingen, der nogen sinde havde set

166

ham slås, ville begå den fejl at undervurdere ham. Da han først havde meldt sig under fanerne hos mr. Raichoudhury for to år siden, var han mødt op med et sæbeøje. Og ham den anden havde set værre ud, sladrede en sygeplejerske nede fra skadestuen. Helt smadret, faktisk.

Den første mand rejste sig med en lyd, som når man krammer en sofapude rigtig hårdt, og stirrede på Niall i et stykke tid. Så luntede han over bag baren, skænkede en halv Murphy's op, lod den hvile sig lidt og skænkede så resten. Med en bevægelse, der kunne have været både venlig og afmålt, satte manden, der kun havde tre negle tilbage på sin ene hånd, glasset foran Niall. Dér blev han så stående og forsøgte at greje sin unge gæst som en dør, der langsomt åbner sig, mens han så ham smage på skummet.

"Nå, men du er vel kommet herud for at fiske, så?" gættede manden på, og hans øjne vendte sig kort hen imod kammeraten i forlovelsesboden. "Dårlig sæson. Vejret er slået om, og bådene kommer kun halvfyldt tilbage." Hans brune blik mødte Nialls og afkodede svaret, længe før han kunne høre løgnehistorien, der var lige på trapperne.

"Egentlig ikke," sagde Niall og trak tiden ud, mens han ledte efter et passende svar og mærkede stilheden i lokalet indsvøbe sig som et ligklæde. Han var vokset op i en lilleby nøjagtig som denne her, på et sted ude ad Offaly-egnen til, som hed Kinnity. Derude glemte man aldrig folks allerførste svar og efterprøvede det for at se, hvad de mon havde sagt til andre. Derfor blev en lodret løgn opdaget med det samme, og det tog kun lidt længere tid at afsløre en, som blev stukket med mere talent. Niall overvejede at sige sandheden, men fik så øje på bartenderens sløve smil og lave tyngdepunkt og skiftede mening. "Jeg er bare herude for at møde nogle venner," sagde han.

"Er du det?" sagde manden, som smilede for første gang og afslørede et smukt tandsæt, der så ud, som om det var blevet forarbejdet med kærlig hånd af en tandlæge i Beverly Hills. Stifttænder, tænkte Niall, helt sikkert. De rigtige lå sikkert spredt som yatzy-terninger under en barstol et sted. Manden i det lille aflukke skramlede utålmodigt med fødderne og ventede på det rette øjeblik til at rejse sig og hjælpe bartenderen. "Så kender jeg dem måske. Hvad hedder de?"

"De kommer ikke herudefra," svarede Niall og parerede uden besvær det klodsede udfald, mens han tog en slurk af sin øl og fornemmede, hvordan hans gamle kampinstinkt bredte sig i maven som raketbrændstof. Hvis alt går op i *shite*, tænkte han, og denne her *feckin'* høtyv vil gå til den lige her og nu, så kan han bare komme an, selv om han har Quasimodo dér med i byen. "Der er faktisk tre af dem. Har kendt dem i årevis. Jeg var faktisk kæreste med den ene af dem engang, en rigtig sød pige."

Hvad fanden *lavede* han? Hvorfor havde han sagt det? Nu var det for sent at lave om på. Hans fingre strammedes om ølglasset, da fyren i aflukket rejste sig og langsomt sjoskede hen til baren. Hans tilsvinede sko standsede et par centimeter fra Nialls. Niall stirrede på dem, før han så op på mandens ansigt. De var hundedyre og var i tidernes morgen blevet pakket i flotte æsker et sted nede i Gucci-land, hvor det aldrig sneede eller regnede. Nu lignede de lort, og de små hestesko af messing hen over læsten lignede rustne nøgleringe. Hans støvgrå slips, som var falmet i solen, havde nok været kongeblåt.

"Var det *tre* venner, du sagde?" spurgte klunseren, som lige havde rejst sig, og tomheden i hans stemme fik endelig Niall til at se ham op i ansigtet. Det havde engang været smukt, med et høj pande, man som regel kun finder hos livets allerheldigste. Men nu havde drukrynker ældet det til langt mere end de femogtredive år, han formentlig var. De store poser under øjnene var så mørke som modne figner. Her stod en mand, tænkte Niall, som tilværelsen havde givet et los lige i hjertekulen og derefter skåret hele hjertet ud af kroppen på ham for en sikkerheds skyld. Han kunne ikke aflæse fyrens øjne, for lyset, der engang havde spillet i dem, var blevet slukket indefra.

"Ja, det er rigtigt, tre venner," løj Niall og holdt begge hænder klar. Manden bag baren var begyndt at overføre sin kropsvægt til forfoden. Det her kan sgu ende grimt, du gamle, tænkte Niall og mærkede sin krop skælve, idet en syndflod af adrenalin strømmede gennem ham og gjorde ham klar til at gøre noget rigtig dumt. "Men jeg tror ikke, de er ankommet endnu. De sagde, jeg skulle møde dem herinde, når I altså åbnede."

"Så er du da heldig, at vi aldrig gik hjem i aftes, hvad?" sagde bartenderen, mens han satte en frisk *Murphy's* foran Niall.

"Hvad sagde du, de hed?" spurgte fyren med de livløse øjne, og der lå en bøn i måden, han sagde det på. Hans mund stod på vid gab, mens han ventede på svar, og hele optrinnet gjorde Niall mere bange, end hvis ham den store fyr bag baren skulle finde på at komme efter ham med en baseballkølle eller noget andet ubehageligt. "Det er altså vigtigt," vedblev manden. "Ser du, *jeg* havde også engang tre venner." Hans stemme løb tør for luft halvvejs inde i sætningen, og derefter stirrede han bare på Nialls øl og tilføjede: "Livets gang er altså underlig. Underlig ..."

"Rolig, Finbarr," sagde bartenderen med en overraskende nænsomhed, og han belønnede Niall med et blik, der fortalte, at skikkelsen med Gucci-skoene vist ikke havde helt styr på tingene allerøverst. "Det spørger du alle om, som kommer herind. Denne her flinke unge mand skulle også til at gå hjem." Så gav han Niall endnu et smil med Hollywood-gebisset, men virkede, som om han var ved at miste tålmodigheden med fremmede, som ikke engang gad lyve ordentligt. "Ikk'oss'?"

Den modfaldne fyr med det flossede slips virkede bekendt, men ikke nok til, at Niall rigtig kunne huske ham nogen steder fra. Idet Niall gik forbi den gamle forlovelsesbod, kunne han mærke begge mænds øjne i ryggen som dartpile. Han kunne se, at Fiona og hendes søstre havde siddet præcis, hvor den knækkede mand nulrede sine cigaretstumper for lidt siden, mens de ventede på, at Jim skulle fortælle dem et eventyr.

Det var først, da Niall trådte ud på fortovet igen, at det slog ham, hvem den sørgelige figur var.

Fiona havde ikke alene knust Finbarrs hjerte. Måden, hun var død på, havde garanteret, at et nyt aldrig ville spire frem.

Der var stadig tyst på Castletownberes gader, mens tusmørket fortyndedes som sølvglimt ud over bugten. IRA-mandens stenansigt var lige så stoisk som før, selv på afstand. Pandekagevognen var endelig undsluppet fra det snævre torv og blev båret ud imod kajen af en strid blæst, som fik cykelstativet ved siden af til at rasle. Niall missede med øjnene mod det flade sollys, som kun lige akkurat sneg sig op over Bear Island og kravlede lyserødt hen over de mostilgroede husmure. Han havde tænkt sig at stene lidt i en baggård og prøve at få sovet, da han så en *garda*-patruljevogn komme langsomt hen imod sig. Betjenten bag rattet var en stramtandet udseende ung kvinde med hagen dybt begravet i uniformsbrystet. Niall sukkede og begyndte at traske ud af byen igen. Der havde vist været et skilt ikke så langt væk, huskede han, sådan gemt lidt væk fra hovedvejen. Der havde stået noget på irsk ved siden af ordene *VÆRELSER TIL LEJE.*

Han vidste godt, at han sikkert bare var overtræt efter turen bag på motorcyklen. Men hele byens øjne syntes at hvile på ham, mens han passerede husene på vej væk. Hvad skal jeg svare, næste gang nogen vil vide, hvorfor jeg egentlig er kommet? spurgte Niall sig selv og opdagede, at han ikke kendte svaret.

Kvinden havde stået og fileteret laksen til sine gæsters morgenmad, da noget fik hende til at standse. Næsten pr. instinkt lagde hun fiskekniven fra sig og kiggede ud på morgengryet.

En sørgelig figur kom gående op ad indkørslen og bar noget på ryggen. Hun var sikker på, at det var den samme unge mand, som hun tidligere havde set vandre hen ad kystvejen mod byen lige før daggry. I halvmørket var det svært at se ham tydeligt, men hans udtrådte gummisko lavede den samme skrabelyd mod asfalten, og han hang med næbbet lige så modløst som før. Hun havde før skævet ud ad soveværelsevinduet og afskrevet ham øjeblikkeligt som et af de mange håbløse unge narkovrag, der kom hertil for at høre på den dersens forbandede punkmusik og som regel kastede op i hendes rosenbed på turen hjem bagefter.

Ding-dong! forkyndte dørklokken, og hun vendte sig om. Nu stod ham den hjemløse unge mand gudhjælpemig lige uden for hendes rimfrostagtige glasdør og sparkede til sine egne fødder, som kun de rigtigt nødlidende kan det.

Laura Crimmins havde boet i det beskedne toetagers hus ud til vandet, lige siden hun blev født. Hun var en mandhaftig kvinde af ubestemmelig alder, med større overarme end de fleste lastbilchauffører. Hun holdt sit kridhvide hår kort og praktisk og foretrak at behandle sine gæster i det lille pensionat med lige præcis nok moderlig omsorg til, at de aldrig opdagede, hvor tæt hun ofte var på at komme til at græde. Hendes mand Clark havde kun lige været død så længe, at hun havde lært sig at dræne vreden fra de smil, hun sendte til nabokonerne nede i supermarkedet, som overdængede hende med tavs medlidenhed.

Hun tørrede kniven ren og stak den i baglommen, inden hun gik ud for at åbne døren. Father Malloy ville have kaldt denne situation for "en lejlighed til at udvise kristensind". Det var Laura nu enig nok i. Men hvis ikke hun brød sig om fyrens fjæs – og alle naboerne sagde samstemmende, at hun kunne aflure dem bedre end billedkort – så kom han ikke indenfor. Efter hele den basseralle med Jim var alle da også lidt mere håndsky, ikke?

"Jeg kunne godt tænke mig et værelse, ma'am," sagde den arme fyr hæst, og Laura følte straks ægte medynk. Han lignede næsten en stor dreng, hvis ene nedslidte sko havde munden åben til også at stemme i med et ønske.

"Det er denne vej, unge mand," sagde Laura, mens hun lagde en fast hånd på hans skulder og mærkede, hvordan vandet piblede igennem indefra. Nu skete det igen, selv om hun havde svoret ikke at påtage sig flere unge gæster uden en klink. For på trods af hans besynderlige T-shirt med aben på virkede knægten helt normal. "Du er jo gennemblødt," sagde hun som den mor, hun allerede i mange år ikke havde været. "Nu går du ind på nummer otte og tager et bad. Jeg kommer med tørt tøj om lidt. Så – af sted."

Niall smilede taknemmeligt. Måske var myten om, at folk herude fra Munster-landsdelen var mistænksomme og krakilske, lige så troværdig som legenderne om alfe-prinsesser, der red på enhjørninger ude i baghaven. "Ih, tusind tak," sagde han og sjaskede ned ad gangen. Han vendte sig lidt ængsteligt om, mens han fiskede rundt i sin dyngvåde lomme efter de pengesedler, han havde tilbage. "Hvad koster det pr. nat?"

Laura så denne gang forbi det våde pandehår og troværdige smil og helt ned under drengens pæne manerer. Dernede fandt hun en indre forsvarsmur, som var tømret sammen af noget, hun ikke lige kunne greje. Den kunne i hvert fald modstå fristelser og billig overtalelse, det var hun helt sikker på. Hvad han så end skjulte inde bagved, var ikke den slags impulser, som midt om natten ville få ham til at åbne døren med INGEN ADGANG-skiltet og skære halsen over på hende. Han skulle tage og blive klippet, skulle han. Men knægten var solid nok. "Hvad, hvis vi siger tredive euro pr. nat, og så får du også morgenmad med?" spurgte hun og kunne stadig mærke det kolde stål berolige sin ene balde.

"Genialt," sagde Niall og gik hen til sit værelse. Så standsede han og vendte sig om igen.

"Mangler du ellers noget?" ville kromutteren vide. Den unge mands ansigt så ud, som om nogen lige var gået hen over hans grav.

"Det lyder måske underligt, men ... har De nogen sinde hørt om en ung pige på en sort motorcykel, som drøner rundt her omkring? Ret hurtig og, øhm, farlig?"

Laura rystede på hovedet, og hendes øjne gled hen over loftet, mens hun øjensynlig prøvede at huske. "Herre du milde, nej, da." Så smilede hun forventningsfuldt. "Er det en af dine små veninder, som også kommer og besøger os?"

"Næh, bare en, jeg mødte," sagde Niall og viftede undskyldende med begge hænder. "Tak igen, mrs. Vi ses i morgen."

Laura holdt øje med Niall, til døren var lukket bag ham. Derpå låste hun hoveddøren forsvarligt og vædede pegefingeren ved det lille Jomfru Maria-husalter, der hang på væggen, hvorefter hun slog korsets tegn to gange. Sorte ryttere. Hun havde aldrig hørt magen, i hvert fald ikke her omkring. Men alt var selvfølgelig muligt nu om stunder. For at være helt sikker korsede hun sig en sidste gang og så ud ad ruden i døren.

For selv om hun var overbevist om, at knægten var god nok, så var der også noget, der jagtede ham. Og hvad det så end var, vidste hun, at man skulle tage det alvorligt.

Niall havde kun siddet ved skrivebordet et øjeblik, da Jim rumsterede i ham igen.

Han åbnede plasticposen med sin tegnemappe og tog et enkelt ark frem. Fionas dagbog lå allerede opslået på sengen foran ham. Der var æseløre overalt i den, hvor han ikke havde kunnet tyde hendes kragetæer, eller hvis Fiona havde efterladt et vigtigt spor. For eksempel havde hun tegnet små kors og trekanter i marginen forskellige steder, men det lod ikke til at være sat i et system, efter hvad Niall kunne forstå.

På en enkelt helside havde hun så lavet, hvad der lignede et primitivt landkort over området, med et fedt "X" streget hen over et par landsbyer, mens andre var gået fri. To af de skæve x'er prydede Castletownbere, mens Drimoleague kun havde fået ét. Niall gættede på, det betød, at både Sarah og Tomo var blevet myrdet her, mens enkefru Holland kun havde gjort sig fortjent til ét kryds. Byerne Adrigole, Eyeries og Bantry

172

stod alene. Der var tegnet spørgsmålstegn mellem mange af de andre byer, som om døden strejfede omkring på sin Vincent-motorcykel og proppede både får, geder, skolebørn og nutidige som forhistoriske ungmøer i sin sorte sæk. På trods af sin egen veludviklede fantasi syntes Niall, at det hele passede lidt for godt sammen. Men så meget som han end ønskede at betvivle Fionas hastigt svindende forstand, mens hun havde siddet derinde i tantens morderhus og skriblet alle sine syner ned, så var der da stadig en rigtig ulv derude et sted, var der ikke?

Jim havde nemlig ikke bare pralet af at have tæsket Tomo til døde. Niall granskede igen Fionas vidnesbyrd om stederne, hvor han havde hvisket kvindernes trusser af dem samt sluppet noget løs, der var langt farligere, og med ét stod hendes fortælling igen lysende klart for ham. Han kunne mærke den besnærende *seanchaí*s tilstedeværelse omkring sig. Det var, som om Jim stod lige uden for vinduet, mens han åndede på glasset, så han kunne nå at skrive sit navn i den varme dug. "Mordere." Det var, hvad Fiona påstod, at hun og hendes søstre havde lovet hinanden at blive. Men havde de mon haft tid til at indfri det løfte, inden tante Moira klippede *deres* returbillet?

Dér var den uro igen, og det var den samme, han havde fornemmet fra tåspidserne og helt op i hårrødderne den allerførste nat dengang inde på postkontoret. Det føltes som en dump hovedpine; så magtfulde var billederne, der bankede på hans pandeben indefra og forsøgte at komme ud og lege.

Nærmest uden Nialls hjælp voksede denne gang en hånd frem på midten af det blanke stykke papir.

Den var snart forbundet til en læderjakkearm, som hurtigt blev til en hel mandsfigur, der med vidt opspærret mund kastede sig efter nogen. Niall gjorde fingrene længere, end han havde tænkt sig, men de kom til at passe med Jims slanke ben, som han tegnede midt i en kraftanstrengelse, så lårmusklerne kunne ses gennem cowboystoffet. Mærkeligt nok var hans øjne det sidste, der fik liv denne gang, men de var stadig tomme og livløse. Niall viskede dem ud og erstattede dem med rigtige ulveøjne, men det så endnu værre ud; næsten som en dårlig japansk *amime*-tegnefilm. Han skulle lige til at skitsere Jims bytte med en gennemtygget blyant, da døren bag ham uden varsel gik op.

"Vi kan jo ikke have, at du sådan render rundt og får lungebetændelse, kan vi ve –"

Mrs. Crimmins afbrød sig selv, og Niall lagde dagbogen oven på den halvfærdige tegning, præcis et sekund for sent til at holde den for sig selv. Han aflæste noget i sin værtindes øjne, som hendes blankpolerede smil ikke helt kunne skjule hurtigt nok. Hun havde set et flig af, hvad der kørte rundt i hjernen på ham. Og Niall tillod slet ingen, undtagen måske den berømte amerikanske serietegner Todd Sayles, at kigge derind.

"Mange tak skal De have, mrs. Crimmins," sagde Niall og opdagede det foldede vasketøj, hun stadig stod med i favnen. "Det er alt for venligt af Dem."

Mrs. Crimmins lagde et par cowboybukser på sengen. De havde engang tilhørt en mand. Der var også en jakke, en sweater og et par næsten nye støvler, som hun stillede udenfor på gangen. Så tørrede hun hænderne af i forklædet som for at blive af med genstandene for evigt. "Slet ikke, unge mand, slet ikke." Hun skruede op for varmeknappen bag øjnene, som om hun intet havde set. "Kunne du tænke dig lidt morgenmad i morgen tidlig?"

"Det lyder dejligt. Er halv ni okay?"

"Laks og røræg klokken halv ni, *my love*," gentog mrs. Crimmins med en syngende besværgelse, der kun afslørede, hvor professionel hun egentlig var, mens hun hastigt fortrak. Hun lukkede døren til uden en lyd.

Niall sad lidt og havde det, som om hans mor lige havde set ham sidde med et pornoblad i sin frie hånd. Han lagde dagbogen til side igen og kiggede på skitsen. Som sædvanlig havde han ikke fået det hele med. Det var nemlig ikke kun ulven, han ligesom før ikke havde tegnet ordentligt. Hvis ikke han også var i stand til rigtigt at forestille sig ulvens *bytte*, hvordan kunne han så overhovedet gøre dens begær troværdigt? Niall rejste sig, låste døren og satte sig igen. Nu tænkte mrs. Crimmins nok, at han var en eller anden pervers kunstner, men det kunne han ikke gøre noget ved. Han bøjede sig ind over papiret og prøvede at forestille sig, hvordan det føltes at mærke Jims hænder omkring sin hals, lige før han klemte til, og alting sortnede. Han kom til at tænke på Sarah McDonnells ørering og hendes dukkeagtige fødder. Tomos splintrede ansigt. "Hvordan har vi det så, de damer?" havde skjalden spurgt, inden han gik i gang. Og hvis Jim havde været enkefru Hollands morder, havde hun måske slet ikke fået så meget som et lille smil i tilgift.

Der begyndte at ske noget.

Omridset af en kvindeskikkelse tonede frem under Nialls blyantspids, lige foran Jims udstrakte fingre. Først trådte skuldrene frem. De vred sig, mens hun løb, og blev straks efterfulgt af en spændstig ryg, hofter og lange ben, der kæmpede for at undslippe forfølgerens greb. Hvorfor er jeg så draget mod det her? spurgte Niall sig selv og så straks svaret åbenbare sig i form af en smuk pande og et par opspilede blå øjne, snarere end af en lang, indviklet forklaring. Det fungerede. Nu hvor jægeren og hans bytte var sammenslynget i en dynamisk dødedans, var hele kompositionen mere harmonisk.

Men selv om ulven var mere menneskelig denne gang, havde Niall stadig ikke fanget hans øjne. Han viskede dem ud og tegnede i stedet et mere sultent, rovdyragtigt blik, som passede bedre til den moderiske positur. Han tilføjede mørke rande underneden for at få resten af ansigtet til at træde mere i baggrunden. Shit! Nu så Jim bare søvnig ud og ikke en skid farlig. Niall var ærgerlig på sig selv og smed blyanten på bordet. Måske skulle man bare ud og røre ved egentlig ondskab først, inden man kunne prøve at puste liv i det på papir?

Den eneste gang, Niall selv havde mødt døden, havde været, da lille Danny Egan hjemme fra vejen havde leget lige foran en bus og været bare lidt for langsom.

De havde begge været omkring elleve år og var lige blevet færdige med at vikle sportstape omkring deres *hurley*-stave, ligesom de profesionelle spillere gjorde. Danny var gået ud af havelågen ovre hos Niall, og hans mor havde råbt efter drengen, at han skulle komme ind på fortovet og ikke skrå over gaden. Hendes irettesættelse blev afbrudt af et højlydt *smask!* og en endnu længere stilhed. Fra forhaven kunne Niall tydeligt se de bare ben nede under bussens karosseri. Den ene sko var stadig ikke snøret ordentligt. Danny havde lignet en voksfigur.

Niall havde følt sig som en gravskænder samme aften, da han under dynen gik i krig med papir og blyant, godt hjulpet af en lommelygte. De voksne havde bare ævlet om "tragedien" og "et ungt, forspildt liv" hele

175

dagen. Men ingen af de ord fremkaldte nogen ægte følelser i ham ud over en dump, uvirkelig fornemmelse.

Altså satte han blyantspidsen mod papiret og blev vidne til noget, han selv mange år efter knap kunne begribe.

For dér blev et par sko til to *rigtige* ben, som hang sammen med en drengs livløse krop. Og nu begyndte han at kunne føle ægte smertensjag og sorg. Hans bedste ven Danny var død! Da han endelig blev færdig, og bussen på papiret hvilede oven på Dannys krop, mens en rådvild *garda* stod lidt ude til siden, hulkede Niall så hjerteskærende, at hans forældre kom ind til ham for at se, hvad der dog var i vejen.

Blyanten og tuschpennen var blevet til tryllestave. Siden dengang havde den virkelige verden kun eksisteret i hans to dimensioner, mens den udenfor, som alle andre beboede, for ham kun var et tarveligt ekko.

Niall rejste sig og gik over til vinduet, hvor solen nu stod højt oppe over Bear Island og på ny omdannede kystbyen til en fredelig turistfælde. Her lurede ingen ulve, med eller uden cowboybukser på. Der var ingen chance for at møde noget rigtig farligt mere. Han spekulerede på, om han mon havde dummet sig ved at tage herud. Han lagde sig på sengen, bare for at prøve madrassen. I morgen ville han følge ulvens spor og begynde oppe på skolen, hvor Fiona havde arbejdet. Det kunne jo være, tænkte han, at hun havde efterladt noget, hun havde glemt at notere i sin dagbog?

Snart sov han. Og i hans drømme åbnedes den sorte port, som sendte en eskadron ryttere ud i den vide verden for at undertvinge sig den. De var hver især kun bevæbnet med det allerfarligste smil, Gud og Djævelen havde på lager.

"Hvem er du?"

Stemmen var omtrent lige så behagelig som et koldt styrtebad. Niall havde gennemrodet fem klasseværelser på Sacred Heart School for at finde det rigtige kateder og stod nu ind over et sjette. Hans fingerspidser havde lige fundet en gammel bog, der lå under et par gamle aviser. Den hed *Faraonernes skjulte skatkamre*. Han skulle til at tage den med sig, da han fornemmede, at han ikke var alene. Han så op og blev nidstirret af et par øjne, der krævede intet mindre end fyldestgørende svar.

"Er du ham mr. Breen?" ville den lille pige vide. Hun havde slået hælene sammen som en pigegarder. "For så er du altså vores *tredje* vikar i løbet af en måned."

Niall betragtede de finpudsede laksko samt måden, hun greb fat om pennalhuset på, og var ikke i tvivl om, hvem hans forhørsdommer var.

"Du må være Mary Catherine, ikke?" forsøgte han sig og prøvede ikke at smile for bredt, som en anden børnelokker.

Mary Catherine strammede sit hårspænde og kiggede skeptisk på ham. "Måske," sagde hun og kiggede sig over skulderen hen imod den halvåbne dør. "Jeg kommer altid i god tid før første time og sørger for, at tavlen er visket ren, og at der er nok kridt." Blikket blev mere mistænktsomt, og hendes mund forvandlede sig til en vaniljekrans af mistro. "Hvor er dine bøger egentlig?"

"Jeg ... syntes lige, jeg først ville se, hvor jeres tidligere klasselærer var henne i pensummet," svarede han på stående fod, men slet ikke hurtigt nok til at få pigebarnet til at holde op med at stå ret. Niall vidste, at hun om ganske få øjeblikke ville hyle i vilden sky hele vejen ned ad gangen, og at han selv ville blive sat fast for ulovlig indtrængen eller det, der er værre. "Miss Walsh? Var hun sød, synes du?"

Mary Catherine satte sig på sin plads, som stadig var mindre end en halv meter fra katederet. Hun foldede hænderne over en imponerende stak notesbøger, som ville have taget pippet fra selv den største morakker. Den lille panderynke slappede lidt af, og i hendes stemme kunne Niall høre den slags ynkende melankoli, som folk bruger til at omtale deres lidt demente familiemedlemmer med. "Hun var ikke værst," sagde barnet, "bortset fra, når ham Jim var i nærheden. Så blev hun helt tosset. Man siger, at hun og hendes søstre blev myrdet af deres tante, men min mor siger selv, at det var omvendt." For første gang slækkede hun lidt på sit forsvar og så helt nysgerrig ud. "Kendte du miss Walsh? Altså, sådan privat?"

"Kun lidt. Vi kendte hinanden fra Dublin." Niall skævede hen imod døren uden at lade sig mærke med det og håbede, ungen ikke havde opdaget det. Der var kun to minutter, til det ringede ind til næste time, og han havde stadig ikke fundet nogen nye spor. Måske skulle han tage ned og besøge Father Malloy bagefter og opfinde en eller anden god undskyldning for at ville se Róisíns dagbog, hvis den da overhovedet

177

stadig fandtes. "Ved du forresten, om hun nogen sinde lod en notesbog eller sådan noget lignende blive her i klasseværelset? Bare så jeg lige kan se, hvor langt I er nået med det hele."

Hvis Niall stadig gjorde sig håb om at finde bare ét til af Fionas skjulte fingerpeg om, hvordan lillebyens største skandale senere havde udviklet sig, så kvalte Mary Catherine det i optakten uden at tøve et sekund. Hun rakte ham sin lyserøde bog, som havde *Hello Kitty*-klistermærker hele vejen ned ad ryggen, arrangeret alt efter kattenes hovedstørrelse. "Jeg skrev alt det ned, som hun lærte os," sagde hun med et bredere smil, end hvis hun også havde fået lov at være ordensduks om søndagen. "Også alt det, vi ikke nåede, hver gang hun var sammen med ... ham."

Niall åbnede bogen og bladrede gennem endeløse fraværskolonner, behørigt noteret med fire forskellige farver speedmarker. Og der stod ingenting om det, han ville vide. Hvordan det for eksempel var lykkedes Jim at udviske alle sporene, han havde efterladt sig over hele egnen og på visse af dens indbyggere, der burde have vidst bedre. Niall burde fra starten være gået hen til Father Malloy for at få næste kapitel i Walsh-søstrenes bedrøvelige saga. Selv på lang afstand var Jims opium åbenbart også begyndt at sløve Nialls sanser.

"Nu vi taler om ham der Jim," sagde Niall med en stemme, der var lidt for opstemt til lejligheden, mens han foregav at være oprigtig interesseret i Mary Catherines stikkervirksomhed, "døde han lige pludselig?"

Mary Catherines stolte ansigtsudtryk fordampede og blev mørkt som en skypumpe. "Alle ved da, hvad der blev af *ham*," sagde hun og blev igen mistænksom, mens hun lod blikket køre op og ned ad Nialls krøllede tøj. "Og hvis du selv var så gode venner med miss Walsh, hvorfor ved du det så ikke?"

"Vi havde ikke været i kontakt med hinanden i ... et stykke tid," svarede Niall og begyndte at føle sig som en meget lille orm på en fiskekrog midt ude på havet. Han blev ikke spor tryggere ved at se Mary Catherine sende ham et stort tandbøjlesmil, mens hun rejste sig og tog den lyserøde bog til sig igen.

Rrringg! sagde klokken. Niall kunne ikke forstå, hvorfor ingen af de andre børn var kommet brasende ind endnu, og brød sig heller ikke om, at han ikke kunne høre skrål udenfor på gangen.

"*Er* du helt rigtig ham mr. Breen?" spurgte Mary Catherine igen og lagde kækt sit effektive hoved på skrå med et ryk, som om det var forbundet til en fjedermekanisme.

"Det har jeg aldrig påstået, jeg var," svarede Niall med et undskyldende smil, der faldt til jorden. "Jeg er ked af det, men jeg er ikke din nye vikar, Mary Catherine."

Pigen rettede ryggen som dronningen af Saba på sin tronstol, lige før hun skal til at afsige dødsdommen over tilfangetagne fjender.

Nialls blik fulgte hendes ud ad vinduet, hvor han fik øje på den samme *garda*-pige, han havde set i dennes patruljevogn tidligere. Nu kom hun gående op ad hovedtrappen.

"Det vidste jeg da også godt, inden de sendte mig herind," sagde Mary Catherine, mens hun gik ud på gangen og lod Niall være alene med Fionas døde faraoner.

Bronaghs fingre tog sig tid til at inspicere den langhårede fyrs *An Post*-legitimationskort.

"Nå, men du er ikke herude for at opkræve strafporto, vel?" sagde hun med et suk. "Men hvorfor så? Synes du bare, det er fedt at skræmme børn sådan for sjovs skyld? Eller er det alligevel mere spændende at pille lidt ved dem?" De sad sammen i patruljevognen, som hun havde arvet, efter at hendes plageånd sergent Murphy langt om længe var gået på pension. Uden for vinduerne stod rektor Gately på behørig afstand med sine hullede sweaterarme over kors og skulede til Niall. Mary Catherine, som naturligvis aldrig lod en lejlighed til at blive bemærket gå fra sig, stod ved siden af og drømte sikkert om en voldelig afslutning på en ellers underholdende morgen.

"Hold dog op! Jeg har sgu da aldrig gj –"

Bronaghs blik mødte Mary Catherines. "Jaså. Det er ellers ikke det, *jeg* har hørt."

"Jeg er her, fordi jeg leder efter nogen."

"Ja, det siger du til enhver, der gider høre på det. Men ellers fortæller du dem ikke en skid, gør du vel? Det slår bare totalt klik for stakkels Finbarr, hver gang han ser en turist inde på McSorley's. Jeg kender typen, du. Er det sensationen, du er ude efter, hvad? Skal du rigtig fortælle

179

læserne, 'hvordan det hele begyndte?'" Hun kneb læberne sammen, som om hun skulle til at stikke ham en flad. "I har alle sammen vadet rundt herude, lige siden Fiona og Róisín døde. I er kraftedme nogle vampyrer, hele bundtet!" Bronagh gennemrodede Nialls fugtige rygsæk med samme afsmag, som hvis den havde indeholdt frisk kloakslam. "Et par gamle T-shirts, ekstra par bukser, sokker. Noget halvgnasket Cadbury-chokolade." Hun så undrende på ham. "Lod du kameraet blive nede på Lauras pensionat? Ville det alligevel have afsløret dig for tidligt? Du har fandeme ingen skam i livet. Overhovedet ikke."

"Jeg er ikke journalist," protesterede Niall og lagde mærke til et par af forældrene, som stod tæt nok på bilhåndtaget til at forsøge at bryde ind og hive ham ud. "Jeg ..."

Hvad er jeg egentlig? tænkte han og havde aldrig drømt om at befinde sig i den her klemme. Jeg er en løgner, en tyv og en drivert, som misbruger offentlighedens tillid, det er vist, hvad jeg er. Og medmindre jeg snart finder på noget, så kommer jeg til at ligge i metalskuffen ved siden af Fionas lynkineser.

Bronagh sad med åben mund og det ene øjenbryn i hævet stilling, mens hun afventede et svar. "Du er hvaffornoget? En af de der krystalhippier, som er kommet for at frelse os fra 'den ondskab, der har forgiftet byen'? De skred allerede, da tv-kameraerne også gjorde det, selv om der stadig render et par stykker rundt. Så sig nu sandheden."

"Jeg er postbud i den by, hvor Fiona og Róisín blev myrdet," indrømmede Niall endelig og prøvede at få sine hænder til at holde op med at ryste. "Efter at det var sket, fandt jeg Fionas dagbog i vores returpostbunke. Hun havde afsendt den lige før sin død. Og jeg kunne ikke lade være med at læse den, selv om den er fyldt med flere spørgsmål end svar. Det er derfor, jeg er kommet helt herud."

Udenfor stod især én af fædrene og lurede på Niall med noget nær en ulvs blodtørst. Mary Catherine holdt ham i hånden, mens hun med sit alleryndigste engleansigt nikkede hen imod politibilen. Det er *den* grimme mand, som tvang mig til alle mulige ting, far. Den lille heks! tænkte Niall. Nu har vi balladen.

Men til Nialls store overraskelse startede Bronagh motoren og vinkede til den tydeligt skuffede forsamling. Hendes ansigt var udtryksløst, som det ofte var tilfældet, når folk havde fået en grum nyhed at vide og ventede på at blive indhentet af følelserne. Det sidste, Niall så, inden skolen forsvandt i sidespejlet, var Mary Catherines tålmodige ansigt. Du kan ikke blive ved med at løbe i en lille by som den her, syntes det at sige. Du og min far mødes helt sikkert snart igen.

"Den snak, du og jeg skal tage nu, ikke?" sagde Bronagh med en langt mindre skråsikker stemme end den amerikanske tv-kopi, som havde gjort hende berygtet. "Den vil jeg til hver en tid sværge ved min mors grav på aldrig har fundet sted."

De karamelfarvede græstotter, der som hundredvis af parykker duvede hid og did overalt på Caha-bjergenes skråninger, var hjælpeløse over for den stride blæst. Fårene gloede uinteresseret på politibilen.

Niall sad på passagersædet og fik ondt i maven af flovhed over at høre på Bronagh, der via sin mobiltelefon fik Nialls påstand bekræftet af den eneste person, som vidste besked. Selv på den afstand kunne han umuligt undgå at høre den velkendte stemme, som stadig udtrykte skuffelse over en rekrut, der engang havde haft potentiale.

Bronagh smilede og hviskede til Niall: "Nu siger han, at han aldrig kunne have *forestillet* sig, at du ville foregive at være postbud selv efter, at du var blevet fyret."

"Det har jeg heller ikke sagt, jeg ikke blev."

Hun holdt en formanende pegefinger i vejret, mens hun med mobilen mod øret lyttede til resten af den bengalske lanseners æreskodeks. "Han siger også noget om, at du sikkert heller ikke har lyttet til den advarsel, han prøvede at give dig," tilføjede Bronagh. "Og han er overbevist om, at billederne har suget dig til sig igen. Ved du, hvad han snakker om?"

"Ja," indrømmede Niall og prøvede at nidstirre et får, som græssede lige udenfor. Han tænkte igen på ulven. Men denne gang havde dens træk blandet sig med Jims og derved skabt en halvmenneskelig dyrefigur. "Det gør jeg desværre."

"Mange tak for ulejligheden, mr. Raichoudhury," sagde Bronagh og lagde på. Hun åndede tungt ud, mens hun jog fåret væk og så ud over havet. "Jeg svigtede hende, er du klar over det? Fiona var engang min

181

bedste veninde, og hun bad om min hjælp. Det gjorde Róisín også. Men jeg hjalp ingen af dem. Og nu er det for sent."

"Det er det måske ikke alligevel." Niall rakte om på ryggen efter noget, og Bronagh tog omgående fat i sin peberspray.

"Vent! Jeg vil bare vise dig noget!" råbte Niall, sekundet før hun gav ham en dosis. Han trak forsigtigt den nu endnu mere bulede dagbog frem og rakte den til hende. "Her er den, kan du så se? Det var ikke min skyld, at den bare sådan lå der og flød med en afdød afsender bagpå, vel? Jeg er ked af det. Men *garda*, jeg er altså nået for vidt allerede til at bekymre mig om brevhemmeligheden." Han tøvede og så, hvordan Bronaghs øjne fyldtes med tårer, mens hun med stor nænsomhed berørte siderne. Det var, som om hun forventede, at de ville bryde i brand når som helst. "Jeg ved godt, at I var gode venner," fortsatte han lidt mere gelinde. "Men jeg har nu også selv lært hende at kende. På min egen måde, altså."

I lang tid var der kun lyden af blæsten, der fik bilen til at gynge svagt, og af fårene, hvis ivrige tænder gnavede i bilens metallak. Ude på søen stred to trawlere sig op mod vinden, som bøjede deres antenner så langt bagud, de kunne komme.

"Tak, fordi du lod mig se den her, det mener jeg altså," sagde Bronagh, efter at hun havde genvundet noget af fatningen. "Men du har stadig ikke fortalt mig, hvad du håber at finde herude, og hvad du *egentlig* lavede inde på skolen. Når jeg ser på mobilen igen, så vil der ligge de første tyve opkald på den fra vrede forældre."

"Så sig til dem, at jeg var Fionas eksotiske ghettokæreste," sagde Niall, som blev irriteret over de store huller i sin viden om Walsh-søstrene. "Jeg ville vide mere om, hvad der foregik i tante Moiras hus, og hvad der skete herude. Med Aoife. Og med Jim."

Bronagh blev fjern i blikket, og det gjorde større indtryk på Niall end hendes vrede.

"Vi nævner aldrig den mands navn ret meget mere herude," sagde hun. "Og det burde du heller ikke."

"Nej, er det rigtigt? Okay, men hvad så med enkefru Holland ovre i Drimoleague? Hun skvattede vel i en bananskræl, eller hvad?"

Bronaghs hånd knyttedes om pebersprayen. "Du aner ikke, hvad du snakk –"

"Der er en anden dagbog her i byen et sted," sagde Niall så højt, at et får udenfor blev skræmt og flygtede. "Róisín skrev også en, hvis du ellers stoler på, hvad din veninde Fiona har skrevet! Jeg ved sgu da heller ikke, hvordan hun fik sin dagbog smuglet ud, men Róisíns blev altså sendt til ham Father Malloy, medmindre den aldrig –"

Nu tog Bronagh et fast greb i kraven på Niall. "Politivold er bare et udtryk, Niall. Lige til jeg brækker begge dine arme og efterlader dig her." Hun så, at han ikke blev spor bange, og gav slip igen, mens hun åndede dybt ud og rettede på hans jakke.

Nialls hjerte piskede af sted som en kanin. "Jeg havde helt glemt, at du altid gerne ville have været tv-betjent i Amerika, *officer.*"

Den rødmossede *garda* ledte i midterkonsollen efter en smøg og fnyste arrigt, da hun ikke kunne finde nogen. "Hold din kæft. Jeg har smidt små heksepiger, journalister og syge souvenirjægere ud af byen i ugevis, og jeg er pissetræt af det. Det første sted, de alle sammen vil besøge, er Father Malloys præstegård, fordi en Dublin-avis var så venlig at nævne hans kirke ved navn." Hun bankede på ruden for at få det samme stædige får til at smutte. "Problemet er bare, at den gode præst har været død i over en måned, Gud være hans sjæl nådig. Hvis nogen sendte ham noget, ville jeg have fundet det. Mig og nogle af Fionas elever ryddede op i hans ting bagefter. Men sådan nogen som dig graver stadig i det. For at finde 'sandheden', ikke?"

"Kun sandheden om, hvad Fiona og hendes søstre gjorde ved Jim," sagde Niall uden at tøve. "Og om, hvorvidt han slog flere mennesker ihjel end sin gamle ven Tomo." Hans kinder blussede op på samme måde, som de havde gjort, da han troede, at bartenderen ville stampe livet ud af ham. Hvorfor helvede holdt hun ham hen? Havde han måske ikke bevist sin gode vilje? "Men det ved du vel heller ikke noget om? Sarah McDonnell? Og en pige til ovre i Kenmare, hvis du har læst, hvad Róisíns radiostemme fortalte. Virker noget af det her bekendt? Hvad skete der med Aoife? Forsvandt hun samme vej? Skal jeg lede efter hende oppe på den gamle Glebe Graveyard?"

Bronagh startede motoren. Hendes hage var sunket helt ned på uniformsbrystet. Da hun endelig sagde noget, var venligheden der ikke længere. Hun rakte Niall dagbogen, som om den nu indeholdt smitsomme

183

tanker, hun ikke længere turde røre ved. "Selvfølgelig ville jeg have deltaget i Fionas og Róisíns begravelse, men jeg hørte først om den bagefter. Jeg brugte flere uger på at finde frem til postbuddet, som fandt dem. Du aner ikke, hvordan det har været lige siden for alle os, der bor herude i byen, som skabte 'Moiras morderhus'."

"Han hed Desmond," sagde Niall og så for sit indre øje, hvordan den krumbøjede figur forgæves prøvede at lægge skuldre til hele Malahides samlede skyldfølelse. "Og der var ingen, der nogen sinde hørte fra ham igen."

"Så husk lige det næste gang, du snuser rundt i ting, som folk prøver at glemme."

Niall gjorde sit bedste for at slå truslen hen. Blæsten var slået om til pålandsvind og gødede nu markerne med en fin byge saltvandsregn. "Han er død, ikke? Jim? Fortæl mig i det mindste dét."

Bronagh rakte over og åbnede passagerdøren. På hendes ansigt spillede et kortvarigt minde om noget skrækkeligt, før det igen var borte. "Det er ligegyldigt," sagde hun og skubbede ham ud. "Herude holder folk alligevel ikke så længe som minderne."

Det første tusmørke kravlede op ad anklerne på Niall nede fra det høje græs. Fårene spredtes, som om et lydløst riffelskud var blevet affyret. Han rodede efter i lommerne og forsikrede sig selv om, at han stadig kunne tage toget hjem og glemme alt om hele denne mærkelige historie. Hvad han så end gjorde, ville Oscar nok være ligeglad. Niall vendte sig mod vest, hvor solen sænkede sig over Castletownbere, og vidste, at han ikke kunne ryste sagen af sig. På trods af Bronaghs advarsler kunne han måske stadig finde sporet af Róisíns dagbog. Men han måtte skynde sig.

Et sted, hvor Father Malloy kunne strø blomster hen over den. Var det ikke det, Fiona havde skrevet?

Han var nødt til at gå på skattejagt på kirkegården.

Niall hankede op i sin rygsæk og begyndte at gå vestpå.

15

Der var noget helt galt med lysene.

Niall havde valgt en anden rute tilbage til Castletownbere for det tilfælde, at Bronagh nu ventede på ham nede ved kystvejen. Det var endelig holdt op med at regne, så han var nået frem til bygrænsen ved at vandre hen over de græsklædte bakkedale og bruge genskinnet fra solen som kompas. Han havde forstuvet anklen, fordi det til sidst blev for mørkt til at se de flade kampesten, der som stivnede håndkanter stak op af jorden.

Derfor blev han forbavset, da han nåede frem til en grusvej og så, hvad han allerførst troede var tusinder af lys i en enorm fødselsdagskage, tone frem af mørket. Der var gået ild i hele bakkekammen, så det ud til, men lysene blev hverken skarpere eller svagere. De blev i stedet ved med at blinke ujævnt, mens han nærmede sig, og belyste derved de besynderligste skygger overalt, som det var umuligt at se omridset af. Stedet lå langt fra det meste, Fiona havde beskrevet i sin dagbog. Han var vist nord for byen, på den snoede landevej, der førte op til Eyerics.

Niall var nødt til at vade omkring et endeløst levende hegn, men stod til sidst foran en oldgammel stenmur, som tiden havde gnavet i, og regnen havde gjort glat som sæbe. De dybrøde lys var tættere på nu og slikkede grådigt på mørket, mens de oplyste den forstøvede luft og derved skabte en sky, der så ud, som om den selv trak vejret. Nialls fingre fandt en rusten gitterport og trak i den. Den var låst. Han var ved at kravle hen over den, men standsede.

Dér. Bogstaver. Mejslet ind i kalkstenen. De var forvitrede nu, men kunne stadig tydes. Han fumlede efter mobilen, og den lille skærm afgav nok svagt, blåt lys til, at han kunne se, at dette engang havde været den gamle St. Finian's Graveyard, hvad dét så end var. Niall så sig omkring og fortsatte op over gitteret, mens han passede på sin fod, der allerede var opsvulmet og øm.

Han dumpede ned på den anden side og mærkede med det samme noget varmt flyde ud over sin ene hånd. Der var en lyd som klirrende glas. Niall holdt fingrene op til ansigtet og kunne lugte stearin. Og hele vejen omkring ham, lige så langt øjet rakte, havde nogen sat tusinder af bedelys ned i små, røde glas. Nu kunne han se, at de forvredne silhuetter, han tidligere havde set, var gravsten, som havde kendt bedre tider. Men han stod på kun en lille del af den terrassedelte kirkegård. Inde bag træerne, som voksede vildt mellem mausoleerne, kunne Niall se det allerkraftigste lys skinne op i trækronerne som svævende gestalter.

"Hvem dér?"

Det var en ung kvindestemme, som lød både selvsikker og bange. Niall kravlede hen til en hæk, hvorigennem han kunne se en svag silhuet af en kvinde liggende på en flad gravsten. Han svarede hende ikke. Skikkelsen rejste sig og kastede utålmodigt sit lange hår til siden, mens hun begyndte at finkæmme området.

"Hvis det er dig, Séamus, som er kommet for at stjæle vores hellige offergaver igen, så vanker der altså ikke kun en advarsel denne gang, det kan jeg love dig!"

Hvor gammel var hun mon? tænkte Niall, mens han klemte sig ned mellem to nedsunkne gravsten, og skød på omtrent seksten år. Hendes stemme var opfyldt af den klarhed og mangel på tvivl, som man kun hørte hos de rettroende. Han forblev i skjul og kunne ikke se hende tydeligt, før hun vendte tilbage til sin plads og satte sig i lotusstilling.

Snart steg en messende lyd, der lød som englesang op i den fine purpursky. Niall kravlede frem fra sin tvillingegrav og sneg sig lidt nærmere. Da han var kommet tæt nok på til at lugte sangerens patchouli-parfume, kunne han høre ordene ganske tydeligt og de gav ham myrekryb.

Pigen fremsagde en slags sjælemesse til den, hvis grav hun sad oven på.

"... den allerskønneste, velsignet være dine øjne. Du er den kærligste, velsignet være dit hjerte. Du er den meste gavmilde, velsignet være dine handlinger. Du er den mest –"

"Den mest rabiate lystmorder, som nogen sinde har hærget i West Cork?"

Pigen spjættede omtrent en halv meter i vejret ved lyden af Nialls stemme og vendte sig vredt imod den langhårede, ubudne gæst, der som Lazarus havde rejst sig fra sin egen grav. "Hvem ... du har ikke lov at være her!"

"Jeg har vel lige så meget lov som alle andre."

"Du er turist, ikke? Som er kommet for at kaste smuds på en god mands navn og rygte?" Nattemørket skærmede for pigens mund, men hendes højlydte vejrtrækning gennem de sammenbidte tænder gjorde Niall usikker.

Han trådte helt frem i stearinlysenes skær og kunne nu tydeligt se, hvad der var mejslet ind i gravstenen, hun havde siddet på.

HER HVILER JIM QUICK
FØDT AF KVINDE
DRÆBT AF KVINDE
19. MAJ 2004

Hverken Gud eller nogen anden henvisning til det hellige var nævnt nogen steder. Niall gættede på, at der på det nærmeste var udbrudt revolution i menighedsrådet for bare at blive enige om at give svinet en kristen begravelse. Forskellige vokslys, tibetanske bønnekranse, og hvad der lignede et ægte menneskekranie med et hjerte ridset ind i panden, flød hulter til bulter overalt rundt om graven. Andægtigheden blev fuldkommen, når man medregnede de mange rådne frugter, halvfyldte whiskyflasker og flere hundrede – nej, tusindvis! – af små håndskevne lapper, der lå på selve stenen. Pigen rettede lidt på knokkelmandens hageparti. Selv i døden får du det sgu, som du vil med dem, tænkte Niall.

"Jeg tror nu, at nogen af kvinderne, han mødte på sin vej, ville være uenige med dig," sagde Niall og prøvede samtidig at holde øje med pigens hænder, som hun holdt uden for synsvidde. Han kom i tanker om det billede, han selv havde set ganske tydeligt for sig dengang i togkupéen. Det var en ulv, som blev angrebet af tre rasende furier med knive, og Niall tog uden at være klar over det et par skridt baglæns.

"Så synes du vel også, at de, der myrdede ham, var nogle rigtige *helte*?" snerrede hun. "Sådan at lokke ham væk fra byen, hvor ingen kunne

se dem? Og så at lade ham forbløde som en stukket gris?" Det var vind-
stille. Men pigens lange kjole blafrede, fordi vreden sitrede gennem hen-
des krop som nyblandet gift.

"Det lykkedes dem altså til sidst? Walsh-søstrene?"

Mens nogle af lysene hvæsede og gik ud, så pigen Niall an. Hun syn-
tes at stirre på ham med helt ny interesse. "Du er ham fyren, der brød
ind på Sacred Heart-skolen i morges, er du ikke? Jo, du er da så." Hun
trådte ind i en halvcirkel af nyligt tændte stearinlys, og nu kunne Niall
se, at hun ikke kunne være en dag over fjorten. Hendes øjne, der sad tæt
sammen i et næsten maskulint ansigt, ledte nu kun efter svar, hvor de
indtil for lidt siden ellers havde forestillet sig Nialls alt for tidlige bort-
gang. "Det vil sige, at du må have den første dagbog på dig et sted. Må
jeg ikke nok se den? Er det sandt? Er det?"

Niall trådte igen lidt længere tilbage, men var nået til kanten af den
allerøverste terrasse. Derefter gik det stejle mørke brat nedad. Det var
umuligt at beregne, hvor langt han ville falde, eller hvor meget han ville
slå sig. "Du har altså set Róisíns dagbog?" spurgte han. "Den findes sta-
dig væk?"

Månebarnet rørte ganske forsigtigt ved Niall med en enkelt pegefin-
ger for at sikre sig, at han var lavet af kød og blod og ikke blot var en pro-
fet fra hendes tågedrømme, som snart ville fordampe igen. "Jeg fik den
aldrig selv at se," sagde pigen, som Niall nu kunne se havde en halskæde
af tørrede irisblomster om halsen. Af en eller anden grund gjorde det
ham langt mere urolig end noget andet, han havde set. "Men gamle
mrs. Kane siger, at den kom til Father Malloy med posten lige før hans
død. Nu ved ingen, hvad der er blevet af den. Den er borte." Hendes
øjne flakkede, og den tynde pigestemme knækkede over, mens hun gen-
tog: "Borte. Død og borte."

"Ved dine, øhm, forældre godt, at du er herude helt alene?" spurgte
Niall og fangede et glimt af noget, der havde skinnet på træernes blade
lige uden for muren. Det lignede forlygter. Sikkert bare en enlig chauf-
før. "De må da være bekymret for dig."

Ofelia-væsenet svarede ikke, men kiggede hen over skulderen på
Niall. Hendes spidse ansigt så forvirret ud – som om kavaleriet var kom-
met for tidligt. Eller måske var det slet ikke blevet inviteret.

"Og *de* må heller ikke være her!" sagde hun hvast og skød hagen frem til kamp.

Niall vendte sig om og så et virvar af lyskegler hvirvle rundt mellem hinanden lige bag ved gitteret, som om de blev holdt i mange hænder. Den lave murren af mandsstemmer fik blodet til at banke i halsen på ham som en pauke. Hans eneste flugtvej var blokeret. Niall stirrede ud i det grænseløse mørke bag sig og vidste, at han ikke havde noget valg. Specielt ikke, hvis forfølgerne tilfældigvis var Mary Catherines far og halvdelen af forældregruppen.

"Pas på dig selv, lille skat," sagde han og løb lige forbi alfebarnet.

Han sprang lige så langt ud i den sorte intethed, som han kunne, og ventede på smerten.

Ba-da-bump! Niall landede forholdsvis blødt flere terrasser længere nede. Anklen værkede stadig, men han kunne da bevæge den. Han kunne lugte frisk mudder og afsagde en stille takkebøn til regnskyllet. Der stod mange bredskuldrede silhuetter deroppe på fremspringet og prøvede at finde ham med deres lommelygter. Som de stod der, omgærdet med rødt lys, lignede de selve legemliggørelsen af pigens tågede ønskedrømme om genopstandelse.

"Der er han!" råbte en af dem. "Derovre!"

Niall gled i den slimede mosejord, men frygten gav ham kræfter, og snart løb han. På trods af smerten løb han både hurtigere og længere, end han nogen sinde havde kunnet før. Hans ankel føltes, som om nogen havde stukket glas op gennem hælen på ham og helt op i knæet, men han standsede ikke. Det sidste, han hørte, da han lagde det røde skær bag sig og forsvandt over bakkekammen, var en pigestemme. Hendes hysteriske klagesang gav genlyd over markerne, som var hun en fortabt fårehyrde.

"Kom tilbage!" tryglede hun. "Jeg vil have den dagbog. Kom *tilbaaage!*"

Niall mærkede en pertentlig, insisterende hvisken i sit øre, før han vågnede. En barnestemme skar tværs igennem den diffuse drøm, han lige var midt i om hippiepiger, som messer de døde til live igen.

"Vågn op, hr. postbud."

189

Han vågnede med et spjæt og satte sig op. Det var stadig halvmørkt, så det eneste, han så for sig, var sine egne våde støvler. Han kunne ikke huske at være faldet i søvn. Hvor længe havde han mon ligget mellem de to slimede kampesten og gemt sig? Panikken buldrede gennem ham igen, og hans øjne flakkede omkring i forventning om at se pøbelen, som kom efter ham med både druidernes gamle lygter og hampereb til galgen. Men der var ingenting derude, kun kradsende dyrelyde. Det irriterede Niall, at mr. Raichoudhury selv på afstand blev ved med at få ret. Og han tænkte på, hvor længe det mon havde varet, inden mr. Raichoudhurys gamle lærer ikke længere havde kræfter til at efterligne gudebilledets skønhed, men var bukket under.

"Herovre!"

Niall var ved at gå ud af sit gode skind, og han sprang i vejret. Det havde ikke været en ond drøm! Den opsvulmede ankel mindede ham om, hvor virkelig smerten var, og han faldt straks på røven igen. Stemmen havde lydt som forfølgerne, som ville slå ha –

"Rolig," sagde barnestemmen igen og fnisede. "De leder alle sammen nede på kystvejen, indtil videre. Men det bliver de nok ikke ved med."

"Hvem er ...?"

En pigeskikkelse trådte frem bag et træ. Hun havde en sort regnfrakke og alt for store røjsere på, som nok var hendes mors. Gummihætten var snøret stramt under den bestemte hage, men selv i dén mundering kunne man ikke tage fejl af den mest ambitiøse elev, Fiona Walsh nogen sinde havde haft i sin sjette klasse.

Mary Catherine Cremin satte sig på hug foran Niall og smilede.

"Nå, så du er ude og støve vildtet op til jægerne, hvad?" spurgte han.

"Du har noget, jeg vil ha'. Vi kan bytte. Og lad være med at lade, som om du ikke aner, hvad jeg snakker om." Hun viste Niall en gammeldags metallommelygte med riflet skæfte og satte tommelfingeren på lysknappen, men trykkede ikke på den. Endnu. "For min far og de andre reagerer meget hurtigere på sådan én her, end hvis jeg ringer til ham på mobilen. De leder alle sammen efter ham den fremmede, som var alene sammen med mr. Cremins datter i lang, lang tid. Prøv at forestille dig det."

Niall kiggede sig omkring og kunne nu svagt se en lille skov af blå lysstriber langt nede på hovedvejen. Jægerne virkede desorienterede. Men hvis bare ét eneste lys skinnede for dem, ville de ikke længere være i tvivl.

Mary Catherine tog noget andet ud af sin skoletaske, som hun havde spændt om livet. Genstanden var stadig pakket ind i en brun konvolut, der så ud, som om den havde ligget ved vandet i årevis.

"Vi bytter lige over, ikke?" spurgte hun, den lille kræmmersjæl. Siderne i dagbogen, hun endelig hev ud af konvolutten, var halvopløste af fugt. "Jeg har allerede fotokopieret det hele og har ikke brug for den mere. Men jeg vil ha' første del af historien. Miss Walshs dagbog. Vis mig den så."

Hun lænede sig så langt over imod Niall, at han kunne se hendes ivrige blå øjne. Der var ingen nåde eller tøven at finde derinde. Han rakte bag om bukselinningen og fandt plasticposen, som beskyttede Fionas sidste tanker mod omverdenen. Han gav den ikke til den lille afpresser endnu.

"Hvem var hende pigen på kirkegården?" spurgte han.

Mary Catherine trak på skuldrene. "De bliver bare hele tiden ved med at komme, og graveren har nok at gøre med at jage dem væk. Og de fyrer bare så meget fed, at det stinker i miles omkreds, siger min far." En skælmsk smil. "Men han siger nu, at jeg skal tage mig i agt for fremmede mænd som dig. Han er ligeglad med hippiepigerne."

"Hvad tror din far, jeg gjorde ved dig i det klasseværelse?"

"Brug din fantasi. Efter at Jim har været her, er det blevet meget nemmere at skræmme sine forældre."

"Din lille heks."

Hun lavede yndige små fagter med den ene hånd. "Du skulle hellere være taknemmelig for, at jeg overhovedet giver dig Róisíns dagbog. Jeg kunne have solgt den til alle de journalister, der kom rendende."

"Hvordan fik *du* fat i den?"

Mary Catherine smilede. Lyskeglerne dernede virkede nu langt mindre forvirrede, men marcherede op i bakkerne igen. Op imod ham. "Jeg hjalp til med at muge ud i præstegården, da Father Malloy døde. Og konvolutten, den lå der bare lige pludselig. Hans husbestyrerinde, mrs. Kane, så ikke, at jeg tog den. Nogle af siderne er altså ødelagt. Det må have regnet i en af dine postkasser et sted." Hun stirrede ud i mørket og blev strejfet i ansigtet af den første lyskegle. "Så er tiden gået. Har vi to en aftale?"

Niall overrakte hende Fionas dagbog. Efter et øjebliks tøven rakte hun ham sin.

"Bliv nu ikke stående her alt for længe," sagde Mary Catherine og lød rigtig bekymret for ham. Hun pegede mod nord, forbi bjergene, der ledte op imod Eyeries. "Hold dig fra asfaltvejen. Bliv ved med at gå lige- ud i cirka en halv time. Du vil komme til en forladt stenhytte. Jeg sender ikke nogen derop efter dig. På æresord."

Nialls ankel dunkede, men frygten gav ham et sidste skud adrenalin. Han kradsede i omslaget på Róisíns dagbog, og den føltes nøjagtig som hendes søsters, bare mere ramponeret. "Hvorfor skal jeg have lov at få den her?"

Den lille pige skar ansigt, som om det dog var det dummeste spørgs- mål, han kunne stille. "Fordi miss Walsh lærte os, at man skal være flink ved fremmede mennesker." Så var hun igen opslugt af mørket og lod Niall være alene med sit nye klenodie.

Han havde vadet gennem tjørnekrat og muddergrøfter i over en time, da han endelig busede lige ind i en stenmur.

Det var umuligt at se, hvad den kunne være forbundet med, for him- len var igen blevet tildækket af skyer, der vred sig mellem bjergtoppene som overvægtige, grå slanger. Niall fumlede sig vej hen over til, hvad der føltes som en dør. Først et lille skub, så en modstræbende knirken, og til sidst var han indenfor. Hans fingre fandt en kontakt, som ikke virkede mere. Han stolprede videre og stod nu ved siden af noget blødt. En sofa? Eller en lænestol? Han satte sig forsigtigt i den, og den virkede helt tør. Vandet sendte sjaskende trommehvirvler ned gennem et hul i taget et sted. Nialls ankel brændte som helvedesild, men hans nysgerrighed over- vandt smerten.

Han tændte for mobilen og rettede den lille LED-skærm ned imod dagbogen i sit skød. Ville hans forfølgere mon opdage det svage, blå skær? Han holdt telefonen langs med gulvet og kunne se rottelort og pa- pirskugler. Her havde ikke været nogen i lang tid. Niall gemte mobilen af vejen og stirrede ud igennem et hul, som måske engang havde været et vindue. Han kunne ikke se lyskeglerne nogen steder. Havde Mary Catherine alligevel sendt sin far på sporet? Niall tog sin ynkelige læselampe frem og besluttede sig for at løbe risikoen. Mobilen havde kun tre streger tilbage på batteriet. Og det måtte snart være daggry.

"Fortæl mig en hemmelighed, Róisín," sagde han og åbnede bogen.

TREDJE DEL

RÓISÍNS DAGBOG

16

Jeg har hørt stemmer, lige siden jeg var seks.

Og jeg ved allerede godt, hvad du forestiller dig. Ih, den stakkels pige, indesluttet og mut lige fra barnsben. Det var sikkert *den* slags asocial adfærd, som bragte hende ud i alkoholmisbrug og en umættelig appetit på kortbølgeradioer, hvor hun nok havde haft bedre af varme, menneskelige relationer. Hun var selvskrevet til at ende i et par stramme sorte jeans og derefter i armene på en tilfældig russisk pige, ikke? Men du kan tage din politisk korrekte medynk og sætte dét mærkat på en anden. For ser du, jeg har allerede levet mit liv ude på længslernes ocean.

Lige fra begyndelsen, da jeg kun havde en billig transistorradio, har jeg kunnet lukke øjnene og surfe på en usynlig bølge af flere tusind menneskestemmer, som bragte mig hen over Kalahari-ørkenen og langt ud på de syv have.

Alt sammen uden at træde uden for en dør. Mit barndomsværelse, som jeg delte med mine søstre, var lille bitte. Aoife og jeg sov endda i samme seng, lige til branden gjorde os forældreløse. Og gennem alle de år, jeg senere tilbragte på tante Moiras pensionat, var det radiobølgerne, som gjorde de kedelige søndage lettere at bære og forvandlede dagligdags lyde til noget eksotisk.

Jeg har været loyal over for de stemmer lige siden. For de har aldrig svigtet mig.

Det værelse, hvor jeg sidder lige nu og skriver til dig, er så lille, at man dårligt kan kalde det et værelse overhovedet. Det er snarere en slags skunk dybt inde bag væggen i min tante Moiras hus, som Fiona siger, vi måske aldrig slipper ud af. Det kan være, hun har ret, jeg ved det ikke længere. Jeg er som regel alt for træt til at samle mig om ret meget andet end den hule fornemmelse, jeg har i brystet. Men hold da kæft, hvor Fiona snakker, gør hun ikke også? Sådan har hun altid været. Jeg elsker hende højt, men en gang imellem er man nødt til at trække i hvert fald halvdelen af hendes vrøvl fra for at nå frem til det, hun egentlig prøver at sige. Og lad os slet ikke begynde at tale om hendes farao-fiksering. For så kommer vi aldrig videre.

Jeg ved godt, at jeg efterhånden er lige så svækket som hende og også ser ud ad røven til. Men jeg er også nødt til at indrømme én ting: Jeg kan mærke den samme gnavende fornemmelse indeni, som hun mumler om i søvne. Det er som kløer på indersiden af mavesækken. Noget i maden, siger hun. Tak, prøv lige at kalde dét mad en gang til, gider du? For så ville jeg slå dig oven i hovedet, hvis jeg ellers var stærk nok til at rejse mig mere og tage fat i den skovl, Fiona lige har fundet.

Redning.

Jeg drømmer om den om natten, selv når jeg er lysvågen og prøver at blinke den underlige, slørede fornemmelse væk fra mit blik, som nu er der hele tiden. Så lukker jeg øjnene og drømmer om endeløse horisonter. Somme tider forestiller jeg mig bjergbestigere, som bliver reddet af helikoptere fra stormomsuste tinder i sidste sekund. Andre gange handler drømmene om søfolk dybt nede i en nødstedt undervandsbåd, som banker en kode på stålskroget, så dykkerne udenfor kan høre dem, inden ilten slipper op.

Lige nu, for eksempel, så ser jeg ganske tydeligt for mit indre blik et fortabt menneske ude på det endeløse hav. Siden hendes skib forliste, har hun i ugevis forsøgt at signalere til flyvemaskinerne deroppe. Men de ser ikke hendes lille redningsbåd og fortsætter ud af syne.

Hun har overlevet ved at fange fugle og spise alt, undtagen fjerene. Det har ikke regnet i dagevis, og hendes drikkevand er ved at blive råddent igen. Tungen føles som en død bille. Hun er lige ved at overgive sig til modløsheden, da hun hører lyden af propeller og kigger op. Der! Det er en vandflyver – stor og hvid og vidunderlig. Den tipper med vingerne og flyver så lavt hen over hende, at hun kan se de tørre oliepletter på dens bulede sølvkrop. Hun læner sig tilbage og prøver at komme i tanker om lyden af sit eget navn. Hun har ikke sagt et ord i over en måned.

Det har jeg nu heller ikke, nu jeg tænker over det. Bortset fra 'tak' og 'jeg elsker dig' til min søster, og de tæller ikke.

Selv om dagen trænger disse drømme sig mere og mere på. Billeder

198

af frihed, fornemmelsen af flugt. Af at være udenfor og kunne lugte til græsset. Jeg vogter over Fiona, når hun sover eller prøver på det. Jeg kan høre, når vores helvedestante pusler rundt dernede på alle døgnets timer som en kakerlak eller som de hjemløse, der gennemrodede vores skraldespande derhjemme hver søndag aften.

Men bag mine øjenlåg tænker jeg mest på Jim.

Og så drømmer jeg om mord.

17

Dagen inden sin død hjalp Jim to piger over gaden med deres indkøbs-
poser.

Han gjorde det lige så selvfølgeligt som altid, med hånden blidt om
den enes albue og et venligt nik til trafikken på vejen. Han havde en af
Harolds Hawaiiskjorter på, den med de grønne ananas, der blafrede på
rød silkebaggrund i den steghede sol. Jeg bryder mig ikke om at måtte
indrømme det, men den passede faktisk godt til ham.

Jeg var på vej ned ad bakken på min cykel for at købe proviant til
Aoife, som stadig nægtede at forlade sit hus. Der var gået knap en uge,
siden den billige charlatan prøvede at få os alle sammen til at holde kæft.
Og så var jeg sgu lige ved at køre ham og hans to piger ned og bremsede
i sidste øjeblik. Jim dansede rundt om mit forhjul og lavede en lille
piruet, som fik pigerne til at fnise. Han lagde en støt hånd på dækket og
rokkede lidt ved det, med glimt i øjet. Min søsters kniv lå stadig på bun-
den af min taske, som hang på styret. Jeg sværger ved St. Patricks sure
sokker på, at jeg kunne have stukket ham ned lige dér.

Og så smilede han. Ikke alt for bredt eller indladende, men afsendte
bare et lynglimt af, hvad der lurede lige bag den smukke, solbrune hud.

Hvis jeg før havde haft mine tvivl om, hvorvidt jeg kunne gennemføre
noget, der ville få ham til at skifte farve til dødemandsgrå, så havde jeg
dem ikke længere, mens Jim fortsatte hen imod parkeringspladsen ved
molen. Jeg ønskede ham lige så død som Judas Iskariot. Men jeg gjorde,
hvad jeg plejede at gøre ved alle de andre tumper i byen, når de skulle
overbevises om, at de var nogle fandens karle. Jeg lagde hovedet på skrå,
som om jeg var imponeret eller lidt benovet, og viste ham mine bisser.

Og da jeg steg af cyklen henne ved SuperValu, kunne jeg mærke hans
øjne på min røv. Det var næsten deprimerende, så nemt det var med
mænd, selv for et snedigt eksemplar som vores herboende skjald. Og du,

kære læser, undrer dig sikkert også over, hvorfor jeg gjorde det. Men tro mig, når jeg fortæller dig, at jeg allerede bryggede på en plan om snart at begrave Aoifes køkkenkniv mellem skulderbladene på ham. I mellemtiden havde jeg brug for, at han ikke fattede mistanke til en uskyldig lille punkertøs med hang til sorte bajere.

Da jeg kom ud af butikken med mine ting ti minutter senere, var han ingen steder at se. De to piger, han havde hjulpet, sad i deres gamle Renault og smøgede den, mens de grinede ad noget, jeg ikke kunne høre. Trawlernes dieseldunster blandet op med ølfims duvede hen over gaden og fik mig til at tænke på min far. Han plejede at købe isvafler til os lige her, med jordbær og vanilje, mens han selv drak en porter ganske langsomt.

Pandekagevognen havde fede tider, og ungerne skubbede til hinanden i køen foran for at få bagerens opmærksomhed. Alle de voksne slentrede forbi torvet i det dejlige vejr.

Men for mit vedkommende kunne det lige så godt have været midt om vinteren. Jeg følte mig kold om hjertet, mens jeg cyklede op ad bakken igen.

Aoife nægtede stadig at spise andet end gulerødder.

Jeg havde ellers prøvet med laks, rugbrød, bacon og alle mulige slags grøntsager, men lige meget hjalp det. Hun ville ikke engang røre den mørke chokolade, som hun ellers altid plejede at hugge fra mit køleskab. Min tvillingesøster sad op i sengen i dagevis og åd ikke andet end de små orange gnallinger, som man køber i en pose med en smilende kanin udenpå. Jeg havde helt naivt forventet, at hun ville være lige så morderisk rasende som mig og omgående begynde at efterse vores fars gevær, inden hun strøg ud ad døren med ammunitionstasken over skulderen. Men hver gang Fiona eller jeg forsigtigt foreslog hende, at det nok snart var på tide at ringe til strisserne, rystede hun bare tavst på hovedet. Til sidst gik hun endelig udenfor i bare tæer og stod bomstille i lysningen oppe bag huset, mens hun lod vinden inde fra skoven tage fat i kjolen for rigtig at få den til at blafre omkring sin krop. Hun blev stående i timevis og nikkede kun svagt til os, da hun kom tilbage, inden hun igen kravlede ned under dynen og tog hul på en ny pose kaninføde.

Om natten skiftedes mig og Fiona til at holde vagt udenfor.

Til at begynde med blev jeg svimmel, fordi jeg ikke havde fået så meget frisk luft i lungerne på én gang, siden jeg var barn. Jeg kiggede ned på vores by og prøvede at huske, hvordan alting havde været, før alle blev besat af den fortryllende *seanchaí* og glemte evnen til at tænke selv. Turistsæsonen var i fuld gang for alvor, og skrålene fra fyre, som havde drukket hovedgaden tør, steg op over trækronerne som krager, der slås om et ådsel.

Fiona havde husket sine bøger og satte sig til rette på sofaen derinde. Jeg vidste, jeg kun havde brug for min kortbølgesender.

På en særlig smuk aften, hvor stjernerne kravlede hen langs rygsøjlen på Slieve Miskish-bjergene som glasperler, nogen havde kastet hen foran en lommelygte, tændte jeg endelig for den. Fiona var allerede faldet i søvn på sofaen med en moppedreng af en bog om Amenhotep hen over maven som et spejdertelt. Og lydene inde fra Aoifes værelse betød, at hun så et af de der latterlige programmer om, hvem der er landets allerværste danser.

Mine fingre fandt straks den største knap, og jeg begyndte at fiske efter en ny stemme. Evvie var på besøg hos sine forældre et sted i Rusland nede ved Sortehavet og kunne ikke komme ud til mig i over en måneds tid. Jeg hadede bare byen ved navn Sochi, som hun en gang imellem sendte sms'er fra, fordi jeg ikke måtte komme med. Jeg var ensom og vred. Men på netop den aften steg stemmerne op til lydhavets overflade så let, som hvis jeg havde hængt et fiskenet op i luften for at fange dem, hver og én.

Der var fiskere langt ude i Det Irske Hav, som lagde garn ud til laks på vejen ud og til kvinder på vejen ind. Jeg hilste på dem, mens jeg pejlede videre, og mit eget usynlige skib efterlod dem snart i sit sydende elektroniske kølvand. Så trængte en kvindestemme igennem, som lød træt og desillusioneret. Hun hed Social Retfærdighed, sagde hun og plæderede for, at vi for samfundets skyld burde ophæve den private ejendomsret. Hun forsvandt samme vej som fyrene på trawleren. Alle signalerne syntes at gå svagere igennem. Og lige da jeg troede, at jeg kun ville finde kortbølgesurfere, der skulle høre, hvad farve mine trusser var, trængte en stemme igennem de skrattende fløjtetoner langt borte fra. Jeg havde ellers dobbeltklikket mikrofonen over hundrede gange uden at finde nogen, jeg ville have drukket så meget som en kop kaffe med i virkeligheden.

'Her er Nattevinge, som flyver hen over jeres hustage og toupéer,' meddelte jeg atter en gang mismodigt til intetheden. 'Kan nogen høre mig, *over?*'

Der lød en knasen, som om nogen også pejlede sig ind på mig i det fjerne. Og så hørte jeg ham.

'Hvor det glæder mig at tale med dig igen,' svarede en mandsstemme, der var så blid, at det føltes, som om han kælede for selveste radiobølgerne, der forbandt os. 'Jeg har sådan savnet dig og din veninde. Hvordan har du det?'

Mit hjerte hamrede i halsen og kinderne på mig, for jeg fornemmede med det samme, hvem det var. Men jeg var nødt til at være helt sikker.

'Kan du sige mig dit kaldesignal, inden vi fortsætter, *over?*'

Jeg stirrede på nålen, som hvilede ved siden af 3101.3-frekvensen på det grønne megahertz-bånd, og lyttede, mens stemmen fortalte mig noget, jeg vidste i forvejen. For profeter og galninge gør brug af den samme dør, når de vil ind til folks hjerter, gør de ikke? De tager altid først et greb om dit spinkleste håb og vrider det som et dørhåndtag, lige indtil det giver sig, hvad enten du vil tage imod dem eller ej.

'Jeg tror, din veninde gav mig navnet Portvagten, sidste gang vi mødtes her,' sagde han og klukло venligt, som min far plejede at gøre. 'Vi talte om eventyrdigtere. Du troede ikke på, hvad jeg sagde, så vidt jeg erindrer.'

Han tog en dyb indånding, men pustede mere end luft ud igen. Det lød som dyb frustration eller endda sorg. 'Vil du ikke nok være sød, min kære Nattevinge, at tænke lidt over alt det, der har fundet sted i West Cork i den sidste måneds tid? Og fortæl mig så, hvad du *nu* er villig til at tro på.'

Det varede lidt, før jeg svarede, fordi jeg lige skulle skæve hen til dagligstuen, hvor kun Fionas snorken og valsetakterne inde fra Aoifes værelse overbeviste mig om, at jeg hellere måtte lade dem være. Portvagten og mig måtte ordne det her alene.

'Hvordan kan det være, du kender ham så godt? Ham vores skjald?'

Jeg hørte noget, der lød som papir, der brændte lystigt. Portvagten tog sig et kæmpehvæs af noget. 'Fordi han sender mig ting, forstår du. Det har han gjort i årevis.'

'Hvad for nogle ... ting mener du?' spurgte jeg og prøvede at lyde henkastet, mens jeg var skræmt fra vid og sans.

'Souvenirs,' sagde Portvagten og dvælede ved ordet, som om det var alt for høflig en udgave af det, han egentlig havde været lige ved at sige. 'Fra hans rejser. De ankommer som regel i kuverter eller små papkasser afhængigt af, hvad han synes, jeg bør have derhjemme.' Han pustede røg ind i mikrofonen og tilføjede med et suk: 'Postbuddet kom forbi med store konvolutter to gange i sidste uge.'

Jeg var nødt til at se væk fra radioen og ud over de mørke bølgetoppe, mens jeg spurgte: 'Hvad var der indeni?'

'Den slags gave, du aldrig ville bryde dig om at se,' sagde Portvagten og lød forfærdelig trist. 'Eller forestille dig.' Al den faderlige mildhed var sivet ud af hans stemme, som nu kun indeholdt den bitreste fortvivlelse.

'Jeg er altså ikke sikker på, at vi taler om den samme eventyrdigter, Portvagt,' sagde jeg og havde for længst glemt at tilføje et 'over', når jeg havde talt færdigt. 'For vores, han er altså en fucking voldtægtsforbryder og lystmorder, at du ved det.'

'Kører han stadig rundt på sin Vincent Comet?' ville Portvagten vide.

Hvordan kunne nogen af os glemme den tingest? Jim havde allerede ansat tre knægte fra Sacred Heart som sikkerhedsvagter, der skulle forhindre, at klodsede turister eller en pissefuld narrøv fra byen kom til at vælte den. Han betalte dem kontant, hvilket grillbaren levede højt på.

'Det eneste, han elsker højere end det monstrum, er sig selv,' sagde jeg.

'Men der bliver ikke begået flere mord, vel?' spurgte stemmen. 'Alle de unge kvinder i byerne, han kommer forbi? Det er slut, ikke? Avisforsiderne handler om fiskekvoter nu i stedet. Og det er der en grund til.'

Jeg vidste godt hvorfor. Jeg havde set Jim føre sig frem nede på McSorley's og give omgange til enhver, han kunne smile lidt til. Han afholdt pokeraften hver fredag med de tunge drenge nede fra *garda*-stationen. For slet ikke at tale om, hvor medgørlig han havde gjort Father Malloy ved at synge i kirkekoret to gange hver søndag. Jo, helt blind var jeg ikke. Men jeg ville alligevel også høre Portvagten sige det højt.

'Og hvad er forklaringen så?' spurgte jeg.

'Det ved du jo lige så godt som jeg,' sagde stemmen, som havde vokset sig faderlig og belærende igen. 'Det er, fordi han er ved at føle sig til rette i jeres by. Som en gøg, der smider de andre fugle ud af reden for til sidst at have den for sig selv. Nu bliver han boende. Jeg gætter endda på, at han er ved at planlægge noget mere ... permanent. Er der ikke rigtigt?'

Jeg kom i tanker om den diamant, han havde foræret tante Moira, og fik lyst til at rende ned til deres soveværelse og jage min kniv gennem det dumme svins sorte hjerte med det samme. Jo, han havde gang i noget permanent. 'Hvem er du?' spurgte jeg og ville allerhelst have kunnet splitte metalæsken ad og trække trolden ud af den. 'Hvorfor kommer du ikke selv herud og ordner det, hvis dig og din krystalkugle ved så skide meget om os?'

'Fordi jeg er bange for ham. Og det burde du også være.'

'Hvad er hans svage punkter? Hvordan kan jeg stoppe ham?'

Og igen vidste jeg, hvad svaret var. Men jeg havde vel brug for en venlig stemme, der kunne forsikre mig om, at jeg ikke stod helt alene med den indsigt.

'Du har vel bemærket, hvordan han ser på kvinder, har du ikke?' spurgte Portvagten og masede sit skod ned i et askebæger, der lød så stort som et krater. 'Der har du hans svaghed, kære Nattevinge. Der er den, ganske nøgen og til offentligt skue.'

'Har du nogen sinde prøvet selv at standse ham?' spurgte jeg. Men Portvagten var væk. Jeg hørte kun det evige megahertz-ocean, hvis bølger steg og faldt, lige meget hvem der lyttede med på dets oprørte hav.

Jeg hørte nogen rumstere bagved og vendte mig om.

Aoife viste sig i døråbningen, hvor solopgangen indhyllede hendes blege ansigt med splinternyt guld. Hun havde min læderjakke og sine gummistøvler med blomster på for at beskytte sig mod morgenkulden. Min tvillingesøster kom hen og uglede mit hår med begge hænder. Jeg var ved at tude, fordi jeg var så glad for endelig at se hende ude af fjerene igen. Fiona sjoskede ud på terrassen til os med tre af mine tændte smøger i kæften, som hun overrakte os hver som hellige offergaver. Jeg betragtede min familie og blev opfyldt af den slags stolthed, som mødre nok føler, når deres unger falder og rejser sig igen.

Jeg smilede til dem begge to, som de stod der i sollyset, min sfinkssøster og hendes blonde lille hippiesoldat. Og jeg vidste, hvad vi nu var nødt til at gøre.

'Jeg har lige fået en genial idé,' sagde jeg.

Min mors bryllupskjole gav genskin i solen. Et silkespøgelse fra min barndom. Først troede jeg, det var et fata morgana, som var blevet skabt et sted inde hos skrædderen på hovedgaden. Jeg var midt i dagens indkøb til Aoife, som gudskelov nu også var begyndt at spise æbler og brød. Men efter igen at have set den hvide kjole derinde trak jeg min ramponerede cykel ind på fortovet og satte næsen mod ruden. Det viste sig, at jeg både tog fejl af det sære syn, men også havde set rigtigt. Det *var* et gammelt familiebillede, som var blevet vækket til live igen, bortset fra, at ansigtet oven over kjolen ikke længere var min mors.

I stedet storsmilede min tante Moira som en barnebrud, mens hun vinkede mig indenfor i butikken.

'Lidt mere til venstre, tak,' hviskede hun til syersken, som var en stille pige med fregner, som ingen af os rigtig kunne huske navnet på. Tante Moira ventede, til pigen havde syet taljen ind på det gamle stof, så kjolen flugtede bedre med hendes nye, smalle Angelina Jolie-hofter. Så kiggede hun over på mig med røde strutkinder og blanke øjne, der skuede ud på en fremtid, jeg selv havde svært ved at forestille mig. Hvad ønskede hun sig mon? tænkte jeg. Et lykkeligt, harmonisk hjem, hvorfra man hørte 'stovte børn lege og glade ungmøer le', som Eamon de Valera engang havde spået os alle sammen? Jeg tvivlede stærkt på, at gamle Dev kunne have forestillet sig, at skabninger som Jim ville stifte familie.

'Hvor ser du smuk ud i den, tante Moira,' sagde jeg og havde lyst til at sætte en tændstik til kjolens flæser.

'Tak, min ven,' svarede hun, men alarmberedskabet i hendes øjne havde opfanget, hvor meningsløs min ros egentlig var. 'Sæt dig bare ned. Vi skal tale lidt sammen, vi to.'

'Okay,' svarede jeg og plantede mig på en rød fløjlsbetrukket stol, mens pigen, hvis navn jeg stadig ikke kan huske, gik ud i baglokalet. Det blik, hun sendte den vordende brud, kunne lige så godt have været fra den ydmygeste tjenerinde til rigets dronning på selve kroningsdagen.

Tante Moira var nu det nærmeste, man i Castletownbere kunne komme på en ægte berømthed, og hun belønnede pigen med et nådigt smil, der ville have passet bedre til en Hollywood-stjerne fra fyrrerne.

Men efter at hun havde sikret sig, at vi var alene, forsvandt filmskuespilleren.

'Det var ikke meget, man så til dig og dine søstre ved min sidste fredagsmiddag.'

'Næh, det gjorde man vel ikke,' svarede jeg. Hvad havde hun forestillet sig? Efter hvad Jim havde gjort? Skulle vi have sunget fællessang? Eller spillet Trivial Pursuit?

Moira kom lidt tættere på, fordi Hendes Majestæts loyale lille tjenerinde sikkert stod og lyttede. Det er løgn! tænkte jeg, da jeg så, at hun havde mors fineste perleøreringe på, som vores far havde foræret hende i bryllupsgave. Jeg huskede dem tydeligt, fordi vi alle sammen var gået i biografen samme aften. Mor var blevet ved med at røre ved sine øreflipper for at være sikker på, at Humphey Bogart ikke havde rakt ud fra lærredet og givet dem til Lauren Bacall før pausen.

'Jeg har også hørt alle rygterne,' sagde tante Moira og kiggede forbi mig ud på gaden. 'Man siger de skrækkeligste ting om min Jim. Det siger han, at folk altid har gjort. Og selv om I tre tror, jeg er blind, så er jeg det altså ikke.' Hun rakte ud efter mit ene håndled og holdt fast. 'Han har levet en vild tilværelse, ingen tvivl om det. Der har nok været lidt for mange affærer og en del drukture, javist. Men det er slut nu. Det har han lovet mig. Og det, folk påstår, han har gjort ved Aoife, altså, det kan jeg bare ikke ...' Hun tav stille og så mig stadig ikke i øjnene.

'Det kan jeg,' sagde jeg og befriede min hånd uden at gøre det alt for tydeligt.

Noget skarpt skiftede retning inde bag hendes Bette Davis-øjne, og den rødmende brud blev sendt bort til det kammer, hun boede i, når det rigtig beskidte arbejde skulle gøres. En langt mere forstålet tante Moira lænede sig endnu længere ind imod mig og nikkede længe, som om noget lige var gået op for hende. Da hun endelig så på mig, var det på samme måde, som man ville have behandlet en, der havde påstået, at plastic-Jesus var Djævelen selv. Havde hun haft en synål i hånden, ville jeg helt sikkert have fået den stukket i øjet.

'Ser man dét,' sagde hun og spidsede munden. 'Du så ham altså selv gøre det?'

'Nej,' svarede jeg, og hende spidsmusen inde bag forhænget stak omgående snuden frem, fordi jeg havde hævet stemmen lidt. 'Det gjorde jeg ikke.'

Moira rystede på hovedet, hvilket fik hendes øreringe til at klinge som bjælder. 'Hvordan kan du så være sikker på det, du lige sagde? Hvordan kan nogen af jer vide nok til at beskylde ham for at have gjort noget så uhyrligt?' Hendes ansigt var nu dækket af røde pletter, og hun var begyndt at ånde tungt. Hun begyndte at pille ved en ellers velplejet negl, og de røde afskalninger faldt ned på gulvet som indtørret blod.

Han gjorde uhyrlige ting, længe før han rørte ved min søster, tænkte jeg. Jeg huskede, hvor fars-agtigt Sarah McDonnells forsvundne ansigt havde set ud, og tænkte på, om tante Moira mon selv ville komme til at mangle sit eget om et par uger.

'Jeg ved ingenting, tante Moira,' sagde jeg med så tonløs og lydig en stemme, jeg kunne hykle. 'Og jeg er ked af det, men nu må jeg altså se at komme hjem. Mine søstre venter på mig.'

Det smilede Moira ad, fordi nogle minder åbenbart ikke lå helt begravet under den dyne af kærligheds-voodoo, som Jim dængede hende til med hele døgnet rundt. Måske så hun os i et kort glimt dengang, vi var små, bevaret som ét eneste lysbillede fra en tid, længe før hendes elskede *seanchaí* overtog alting. Eller også ønskede hun mig bare tre alen under jorden, men gjorde gode miner til slet spil. Det vil jeg aldrig få at vide. Hun kneb øjnene sammen igen og fjernede lidt læbestift fra den ene mundvig.

'Vi skal giftes nu på lørdag,' sagde hun med en stemme, der var beruset af drømmesyn. 'I Sacred Heart Church klokken to. Der er bestilt kage. Med lilla lys på toppen og tre lag jordbær indeni.' Nu smilede hun igen hele vejen ned til den bageste kindtand, og forventningen om det lykkelige øjeblik oversteg den vrede, hun følte over for enhver, som vovede at tænke ilde om hendes darling Jim.

Det troede jeg i hvert fald. I cirka to sekunder.

'Jeg ved, vi nok skal blive lykkelige sammen,' sagde hun og smilede stadig som den gode fe i den slags eventyr, Jim aldrig kunne finde på at fortælle. 'Og hvis nogen af jer piger tænker på at ødelægge ceremonien på nogen måde? Eller sprede ondsindet sladder om min Jim rundtomkring i byen indtil da?' Hun så på mig som en totalt fremmed, mens hun glattede et par rynker på kjolen. 'Så kan hverken Father Malloy eller Vorherre til sammen redde jer fra mig.'

Jeg var knap sluppet ud af skrædderbutikken, før jeg rendte lige ind i kvinden med byens blankeste uniformsknapper. Hun havde ligesom alle andre gjort mig og mine søskende til usynlige mennesker. Mig og Fiona havde i hvert fald vadet op og ned ad hovedgaden i næsten en uge uden at få så meget som et enkelt nik. Folk var selvfølgelig fanget i en dyb loyalitetskrise, det vidste vi godt. Skulle man tro på byens kælegris eller de der skøre Walsh-søstre? Langt de fleste valgte uden tøven Jims honningøjne. Men vi havde ærlig talt forventet en lidt bedre behandling fra vores tidligere bedste ven.

'Hvo'n går det så, Bronagh?' spurgte jeg, mens jeg låste min cykel op og var ret ligeglad med, om det gik den ene eller den anden vej.

'Ind i bilen, kom,' sagde hun og borede hagen ned i sin nystrøgne skjorte. Hold kæft, hvor hun bare elskede den skide Ford Mondeo. Et beskidt stykke sæbe med hjul på.

'Uha, så nu er det med dén på, hvad? "Ind i bilen"? Du har ikke sagt så meget som en lyd til mig hele ugen, og nu kører du din latterlige detektivstil med falsk Bronx-accent? Skal jeg anholdes for at være byens mest ignorerede veninde, eller hvad?'

'Kom nu,' sagde Bronagh. To knægte fra Sacred Heart, som skærmede en ulovlig smøg med begge hænder, var begyndt at skæve hen til os.

'Jeg har travlt.'

'Ja, jeg har godt lagt mærke til, hvordan du sørger for ...' Hun blinkede til mig. '... for Aoife.'

'Der kan du bare se. Du kan stadig væk godt huske, hvad hun hedder til fornavn.'

Jeg trak cyklen hen ad fortovet. Bronagh spærrede for trafikken, mens hun kørte i sneglefart ved siden af mig. Folk hviskede. Jeg kunne høre dem helt ovre på den anden side af gaden. En pige pegede på den hvide politibil og holdt sig for munden. Og jeg vidste, at den tapre sergent Bronagh Daltry, i hvert fald for en stund, var gået lidt tilbage i den offentlige meningsmåling.

'*Jaysus*, Rosie. Sæt dig nu ind.'

'Kun hvis du tager min cykel med. Og holder op med at lade, som om du er på tv.'

Bronagh svarede ikke, men steg ud og tog fat om styret, mens hendes ansigt langsomt blev blegere. Da jeg satte mig ind og pillede ved hendes radio, kunne jeg høre hende skramle med min gamle Bessie og spænde hende ublidt fast på taget. Det havde Bronagh ærlig talt godt af. Da hun endelig vendte tilbage og satte bilen i første gear, var hendes mund så stram som en sypose.

'Er du *så* tilfreds?' spurgte hun og smilede syrligt til de to knægte, som vinkede til os med fingrene.

'Jah, lidt,' svarede jeg og kunne ikke finde andet end spritbilistmeldinger på hendes frekvens.

Hun slukkede for radioen og rodede rundt efter det slik, jeg godt vidste, hun altid gemte i handskerummet, men der var ikke mere. 'Hvad siger du til, at vi snakker lidt om en mand ved navn Jim?' spurgte hun.

'Hvad med, at du anholder ham i stedet for, at vi to sidder og kværner? Hvad siger du til det?'

'Jamen det ville da være pragtfuldt,' sagde Bronagh, som var blevet så gal både på mig og sig selv, at hun næsten råbte. Hun kørte ud for enden af molen, hvor vi legede, dengang vi var små. Fiskekutterne luntede i havn med eskadriller af havmåger lige i kølvandet, og der stod mænd i uldsweatere på kajen og ventede på at losse dem.

Bronagh havde noget i skødet. Og fanden ta' mig, om jeg ville spørge hende, hvad det var.

'Tror du måske ikke, at jeg *har* forsøgt? Jeg vil sgu da have hans brune bamseøjne ind bag gitterporten i fængslet på Rathmore Road *inden* klokken fjorten på lørdag.'

'Så er vi jo enige,' sagde jeg og begyndte at fortryde min sarkasme. Noget sagde mig, at lille sergent Daltry ikke var inviteret med til den fremtidige mr. Walshs ugentlige pokeraften med drengene. 'Men hvorfor sidder vi egentlig og diskuterer?'

Bronaghs mundvige bevægede sig nedad, og hun kvalte et suk, der let kunne have udviklet sig til en hulken, hvis ikke hun havde været hurtig. Den lyd indeholdt ikke bare sorg over overgrebet på min søster og fortvivlelse over hendes egen afmagt som nybagt sherif. Jeg kunne også høre ti måneders nedladende irettesættelser fra sergent Murphy og den ophobede afmagt over, at selv ikke skolebørn viste hende den fornødne respekt. 'Fordi jeg ville have, du skulle vide, at jeg har finkæmmet hele denne her sag for at få ham sat fast for *noget*. Lige meget hvad. Han er for perfekt. Det ved jeg da godt. Det ved alle.'

'Men du kommer alligevel med til brylluppet, ikke?' spurgte jeg, mens jeg fandt en krøllet cigaret i lommen og rettede den ud, så jeg kunne få i hvert fald to hvæs. 'Gør du ikke også, *Lieutenant Columbo?*'

'Invitationen kom med posten her til morgen. Jeg ved ikke, hvordan jeg ellers ...' Hun så bedende på mig. 'Fik I ikke også en?'

'Hendes Højhed gav mig vist lige sin egen helt specielle variant lige før.'

Bronagh lukkede sagsmappen op, som hun havde haft liggende i skødet.

'Pigen hed Laura Hilliard, og hun kom fra Stoke-on-Trent i England. Altså hende, der blev myrdet ovre i Kenmare for en måneds tid siden?' Bronagh stirrede ud på to mænd i sorte waders, der gled på det glatte dæk og væltede et sølvtæppe af friskfanget kuller ud over hele kajen. 'Morderen efterlod intet af sin egen dna. Nøjagtig som med Sarah Mc-Donnell og hende Holland-enken ovre fra Drimoleague af, hvis du ellers vil vide det. Er du med? Ingen spor af hudceller, ingen sperm, ikke så meget som én eneste skide bloddråbe. Så enten har han haft gummihandsker eller kondom på hele vejen igennem, eller også er der ingen, som gør modstand, før det er for sent.'

Jeg kiggede ud ad vinduet på de døende fisk, som vred sig på asfalten, og kom til at tænke på blikket i øjnene på de to piger, som Jim hjalp over gaden forleden. Total hengivenhed. Man kunne have smidt kanonslag i nakken på dem, og de ville have påstået, at det nok var torden i det fjerne. 'Er der overhovedet nogen her i byen, som gør modstand?'

Hun viste mig et ark papir.

'Det er der nu. Vi har fundet en lille smule spyt på en kaffekop i enkefru Hollands hjem. Det blev overset ved første indsats. Det passer ikke på nogen, vi kender, men stammer fra en mand. Teknisk siger, at offeret først havde sikker sex og derefter fik kraniet trykket ind. Der blev heller ikke fundet nogen sædrester.'

'Lyder skidehyggeligt.'

'Overtal Aoife til at melde det. Officielt. Så smider jeg håndjernene på stodderen, og vi kan i det mindste få en lovlig dna-prøve og sammenligne –'

'Det ved du sgu da godt, hun ikke vil. Jeg har ikke bedt hende om andet end at tage ned og snakke med dig. Og hvad gør hun? Går ud i skoven og taler med træerne.'

'Hvad nu, hvis vi tog nogle prøver af hendes –'

'Det er vist lidt for mange brusebade siden, sergent Daltry.'

Bronagh lagde arket tilbage i mappen og gemte den væk under forsædet. Vi sad lidt uden at sige noget og lyttede til fiskehalerne, der klaskede mod den skoldhede parkeringsplads. Jeg kunne huske, at vi havde røget vores første cigaret sammen lige i nærheden af, hvor vi nu sad. Da jeg så over på hende igen, græd hun som et barn.

'Så, så, Bronagh,' sagde jeg og følte mig som verdens største bitch, fordi jeg ikke kunne få hende til at holde op. 'Det går nok, skal du se.'

Hun tørrede snuden med sit ulastelige blå uniformsærme og afslørede med et skeptisk blik, at hun udmærket godt vidste, hvad jeg gik og dagdrømte om mere end noget andet i hele verden. 'Det ved du jo godt, det ikke gør.'

'Må jeg få en *Murphy's* til, Jonno?'

Stemmen var min. Det var jeg ret sikker på, fordi jeg kunne mærke vibrationerne i struben, mens jeg udtalte ordene. Men intet andet den aften var mit. Ikke engang det tøj, jeg havde på. Forstår du, nu spillede jeg rollen fuldt ud som Byens Eksotiske Skøge, hvis mytologi folk aldrig fik nok af at gentage med eftertryk over for hinanden. Især kapitlet om, hvordan jeg aldrig havde givet nogen mand lov til at få en tur. Hvis ikke jeg kunne ryste dét kainsmærke af mig, så skulle det i hvert fald bruges til noget fornuftigt.

Efter at Bronagh endelig var holdt op med at flæbe, var jeg gået hjem og havde fundet min korteste sorte nederdel og klippet et par ekstra cen-

212

timeter af forneden. Jeg havde sprøjtet noget dyrt og fransk ud over mig, som Evvie havde glemt på badeværelset, og justeret mit sexheks-look, mens jeg satte maddingen på krogen for at fange mr. Jim Quick. Så var jeg cyklet ned til byen igen og gået ind på McSorley's.

For hver onsdag aften gik folk fuldkommen fra vid og sans. Det var nemlig der, at Jim altid underholdt med enten en sang eller måske endda en ny historie. Det var også min sidste chance inden brylluppet for at få det, mine søstre og jeg havde krav på.

Herren være lovet for Jonno, som havde stået bag baren, siden min mor var ung. Han bevægede sig hen over gulvet som en kutter-cowboy på sin egen helt specielle, sejlende måde og satte glasset lige foran mig. Den søde Jonno. Han skulle lige til at spørge, hvorfor jeg dog var majet sådan ud, men tog sig i det. Så sendte han mig et af sine vaskeægte Hollywood-plasticsmil og vendte tilbage til egetræsbaren. Det har jeg aldrig glemt ham for. Han kunne sagtens have ødelagt alt for mig den aften. For ulve er ikke vant til, at byttet jager *dem*, men aner alligevel uråd, hvis de får færten af noget, der ikke stemmer.

Så jeg blev bare siddende i forlovelsesboden, som mig og mine søstre praktisk talt havde indtaget som vores egen, og drak langsomt min øl. I over en time sad jeg der og spillede alt for cool til at tale med nogen, da min hud begyndte at klø. Jeg vidste, at det var, fordi de eneste øjne, jeg ledte efter, havde meldt deres ankomst ved at kigge på mig.

Jeg tændte en Marlboro til og knækkede filteret af for at komme til sagen lidt hurtigere. Men jeg hilste ikke på Castletownberes yndlingsborger, før han næsten var kravlet op på skødet af mig.

'Man bliver i dårligt humør af at drikke alene. Det sagde min far altid.'

'Gjorde han det?' svarede jeg og fikserede øjnene på tapetet. 'Han lyder klog.'

'Han plejede også at sige –'

'Hænger der et skilt på skillevæggen, hvor der står "Vil alle tabere, tiggere og tilfældige vagabonder venligst komme indenfor og spilde min tid?", spurgte jeg og kiggede på ham og prøvede ikke at overspille det. For som den svindler, han var, kunne Jim lugte en dårlig skuespiller på en kilometers afstand. Jeg havde nu alligevel en skjult fordel. Sådan havde jeg behandlet alle mænd hele livet. Og ikke én af dem brokkede sig.

213

'Næh, det gør der vel ikke.' Han grinede, mens han nikkede af noget, han sikkert selv syntes var utrolig dybsindigt.

'Så forstår vi hinanden,' sagde jeg og vendte mig væk fra ham.

Hele baren summede lige så lystigt som før, og jukeboksen kværnede. Men jeg vidste, at alle bare var ved at dø af spænding for at se, hvad deres *seanchaí* ville svare. Siden han kom til byen, havde ingen af dem set mig tvære en fyr ud, som prøvede at score. Desuden havde jeg allerede afvist over halvdelen af dem, der var til stede den aften. Og de lå nok stadig og fantaserede om mig, når de var sammen med deres koner.

'Jeg forstår godt, du er vred,' begyndte han med en stemme, der havde så meget sukker på, at selv jeg havde svært ved ikke at brække et stykke af og slikke på det.

Jeg foregav at se mig omkring i lokalet. 'Har du ikke nogen med? Kom ikke og fortæl mig, at lillemor giver dig lov til sådan at gå i byen helt alene? Jeg troede ellers, at du skulle passe din sengetid.'

Selv træharpen på væggen holdt vejret. Jeg kunne høre glassene klirre, men ikke en skid andet, mens jeg tog et giga-hvæs af min smøg og blæste røgen ned på mine grønlakerede negle. Han skulle fandeme arbejde for det. Og vi var først lige begyndt.

'Det er ikke mig, du skal være vred på,' sagde han med sin Obi-Wan Kenobi-stemme, som han åbenbart også elskede at bruge. 'Jeg ved godt, hvad din søster sikkert fortæller dig, men jeg havde ikke noget at gø –'

'Hvorfor sidder du stadig væk der og snakker til mig?' spurgte jeg og stirrede lige midt imellem hans dragende honningmagneter og behøvede slet ikke at lade, som om jeg helst ville rive hans lunger ud af deres smukke hylster.

'Mig og Aoife, okay, vi var sammen,' sagde han og holdt hænderne op, som om Bronagh og de andre lænkehunde var braset indenfor. 'Jeg er ikke specielt stolt af det. Det ... skete bare. Men da jeg gik igen, så sandt som Gud er mit vidne, Róisín, var hun altså helt okay. Jeg sværger ved min egen mors grav på, at hun vinkede farvel til mig.'

Jeg så Aoifes hævelser og udslukte blik for mig og var lige ved at smadre mit ølglas og tvære skårene ud i fjæset på ham. Men jeg nåede at besinde mig, og det lykkedes faktisk at fremtvinge et næsten brugbart udtryk for almindelig flovhed.

'Jeg ... prøv at høre, min søster er sammen med flere forskellige fyre,' sagde jeg. 'Nogle af dem er endda lige så skodagtige at se på som dig, så det rager mig en ski –'

Og så rørte han ved mig.

Ved alle helgener i tante Moiras himmel, han tog om mit ene knæ med sine lange fingre og gav det et klem, som om jeg allerede var en af hans små erobringer, der bare ikke selv var klar over det endnu. Er det virkelig så nemt? tænkte jeg, mens han lod hånden hvile der et øjeblik, før han diskret trak den til sig igen. Er der slet ingen, der opdager, hvor totalt iscenesat og falsk han er? Hvorfor er det kun mig, der kan se spejlet, han gemmer sig bag, mens han puster grønt tryllestøv ind i øjnene på dem, der bare tvivler en lille smule? Det gik op for mig, at kun Portvagten ville ane, hvad jeg overhovedet fablede om.

'Det er svært nok for mig, at din tante ved, hvad jeg har gjort,' sagde han og lignede en skoledreng, der var blevet taget i at stjæle fra kirkebøssen. 'Og det prøver jeg at reparere på. Men det er altså værre med rygterne. Vil du ikke godt fortælle din søster, at jeg er rigtig ked af det?'

'Hvad er du ked af?' spurgte jeg og spillede ikke længere selv komedie. 'Hvis du ikke har gjorde noget ved hende?'

'Jeg ved ikke ... måske opdigtede hun det med voldtægten bagefter, fordi hun fortrød, hvad vi havde lavet. Og hun vidste, at dig og Fiona ville beskytte hende.'

'Du har helt ret i det sidste.' Min ene hånd var allerede dykket ned i tasken og tog fat i kniven. Jeg kunne allerede se ham liggende livløst ind over bordet.

Han rynkede panden, og det lignede næsten rigtig anger, da de smukke læber lavede zigzag-bevægelser samtidig. 'Det var derfor, jeg tænkte, at ... du og jeg kunne mødes sådan lidt før brylluppet, bare os to. Måske kan du være en slags mellemmand mellem mig og Aoife? Nu hvor vi skal til at være i familie og alting. Jeg vil ikke have, at nogen går rundt og føler sig dårligt behandlet.'

Jeg nåede kun lige at holde hånlatteren tilbage. Åh, din snu rad, tænkte jeg, din dygtige psykopat, mens jeg lod, som om jeg overvejede tilbuddet som den loyale søster, jeg var. Jeg lagde også mærke til, at hans øjne dvælede lidt for længe ved mine bryster, før de igen steg op i ansigtshøj-

215

de. Bare os to. Alene. Det kunne kun betyde, at jeg enten skulle have trusserne af eller en hammer i hovedet. Eller begge dele, sikkert.

Jeg kiggede hen på ham og lagde hovedet på skrå. Jeg sørgede også for at klemme brysterne sammen ved at stikke begge hænder ned mellem benene og bevæge skuldrene lidt fremad. Ka-ching! Han kunne ikke få øjnene fra dem, mens jeg lod, som om jeg gradvis var ved at vænne mig til rollen som mægler mellem min søster og hendes voldtægtsmand.

'Hvad har du gang i?' spurgte jeg, fordi det ville have gjort ham mistænksom, hvis jeg havde sagt ja med det samme. 'Hvorfor lige mig?' Jeg opfangede et blik fra Jonno, der sagde: 'Hvis han prøver på noget, så bare sig til.' Selv om hele byen var forelsket i den charlatan, så ville Jonno stadig have slået ham ihjel for min skyld, det er jeg sikker på. Men jeg ville have ham helt for mig selv.

'Fordi jeg også var lidt sammen med Fiona, som jeg er sikker på, du ved,' sagde han og lod, som om han skammede sig over at have været i seng med alle Walsh-kvinderne bortset fra én. "Hun vil stadig væk ikke kendes ved mig. Jeg lod hende vist lidt i stikken, tror jeg. Men dig og mig, vi har ikke noget på hinanden. Kan vi ikke lige ses? Måske i morgen eftermiddag? Du kender helt sikkert et hyggeligt sted, jeg ikke har set endnu. Så tager jeg vin med. Okay?'

Jeg ved stadig ikke, om jeg overværede et selvmordsangreb, et udslag af almindelig frækhed eller bare det dygtigste tryllenummer, jeg nogen sinde havde set. Han lavede sikkert hattrick ved at invitere sit voldtægtsoffers tvillingesøster ud på en date for at overbevise hende om sin uskyld. Altså, hvad gi'r I mig? Og der var kun ét svar på hans spørgsmål. Jeg lod ham endda få en skygge af et smil, da jeg tog min taske og rejste mig.

'Kender du stranden nede forbi Eyeries?' spurgte jeg og vidste, at han allerede havde været dernede og fiske med en masse knægte fra Sacred Heart. Drengene var vendt hjem med en ny helt og hovedet fyldt til randen med røverhistorier. 'Lige til venstre, før du når til kolonialhandleren?'

'Ja, det finder jeg nok.' Han fik sit ansigt til at se lettet ud over, at jeg havde sagt ja. Rent skuespil. Men jeg var alligevel nødt til at tage hatten af for hans teknik. Enhver forstads-Laila ville have købt den med det samme.

216

'Klokken halv to, ved den gamle stenmole,' sagde jeg og bundede min øl i ét drag. Jeg håbede ikke, at han lagde mærke til, hvor meget min hånd skælvede, da jeg satte glasset fra mig. Men han var såmænd selvglad nok til at tro, det havde noget med hans charme at gøre. 'Jeg drikker kun Sauvignon Blanc. Og den skal være kold.'

Jeg gik ud på fortovet uden at vente på hans afslutningsreplik, men det behøvede jeg heller ikke. Han skulle nok være der med en afkølet flaske i den ene hånd og et par handsker i baglommen til det grimme lidt senere. Han ville vente på mig lige så sikkert som de sveskefarvede blodudtrædninger, han havde lavet på Aoifes lår.

Og det ville jeg også.

Det føles helt underligt at tænke tilbage på nu. Men jeg har ikke rørt en dråbe alhohol siden den aften. Det smager bare ikke godt mere.

Jeg var ved at kaste op af adrenalinchok, mens jeg cyklede op ad bakken og hjem til mine søstre og snoede mig uden om turister ovre i den forkerte side af vejen. Lyden af bølgerne, der slog ind mod klipperne, rungede i hovedet på mig, da jeg fik øje på de varme knappenålshoveder af lys, der prikkede hul i bakkernes blå mørke.

'I morgen,' sagde jeg hen for mig og trampede til i pedalerne.

Hvorfor mon jeg tøver med at fortælle dig resten? Det er ikke, fordi jeg skammer mig over, hvad vi gjorde, eller føler væmmelse ved det. Nej, for at være ærlig, så er jeg mest af alt skuffet over det hele. For jeg havde planlagt alting så nøje. Jeg blev oppe hele natten og gennemgik planen forfra og bagfra. Jeg lå der og holdt min søster i hånden, mens jeg mærkede hendes pulsslag og så Jim for mig, idet han smilede for sidste gang.

Men det gik jo ikke helt efter planen, vel?

Næste dag var jeg mindst tyve minutter for tidligt på den. Og da jeg drejede om et skarpt hjørne nede på strandvejen, var det første, jeg så, hans ildrøde motorcykel, som allerede holdt parkeret på molen. Jeg bandede lavmælt, mens jeg styrede Aoifes Mercer gennem det våde sand, og følte mig som en total idiot, fordi jeg ikke havde forudset, at han ville være i endnu bedre tid end mig. Nu var det umuligt at lave et ordentligt bagholdsangreb. Og jeg kunne ikke se ham nogen steder. Hans kværn stod bare dér og lod vinden kærtegne sig, mens fiskehejrerne omringede den med deres skrig. Det var, som om min søsters plageånd allerede var død, eller måske bare forsvundet ind i sine egne sagnomspundne eventyrskove. Vinden raslede i bladene på to forvredne træer, der dyppede et par af deres grene i vandet. Men hvis de prøvede at advare mig, så skulle de have talt lidt højere. Jeg havde ønsket Jim død og borte så tit, at jeg næsten kunne overbevise mig selv om, at Gud nu endelig havde belønnet de retfærdiges had.

'Jeg har altså kun Chablis, er jeg bange for. Jeg kunne ikke finde den anden slags,' sagde hans stemme lige i nærheden.

Jim havde taget en af Harolds hvide hørjakker og en åbenstående skjorte på til lejligheden, som om vi var et tragisk, hemmeligt par fra en dårlig lægeroman.

Han sad i det høje græs med benene over kors som en anden døds-Buddha. Jeg kunne lugte mangosalsaen på kyllingen, før jeg havde lukket bildøren, og hadede ham også for at være godt til at lave mad. Han havde ikke bare taget madkurv med og bredt en dug ud, som jeg kunne se havde været min mors. Næh, han havde fandeme også sat de dyre krystalglas frem, som tante Moira aldrig brugte, fordi de alt for let gik itu. Hans slanke fingre holdt om stilken på et af dem og rakte det hen imod mig.

'Hvor mange vinhandlere prøvede du på vejen?' spurgte jeg, mens jeg gik langsomt derover, og bestemte mig for et neutralt ansigtsudtryk med bare et anstrøg af min egen sorte magi. Staklen skulle jo helst tro, at han måske senere ville blive taget til nåde igen. Jeg havde taget en endnu kortere kjole på, og blæsten hjalp til. Han kiggede i hvert fald ikke på mine øjne, da jeg endelig satte mig ned.

'Hov, hov,' sagde han og nippede til sit glas, mens han rystede godmodigt på hovedet. 'Smag nu på vinen først.'

Han rakte ned i kurven og tog et kyllingelår op. Jeg stirrede på det sprøde skind og vidste, at jeg umuligt ville kunne lade, som om det smagte mig. 'Hvad Aoife angår,' sagde jeg og tog en lille bid, 'hvad har du så tænkt dig? Hun har ikke været uden for en dør i over en uge.'

'Tror du, jeg kan tale med hende?'

'Jamen det er jo bare genialt, du. Måske kan du også tage lidt hvidvin med til *hende*, nu du er i gang?' Jeg var knastør i munden, men jeg ville hellere dø af tørst end at drikke hans sprøjt. 'Måske kan jeg finde ud af noget med Father Malloy. Nede i kirken.'

Jim lyste op, som hvis jeg havde foreslået at lyne hans bukser ned og gå i krig. 'Tror du virkelig, at du kunne –'

'Ro på, Billy Shakespeare. Jeg sagde *måske*. Men hvis du tror, jeg kan udrette mirakler, inden du fører min elskede tante op ad kirkegulvet, så glem det. For der er kun to dage til.' Jeg vendte mig om og så, at vores eneste publikum var to egern. Og de var ligeglade.

Han smilede på en måde, jeg slet ikke brød mig om. 'Du er ikke så vild med hende, hvad? Moira?'

'Vi har samme efternavn.'

'Det havde Manson-familien også. Sig det nu, som det er.'

Vinglasset skyggede for alt andet end hans øjne, som nu forsøgte at forhekse mig med deres mystik. Hold kæft, denne her *tinker* var bare så narcissistisk, at han fortjente en kniv i ryggen med det samme. Men sådan havde jeg ikke planlagt det. 'Mig og mine søstre har altid passet på hinanden. Okay? Vi har ikke haft andre.'

'Der er noget ved dig, som hele tiden har undret mig,' sagde Jim og slækkede lidt på tryllestemmen. 'Det har naget mig lige siden den første aften, jeg mødte jer tre på McSorley's. Og det rumsterer i hovedet på mig som en ært, der ikke kan slippe ud igen.'

'Der burde ellers være plads nok derinde.' Det lykkedes mig kun lige at holde stemmen på ret køl. Jeg skævede over til Merceren og lod, som om jeg gabte. Langt borte bag træerne kunne jeg høre en anden motor gå i tomgang. Af en eller anden grund ønskede jeg brændende, at den ville blive ved. Men den var snart borte. Selv de frække fiskehejrer havde søgt ly, da jeg igen så over på Jim.

'Du er meget mere intelligent end dine søstre,' sagde han og rystede på hovedet. 'Langt mere. Passer det ikke? Du ville aldrig risikere at bringe dig selv i nogen form for sårbar position over for en, du ikke kender særlig godt, selv med ti glas indenbords.' Han drak lidt mere vin og smaskede højlydt. 'Men her sidder du alligevel, mit livs lesbiske lys, og viser brysterne frem for mig som en billig pornomodel. Så det, min lille grønært ikke kan finde ud af, er: Hvorfor har du ventet så længe? Hvorfor stak du mig ikke bare i brystet i går aftes med den fiskekniv, du gemmer nede i tasken?'

Jeg kunne ikke røre mig. Det var jo nu, jeg skulle have kastet mig over ham, og så sad jeg i stedet hjælpeløst med hænderne i skødet som en bedstemor på sovepiller. 'Vil han dræbe hende eller elske hende?' spurgte jeg, men så lavmælt, at ordene druknede i lyden af bølgeskvulp fra molen.

'Hvad sagde du?' spurgte han og skænkede et nyt glas op til sig selv som borgherren, der var på skovtur med sin yndlingsmø.

'Ja, det spørger jeg *dig* om. Dræb eller elsk hende, var det ikke det valg, prins Euan skulle træffe? Og den samme beslutning, du selv står over for, hver gang du plukker en blomst, du synes godt om? Hvad var der i vejen med Sarah? Mistede rosen sin duft for hurtigt? Eller kom hun bare til at tage din teatersminke af og se ulvens ansigt inde bagved?'

Jim satte glasset fra sig og klappede. Hans ansigt strålede af fryd.

'Hvor er det synd, at vi ikke mødtes for år tilbage. Du kunne så let som ingenting have taget Tomos plads som opvarmer, og i fællesskab ville vi have nakket dobbelt så mange huse, plus det løse. Piger til mig, drenge til dig, og vi deler rovet lige over. Nåh, ja.' Han rejste sig og børstede lidt græs af knæene. 'Vi må vel hellere få det overstået, inden min kommende hustru tror, jeg har noget kørende med en pige, synes du ikke?'

'Tror du, jeg tog alene herud?' Jeg sad stadig bare dér, mens han kom nærmere.

Jim vendte sig om imod den grønne Mercer og råbte: på den mest opstemte måde, 'O*i*, Fiona! Nu kan du godt komme ud. Så går det hele meget hurtigere, skal du se.'

Først var der ikke noget, der bevægede sig inde i Aoifes gamle taxa. Så knirkede bagsmækken, og Fiona klatrede ud derfra med noget tungt mellem hænderne. Hun rykkede frem imod os som en soldat, der godt ved, han ikke vil overleve angrebet – med øjnene rettet lige fremad og hagen skudt i vejret. 'Gå væk fra hende,' sagde hun. 'Gør det så!'

'Hvorfor taler alle i den her by som hende fantasi-strisseren Bronagh? Smid nu den skovl, eller også kommer I begge to til at bløde mere, end I behøver.'

Og det var så hele min plan, forstår du. Der var ikke mere. Slut, finale.

Genialt, ikke? Jeg sætter maddingen på krogen med lidt af det frække, og Fiona kommer strygende og knuser skallen på ham, mens vi er i fuld gang. Kan du nu forstå, hvorfor jeg ikke ville fortælle dig om noget af det? *Christ*, det var sgu da pinligt nok at være klædt som en af Jims små groupier. Det var endnu værre at forberede sig på døden som en af dem. Jim rakte igen ned i frokostkurven, og jeg vidste, at der ikke vankede mere kylling.

Hvad der derefter skete, var enten et trylleslag fra et af Jims egne eventyr eller bare det mest håndgribelige eksempel, jeg har set på, at kærlighed er stærkere end frygt.

Booom!

Vi spjættede alle tre og vendte os om imod lyden.

Dér stod min fantastiske tvillingesøster i sin armyjakke med alle sommerfuglejægerne malet på og sigtede på Jims hoved med vores fars gamle haglbøsse. Hun hev hurtigt den brugte patron ud og satte en ny i, mens hun gik om bag ham. Jeg havde aldrig før set hendes øjne så fulde af liv som i netop det øjeblik. Der strømmede ren ilt gennem hendes blodårer, og kinderne blussede rødt som kandiserede æbler. Selv da hun stod mindre end en meter fra ham, rystede hun ikke på hænderne.

'Så er det vist nok skovtur for i dag,' sagde Aoife. 'Det blæser også lidt op nu.'

Jim var lamslået, og hans ellers så overlegne charme splintredes som et troldspejl ved synet af pigen, han havde efterladt på stuegulvet som en grædende tøjklump. For det her var simpelthen umuligt. Mig og Fiona stod også bare med åben mund. Ser du, Aoife havde aldrig været en del af min snedige plan. Og her stod hun nu og var kavaleriet, der kom til undsætning, fordi indianerkonerne havde ødelagt deres eget hævnangreb og var ved selv at blive slagtet. Det var bedre end nogen af Jims fortællinger. En uventet drejning i sidste sekund, som vender hele historien. Skurkene græder, og heltene ler. Bortset altså fra, at vores skurk ikke var særlig tæt på at græde.

'Du er bare den bedste, Aoife!' sagde jeg og fik en klump i halsen.

Vores *seanchaí* fik dog hurtigt sundet sig og smurte honning på sin næste trussel. 'Folk har allerede hørt det skud,' sagde Jim med mere sindsro end en tiggermunk. 'Og selv hvis ikke de har, så vil de vide, hvem der slog mig ihjel. Jeg har spredt så meget sladder om jer tre rundt om i

221

byen, at man kunne skrive en italiensk opera over emnet, og der ville stadig være noget tilovers.'

'Skyd ham!' hvæsede Fiona og græd af lutter afmagt over at stå der og gøre ingenting. Eller også var hun også vred på sig selv over at være faldet for ham bare en lille smule for ikke så lang tid siden.

'Vent, lad os se, hvad for andre lækkerier han har taget med,' sagde jeg og vækkede omsider mine hænder til live igen, mens jeg gennemrodede Jims fletkurv. Jeg fandt hurtigt en murhammer med gaffatape viklet omkring. Den var sikkert det sidste, Tomo og Sarah så i levende live. Og de var garanteret ikke de eneste. Jeg viftede med tingesten. 'Nå, var der ikke mere kylling, eller hvad?' spurgte jeg ham.

'Du er da vist ikke håndværker,' sagde Aoife og signalerede med geværløbet, at Jim skulle begynde at gå ind i skoven. 'Det ville have været bedre med lidt mere bestik.'

'Har du nogen sinde slået nogen ihjel?' spurgte Jim og nikkede hen imod de to sorte mundinger. 'Det er et farligt svineri.'

'Du spilder min tid. Kom så,' svarede hun.

Jim var nået lige til skovkanten, da han standsede og lænede sig op ad et træ. Som han stod dér og lod bladene lave grønne solskinspletter på sin næse, vidste han godt, at ikke engang en ægte faun ville have set bare halvt så godt ud. 'Indrøm det nu bare,' sagde han. 'I er en lille smule nysgerrige efter at få at vide, hvordan alle de kvinder egentlig døde. Og I vil ikke grave en grav til mig, før I får hele sandheden. Er det ikke sådan, det er?'

'Nej,' sagde Aoife.

Jeg sagde ingenting. Men tvivlen var allerede kravlet ind i hovedet på mig gennem en kattelem i bunden af mit hjerte, som jeg ellers havde stoppet godt til forinden med en ordentlig portion had.

'Men så vil jeg aldrig kunne besvare Róisíns spørgsmål,' sagde Jim og pillede ved barken. 'Kan jeg vel, lille rose?'

'Hold så *kæft!*' sagde jeg og gik hen imod ham med kniven først.

'Hvad snakker han om, Rosie?' Aoife havde glemt geværet i sine hænder. Hun kiggede på mig med et anstrøg af tvivl i blikket.

'Ikke noget,' sagde jeg, mens skammen brændte i kinderne på mig. 'Pløk ham og lad os tage hjem. Ellers skal jeg fandeme nok kla –'

'Vent,' sagde Fiona. Hun var stakåndet, selv om vi alle sammen bare stod der uden at bevæge os. Hendes ene hånd skælvede, da hun rørte ved sine læber.

Og så smilede Jim selvfølgelig, ikke? Han grinede bare helt herfra og til Donegal, gjorde han. Han var mesterlig. Hvem ellers kunne i en håndevending have lavet en enkel henrettelse om til en gang psykologisk pinball og endda givet sig selv rollen som ham, der får maskinen til at tilte, lige inden næste spiller får en gratis tur?

'Hvad mener du med "vent?"' spurgte Aoife og trippede usikkert på sine lyserøde commando-støvler. Hendes sunde kulør var falmet og blevet grå. Hun hævede bøssen igen og sigtede på Jims perfekte frisure. 'Gider *nogen* godt lige forklare mig –'

'Jeg skal bare lige spørge ham om noget først,' sagde Fiona med et ansigtsudtryk som en butikstyv nede fra SuperValu, som bare ville stjæle lidt mad til sine sultne børn.

'Men *du* vil ikke høre om Sarah,' sagde Jim til Fiona, mens han satte sig med ryggen mod en træstub og strakte benene. 'Vel? Eller om Laura Hilliard eller Mary Holland eller om nogen anden langhåret skønhed, som krydsede min vej. Vil du virkelig vide, hvad der skete med nogen af dem? Du kan bare afbryde mig når som helst, hvis jeg tager fejl.' Fiona så bort i et kort sekund, og Jim fortsatte med at kile sig ind imellem os som en rødglødende skalpel. 'Næh, det er ikke dér, skoen trykker. Du vil have mere at vide om dig og mig. Hvorfor jeg aldrig kom tilbage. Hvorfor jeg bagefter valgte hende Kelly og så din tante, når jeg nu kunne have haft dig. Er jeg ved at være på sporet?'

Ker-lick! sagde de to hamre på vores fars go'e gamle haglgevær, for Aoife havde besluttet sig for, at forestillingen snart skulle være slut. 'I snakker alle sammen for meget.'

'Hvad er svaret så?' hørte jeg mig selv spørge manden, som jeg aftenen forinden havde svoret på at ville dræbe med mine bare hænder. 'Dræb hende eller elsk hende? Eller kommer det ud på ét?'

Det fik selv Aoife til at tøve. Hun blinkede med øjnene, mens hendes finger strammedes om aftrækkeren. 'Han er en rigtig dræber, ham her,' sagde hun. 'Det kan jeg love dig.'

Jim foldede hænderne som en vis gammel heksedoktor og bøjede hovedet forover, som om nogen lige havde hvisket noget dybsindigt i hans ene øre. Langt borte bag os, helt ude i strandkanten, var der nogen, der var ude at gå tur med to schæferhunde. De havde åbenbart ikke hørt skuddet, for de tog den med ro. Den ene hund sprang i vandet og hentede en pind. Tik-tok, tænkte jeg. Nu er tiden er løbet fra os.

'Ti minutter,' sagde han og stirrede ind i geværløbet. 'Jeg ved godt, at jeg skal dø i dag. Måske fortjener jeg det oven i købet. Men hvis I lader mig sidde under træet her og trække vejret i bare ti minutter til, så skal I få slutningen på begge historier. Både prins Euans og min egen.'

Hundenes fjerne glammen lød som fordums trompetstød. Jeg kunne næsten allerede selv høre ulvens blodige melodi i mine egne ører, mens Aoife så ud, som om hun overvejede Jims tilbud. Fiona nikkede til hende.

'Du får fem minutter,' sagde Aoife endelig og sænkede ikke sit våben en centimeter. 'Så lukker og slukker vi.'

'Krævende publikum, må jeg sige,' sagde seanchaíen og pegede på en brakmark, der bølgede gyldent ned imod os oppe fra landsbyen. 'Men det er vel i orden. Hvis vi nu forestiller os, at vi er langt tilbage i fortiden. Ulveslottet står lige på dén tomme plet derovre med hundreder af flag vajende i vinden. Tusmørket har næsten sænket sig, og vi kan se lige ind ad vinduet i det allerprægtigste tårn.' Hans stemme havde forvandlet sig til en syngende messen, der hørte et fjernt århundrede til. 'Forestil jer så, at vi ser en ulv derinde. Den står lige foran en kvinde, der intet gør for at forsvare sig. Det er prins Euan, som er ved at beslutte sig til, om han vil leve videre som et jaget dyr eller atter blive forvandlet til det umenneskelige menneske, han engang var. Han har længe ligget for hendes fødder, men nu rejser han sig op. Og hun kan tydeligt se sin skæbne afspejle sig i hans øjne.'

18

'Kan du mærke det, min kære fætter?' spurgte Aisling, mens det endelig lykkedes manden foran hende at stå usikkert på sine to fødder, som en fuld tigger.

Ja, sine *fødder*, for ulvekroppen blev ved med at forandre sig, jo mere han lagde vægten på bagpoterne. Han kunne mærke benene bøje sig forlæns, og leddene vred sig, som om han blev flået fra hinanden. Lige idet prins Euan dristede sig til at kysse prinsessen for første gang, blev han gennemboret af en så hvidglødende smerte, at han ingenting kunne se. Den grå pels, som vinteren havde gjort tyk og vamset, blev skrællet af hans krop, til de nøgne muskler trådte lyserødt frem underneden. Gud eller Djævelen selv plukkede derefter alle børsterne og hvert et knurhår af ham, til han var ganske nøgen og alt for menneskelig at se på.

Det var straffen for alle hans synder, det vidste han nu. Hele hans fortid som brodermorder og tronraner stod lysende klar for ham. Hans bror Ned og deres stakkels far ville uden tvivl vente hinsides for at få hævn. Euan frygtede døden, men var også bange for at leve videre. Forvandlingen, der allerede havde fået hans brystkasse til at skrumpe ind til næsten normal størrelse, lod sig ikke standse. Aislings duft brændte i hans næsebor. Og rovdyrtænderne, som han var blevet vant til at slikke på hele tiden, trak sig tilbage langt op i ganen med en svuppende lyd som sværd, der blivet sat tilbage i skæftet.

Han kravlede oven på sin kusine, støttede sig til hovedgærdet og trængte ind i hende. Det var, som om alle de mænd, han havde dræbt nu, skreg ham ind i ørerne og kolliderede på halvvejen med hele ulvens samlede dræberinstinkt. Derved blev den sidste dyriske refleks presset ud af ham og sendt videre ud i intetheden som et harmløst ekko.

'Jeg ... tror, jeg dør,' sagde han og hørte sit hjerte slå en sidste, rytmisk trommehvirvel.

Men prinsesse Aisling smilede blot og rørte ved Euans glatte kind. 'Nej, kun den ene af jer,' sagde hun og kyssede ham på hans igen så aristokratiske næsetip. 'Dyret må dø, så mennesket indeni kan få livet tilbage. Det har mine sandsigersker forudsagt. Men du må vente til morgengryets komme. Bliv her hos mig til solopgang, så er din frelse fuldbragt. Derefter kan vi regere over dette kongedømme som mand og hustru.'

Euan red hende først som en, der aldrig før havde haft en kvinde. Det var klodset og tøvende, og han følte sig næsten som et barn. Dybt nede under menneskehuden bød en rest af ulvens instinkt ham stadig at flænse hendes strube op med en hurtigt bid, men ordren blev overdøvet af den vidunderligste varme, der spredte sig overalt i kroppen på ham. Mens morgengryet lod vente på sig, blev Euan adskilt fra sin morderiske refleks af lilla bølger, som sendte ham ud på et stille ocean. Det var en fornemmelse, han ikke havde kendt magen til i hele sit liv.

Almindelige mennesker ville have kaldt det tryghed, tillid. Ja, endda kærlighed.

Men den tidligere krigsherre Euan, betvingeren af Ulveslottet, som selv indtil for nylig havde været en ulv i sind og skind, stolede ikke helt på sine egne følelser endnu. Var det trolddom? tænkte han. Spillede nogen ham et puds? Han lukkede øjnene og indså, at han havde udført denne kødelige akt med mange kvinder uden nogen sinde at opnå netop denne følelse af samhørighed. Han blev straks roligere. Under sig kunne han mærke, at Aislings bevægelser blev langsommere, indtil hun til sidst greb fat om hans slanke skuldre og til sidst lå helt stille. Snart sov hun.

Euan fandt sin egen udløsning, lige idet daggryets blege gespenst fløj hen over skovens allermørkeste trætoppe. Han holdt om Aisling og prøvede at danne sig et billede af en ulv, hvis poter træder på bladene uden en lyd, mens den sniger sig ind på byttet. Men synet flimrede for hans indre øje og forsvandt snart i takt med morgensolens tiltagende kraft. Han kunne huske, hvordan han engang havde leget med sin far. Der havde været trompeter. Og vanket noget sødt at spise.

Det eneste, Euan stadig kunne huske tydeligt fra sin tid som ulv, var øjnene i ansigtet på den gamle gråpels, som nedkaldte forbandelsen over ham. 'Det ved kun Gud og skæbnen,' havde den sagt og truet ham med evig fortabelse. Og havde han måske ikke hævet fortryllelsen? Han havde godt nok været i skærsilden som et umælende bæst, men var ved Herrens hjælp vendt hjem igen i sikkerhed. Da han mærkede solen stryge sig om sin nye kind, kyssede han prinsesse Aisling på halsen og faldt endelig i søvn.

Euan sov, lige til kirkeklokkerne kaldte til morgenbøn.

Så vågnede han med et spjæt som af et mareridt. En febervildelse rasede i hans krop og var værre end hos de sindssyge, han engang havde set rave rundt nede i kasematterne. Blodet rungede kraftigere i hans ører end krigstummelen, som havde lydt dengang på slagmarken, da han blev en mand. Det flød ned til de dybereliggende, instinktive kanaler, som mennesker hverken kan høre eller sanse. Og der var ingen tvivl om, hvad det hviskede til ham, på trods af hans fine nye kødfarvede kostume, som foregav at være noget så latterligt som en menneskeham. For blodet vidste, hvad der egentlig skjulte sig dernede, lige meget hvad dette uhyre så end blev kaldt på menneskenes og dyrenes tungemål.

Euan betragtede prinsesse Aisling, som havde snoet sig omkring hans overarm og bredt sit gyldne hår ud over silkepuderne som en løber. Han så ud ad det åbne vindue og ud i skoven, hvor talløse dufte af udsprungne roser og æbletræer blandede sig med den ramme lugt af kronhjorte, der gjorde sig klar til parringsdansen. En due flaksede forbi. Verden åbnede sig. Euans hjerte begyndte at banke, ja, han troede endda, at det helt af sig selv var ved at vokse sig stort nok til igen at passe perfekt i en ulvs brystkasse.

Den unge kvinde bevægede sig, gned sig på næsen og åbnede øjnene.

'Godmorgen, søde fætter,' sagde hun og lænede sig ind imod ham til et kys.

Jeg traf mit valg for længe siden, tænkte Euan og var nu klar over, at der var noget, den gamle ulv ikke havde fortalt ham. For det var først nu, han forstod, at dette øjeblik var hans egentlige forbandelse. Mit sind blev skabt, inden jeg myrdede min bror, indså han, og endda før jeg mærkede den dunkle vellyst, når jeg pinte unge kvinder til døde. Selv iklædt en menneskekrop vil jeg for evigt være den, jeg altid har været.

Et rovdyr.

Et væsen, der driver byttet foran sig og kun føler egentlig glæde ved dets død.

'Fætter?' gentog Aisling, fordi hun havde fornemmet noget rumstere inden i kroppen ved siden af sin egen.

Prins Euans hoved føltes, som om det var ved at eksplodere. Hans hovedskal udspilede sig, og kæben blev igen lang og smal. De skarpe, gule tænder kom atter til syne i de sydende gummer og sænkede sig langsomt ned i munden som en gitterport. Smerten var ubærlig. Han åbnede gabet og så sin hud dækkes af grå børster. Det hele gik hurtigere end en strøtanke. Han følte en kortvarig, liderlig tøven ved at afslutte det smukke liv, der lå der på puden ved siden af ham.

Så bed han Aislings hals og ruskede den godt, til han hørte det sprøde knæk.

Vagtposterne ude på volden kunne have svoret på, at de så en ulv springe ud fra tårnværelset og lande sikkert på jorden. Den forsvandt mellem træerne, inden nogen kunne nå at gøre anskrig.

19

Jim pillede ved sit ene snørebånd og nynnede en lille sang. Han kiggede op på os, mens vi stod der og blev ved med at lytte til en historie, som for længst var forbi. Han grinede og gravede i lommen efter en smøg. Kniven, jeg havde i hånden, var klam af sved. Ude på molen var manden med hundene forsvundet. Jeg kunne høre mine søstres åndedræt.

'Du glemte at fortælle, hvordan din *egen* historie ender,' sagde Aoife tonløst. Det 12-kalibrede gevær dinglede fra hendes ene hånd som et haveredskab.

'Nå, har jeg lidt tid tilbage på uret?' ville skjalden vide.

Fiona strammede sit greb om noget kantet og grimt. Jeg så nu, at hun havde samlet Jims hammer op. 'Du er nødt til lige at forklare mig noget først,' sagde hun med grum stemme. Men hendes øjne flakkede sådan rundt mellem Aoife og mig, at ingen rigtig troede, hun ville gøre noget uoverlagt.

Jim kluklo. Jeg kan stadig høre lyden. Som når en onkel, du virkelig ikke kan holde ud, hvisker en lummer vittighed i øret på dig, når dine forældre er gået ind i den anden stue. Den slags latter.

'Hvad sagde du til ham svenskeren dengang?' Det lød, som om Fionas stemmebånd sad fast i en skruetvinge.

Jim rystede på hovedet. 'Brug dog din fantasi. Hvad ville få en mand, der er dobbelt så stor som mig, til at blive bange? I hvert fald ikke et eventyr, vel?' Han stirrede op i det blå, som om han havde lyst til at sætte en drage op senere. 'Jeg sagde, at jeg ville slå ham langsomt ihjel og lade hans kæreste se på. Altså, er du *virkelig* så naiv?'

'Men alle kvinderne,' blev Fiona ved og fokuserede på sit åndedræt, så hun ikke kom til at græde, 'hvorfor dog slå dem ihjel? De udgjorde da ikke nogen trussel for dig. Sarah, hun –'

'Hun kom bare i vejen, det var det hele,' sagde Jim og lød, som om han kedede sig. 'Hun overhørte mig og Tomo snakke om vores arbejds-metoder. Og stakkels Mary Holland? Tomo kom til at lave lidt larm ne-denunder, mens jeg var ovenpå med hende. Så hun måtte selvfølgelig også forsvinde. Kelly, som jeg *ved*, du kan huske, hun hørte heldigvis kun mig. Det er egentlig ret tilfældigt, det hele. Hvis du helst vil have, at jeg gør alt det her, fordi der ligger noget skummelt fra min barndom inde i kosteskabet, må jeg desværre skuffe jer alle tre.'

'Nå, så ulven var altså magtesløs, er det sådan, det er?' spurgte Aoife, hvis fingre greb fastere om geværkolben end tidligere. 'Et offer for na-turens luner, hvad? Selv med "en god kvindes kærlighed" lige om hjør-net så var den alligevel kun skabt til død og ødelæggelse? Kæft, hvor er du latterlig, mand. Det er da ikke engang en god pointe, bare en billig sexfantasi, så vidt jeg kan se.'

Jim trak på skuldrene og krøllede sin tomme pakke cigaretter sam-men, inden han smed den væk. Sukkerovertrækket på hans stemme var begyndt at skalle af, og man kunne nu høre det rustne stål inde bagved. 'Så lad os tale om noget andet,' sagde han. 'I morgen tidlig vil jeg våg-ne op i jeres tantes seng. Frisk som en havørn. Og I vil alle tre skændes om, hvem der mistede modet først.' Han pegede på Aoife. 'Helt *ærlig*! Du ville have skudt mig for længe siden, hvis du ellers ville, og det sam-me gælder dine to furier med hammer og kniv, tror jeg.'

Fiona og jeg så på hinanden. Vi ventede hver især på, at den anden dog ville gøre noget, lige meget hvad. Jeg havde aldrig følt mig så flov i hele mit liv. Og intet skete.

'Men til allersidst fanger de Euan, gør de ikke?' spurgte jeg ham og holdt så stramt om kniven, at selv skæftet fik min håndflade til at bløde. 'Jægerne, altså? Og så hænger de hans mugne pels fra det nærmeste træ.'

Jim så på mig med respekt. Et medlem af publikum, som opfinder sin egen slutning, hvad siger I så, mine damer og herrer? 'Desværre, *my love*,' sagde han og nød det. 'Euan blev aldrig siden fundet. Det eneste, man hørte, var, at vandringsmænd somme tider så en grå skygge inde bag træ-erne, som syntes at vente på det bedste tidspunkt, før den angreb igen. Og nu, da Aisling var død, blev Ulveslottet hurtigt indtaget af fjenden, som rev det hele ned til sidste sten. Men sejrherrerne lod de irske krigere tømre en kiste sammen til prinsessen ved at bruge resterne af den sorte port.'

Han så op på Aoife på den underligste måde. Jeg er ikke engang sikker på, at jeg husker det rigtigt mere, men det virkede som udmattelse, eller resignation. Som en hjort, der ved, at pilen allerede er på vej.

'Og hvad mig selv angår?' Han tog en dyb indånding og sagde så til min tvillingesøster: 'Du ved godt, hvorfor jeg valgte dig frem for de to andre, ikke? Det var ikke kun, fordi du havde været i seng med det meste af oplandet og ville reagere for sent, når jeg endelig angreb. Nej, nej. Jeg gjorde det, fordi jeg vidste, det ville gøre så meget mere ondt på dig end på dine søstre. Fiona dér, hun er sejere, end hun selv tror, og lillesøster er til piger. Fint nok. Men den lyd, *du* lavede, da jeg smed dig om på maven og sla-*akkkgh* ...'

Kniven sad i brystet på ham, lige til skæftet, før jeg vidste, hvad jeg havde gjort. Jeg vristede den ud og stak ham igen. Jeg fik blod i øjet, men tørrede det af som klæbrige tårer. Jeg kunne ingenting mærke. Jeg forstod ingenting. Mine ører rungede og fortalte mig noget, som en ulv sikkert ville have kunnet forstå bedre end jeg.

Nogen tog kniven fra mig, jeg tror, det var Fiona, for jeg så hende selv stå foroverbøjet og bevæge sin ene arm op og ned, der hvor Jim sad. Hun holdt først op, da Aoife lagde hånden på skulderen af hende.

Solen ramte noget rødt og skinnende og drog mig til sig. Jeg snublede og faldt flere gange, før jeg nåede hen til Jims Vincent Comet, årgang 1950, som han havde parkeret for enden af molen. Der var ikke så meget som en klat myggelort på tanken. Det skvulpede indeni, da jeg rokkede den frem og tilbage. Jeg havde kløe i hænderne. Det mørke blod var allerede begyndt at størkne på knoerne. Jeg så mig over skulderen på mine søstre. Aoife holdt om Fiona, som fægtede med den ene arm og prøvede at sige noget fornuftigt mellem grådanfaldene. Det var blevet så varmt, at himlen nu var farvet kridhvid. Jeg kneb øjnene sammen og kom i tanker om, at Sarah McDonnell manglede sin ene sko, da hun blev fundet.

Jeg brækkede nøglen af i tændingen og lagde halvdelen af den i min taske. Måske som et trofæ eller noget, det kan jeg egentlig ikke sige dig. Jeg gjorde det bare. Så sparkede jeg motorcyklen ned i vandet. Da den var forsvundet, kunne man ikke engang se så meget som et lille rødt glimt under overfladen. I et flygtigt, lykkeligt sekund forestillede jeg mig, at Jim aldrig var standset i vores by. Det føltes næsten virkeligt. Så gik jeg tilbage til mine søstre og kunne mærke, hvordan min krop føltes lettere end før.

Jim havde halvåbne øjne. En hvid sommerfugl blev tiltrukket af den smukke purpurrøde farve på hans hals og landede endelig. Jeg sparkede til ham, og han faldt om på siden. Han føltes allerede som en pose rådne æbler indeni. Da jeg også lossede ham i ryggen, bevægede han sig stadig ikke. Jeg kunne mærke noget gå i stykker derinde.

Schæferhundene gøede igen, og nu var de tættere på. Aoife smed geværet over skulderen og tog os hver i hånden. Mine hænder var blevet følelsesløse. Jeg kunne først mærke dem igen, da jeg sad på passagersædet og prøvede at tørre dem af i min åndssvage kjole. Nu gjorde de ondt. Næsten som om jeg havde *tævet* Jim ihjel. Og det forstår jeg stadig væk ikke. Påtager hænder, der har begået mord, sig en del af den smerte, de forvolder? Måske. Lige siden har jeg altid haft ondt i dem.

Jeg kiggede ud af bagruden i Aoifes taxa og så Jim ligge under sit træ. Som en knægt, der bare var faldet i søvn. Selv i døden var han smukkere end de fleste. Jeg kan huske, hvor jeg ærgrede mig over, at vi alligevel ikke havde hængt ham op ved haserne som den ulv, han var. Eller spurgt ham først, om han kendte min radiostemme, Portvagten, som åbenbart vidste alt om *ham*. Så trådte Aoife sømmet i bund, og vi kørte af sted. Lyden af sand, der kværnede mod dækkene, skurrede mere i mine ører end noget andet, jeg havde hørt den dag.

Så standsede vi så brat op igen, at jeg næsten hamrede hovedet ned i instrumentbrættet. Aoife satte Merceren i frigear og sprang ud på grusvejen. Hun løb tilbage til lysningen, hvor vi havde efterladt Jim. Mig og Fiona gloede efter hende, og ingen af os sagde noget. Den handling, vi nu hver især ejede en halvdel af, havde gjort os lige så stumme som blodet på vores ansigter. Så kom Aoife halsende tilbage, stod på sømmet, og vi kørte væk med den ene dør løst klaprende som på en løbsk western-saloon. Hold da kæft, hvor hun lignede en af Fionas sfinkser. Hun så lige frem for sig og fortrak ikke en ansigtsmuskel. Hun kørte så stærkt tilbage til hytten, at jeg ikke engang kunne nå at se, hvad der stod på vej-skiltene.

'Hvad skulle du ... tilbage efter?' spurgte jeg hende og fandt endelig mit eget åndedræt i en vildtfremmed piges lunger.

'Kniven,' svarede hun og lød årtusinder borte. 'I havde ladet den sidde i brystet på ham.'

Hvis du nu forventer, at jeg udpensler for dig, hvor meget vi led under det, vi havde gjort, så må jeg altså skuffe dig. Vi lod ikke nogens rosenkrans gå på omgang i dagene, der fulgte efter det, man vel kun kan kalde en henrettelse. Så vidt jeg ved, var der ingen af os, der bad om tilgivelse for sine synder. Og gamle lady Macbeth tog forresten fejl, viste det sig. Man kunne sagtens vaske Jims blod af hænderne med almindeligt sæbevand.

Og lad mig lige standse dig med det samme, for jeg kan mærke, at du tror, vi tværtimod svælgede i det, der var sket. Du ser sikkert for dig, hvordan vi skreg og hylede og hoppede omkring i Aoifes knaldhytte som gale indianerkoner, der lige havde taget vores yndlingsskalp fra det 7. kavaleri. Vi var bare pilrådne unge mennesker uden forståelse for situationens alvor, som bare drak ildvand i dagevis, ikke? Hørte jeg dig ret? Men det var ikke sådan, det var. Slet ikke.

Hvis du vil have sandheden at vide, så er den enkel nok. Nu vidste vi bare, at der ikke ville blive fundet flere unge, halvnøgne kvindelig i grøfterne rundtomkring. Og jo, jeg vil da godt indrømme, at det også var hævn for Aoife, men også noget mere end det. Mine søstre og jeg var begyndt at glide fra hinanden, selv før Jim gjorde det endnu værre. Aoife og Fiona var endda lige ved at komme op at slås om ham, og det pinte mig at se. For slet ikke at tale om vores tantes trusler. Så hvis jeg nu fortæller dig, at vi blev en rigtig familie igen ved at slå den *seanchaí* ihjel, må du gerne vende det hvide ud af øjnene. Fair nok. Men lad mig så i det mindste sige, at vi tre søstre kom tættere på hinanden igen i samme øjeblik, han ikke længere trak vejret, og lade det være godt sådan.

Da vi endelig nåede frem til hytten, forlod vi den ikke igen i dagevis. Det virker måske ubegavet, da vi jo nok var hovedmistænkte, men vi havde mere brug for hinanden end et godt alibi til vores første *garda*-afhøring. Det sidste, vi tænkte på, var fremtiden. Vi boede inden i en sæbeboble, vi selv havde pustet. Og når vi lukkede øjnene, havde vi det alle tre, som om vi var vendt tilbage til førstesalen oven over aviskiosken, hvor far og mor snart kom ovenpå med aftensmaden.

Vi tilbragte de første par aftener med at ordne det praktiske. Så mens Fiona prøvede at gøre spaghetti og tomatketchup spiseligt, vædede jeg vores tøj med benzin og brændte det. Selv Aoifes yndlingsjakke, den med sommerfuglene, der kun lige akkurat undslipper mændene med nettene, forsvandt samme vej som mit hekseluder-tøj. Det var vanskeligere at få kniven til at forsvinde. Først brugte jeg en bidetang til at skille bladet fra skæftet og derefter smelte det om til en sort klump. Så tog jeg en skovl og gik ud i Aoifes mystiske skov, hvor hun så ofte havde stået og lyttet efter noget, kun hun forstod. Fornemmelsen af, at de fugtige træer trængte sig ind på mig, mens jeg ledte efter et gemmested, gav mig myrekryb. Jeg gravede et hul på næsten en meter ved siden af et halshugget egetræ. Så smed jeg knivsbladet derned, fyldte hullet op igen og camouflerede det med kviste og grene. Da jeg vendte mig for at gå hjem, gik noget op for mig, som jeg havde haft for travlt til at indse tidligere.

Jim havde *instrueret* sin egen død lige på stedet, havde han ikke?

Der var ingen anden forklaring på, hvorfor han ellers havde provokeret os ved sådan at udpensle Aoifes pinsler. Han førte selv kniven, lige så meget som jeg gjorde. Jeg kan huske, at tanken gjorde mig vred. Jeg følte mig faktisk snydt. Jeg ved godt, hvorfor han gjorde det. Før eller siden ville en heldig *garda* have fanget ham på det forkerte ben og smækket håndjernene på ham. Måske endda på hans bryllupsdag. Og han kunne ikke klare at sidde i fængsel. Måske vidste han også, at legender kun vokser sig større, hvis deres helte først lider en grusom død. Jeg skælvede over det hele og spurtede ud af skoven så hurtigt, mine ben kunne bære mig. De træer skræmte mig mere end den svuppende lyd, Jims brystkasse lavede, da jeg trak kniven til mig. Jeg kunne ikke komme ud på åben mark hurtigt nok. Var mit ubehag mon resultatet af eventyrets magt, et sidste ekko fra Jims fortælling, der ikke ville give slip i mig endnu? Eller bare hjernens måde at afreagere på, når dens ejermand lige har slået ihjel? Det må du selv bedømme.

Jeg så bålet fortære de sidste stykker stof og kiggede ud over markerne. Når man stod ved vores grusvej på bakken, kunne man se folks køkkenvinduer oplyst som matte stjerner hist og her. Moiras hus var gemt væk på den anden side, og vi kunne ikke se det. Men jeg forestillede mig, hvordan hun marcherede op og ned ad gangen med gipsstatuerne, mens hun kiggede på uret hele tiden. For Jim var stadig ikke vendt hjem. Jeg fik næsten ondt af hende. Inde fra køkkenet lugtede der af brændte tomater, og jeg gik indenfor. Mine søstre havde helt sikkert ødelagt middagsmaden.

Da jeg lukkede døren bag mig, tænkte jeg på, hvornår mon vores tante ville stå ude på måtten og afkræve os mere end bare en forklaring.

Senere samme nat drømte jeg om Evvie. Hun foldede sejlene ud på en skonnert, der var tømret sammen af gamle egyptiske sarkofager, og vi sejlede på et fløjlshav, hvori månen havde gemt sig. Mens jeg holdt hende i hånden, blev de snehvide fingre sorte som obsidian. Da jeg så op på hendes ansigt af skræk for dér at blive vidne til noget hæsligt, blev vores hænder adskilt fra hinanden af en eksplosion langt ude forbi horisonten, i den virkelige verden, og jeg fløj op af dynerne.

Først anede jeg ikke, hvor jeg var. Vinduerne klaprede, og alt på hylderne faldt ned på gulvet. Udenfor pegede en lystig ild sine orange fingre ad os.

Fiona havde ligget og holdt om mig og gav mig en lige højre i brødskuffen, da hun også vågnede med et sæt. Vi kom til at knalde hovederne sammen, før vi fandt vores slåbrokker og fortumlede gik udenfor. Vi kunne ikke se Aoife nogen steder, da vi fandt hoveddøren og åbnede den. Jeg var helt sikker på, at det var vores tante Moira, der var kommet for at bombe os helt frem til Dommedag.

Merceren brændte. Flammerne brølede ud af dens knuste ruder med så stor kraft, at jeg kunne se taget begynde at slå buler, før dækkene endnu var flade. Den skriggrønne farve forsvandt til fordel for et rustfarvet krater, der snart opslugte al lakken. Fiona og mig faldt baglæns på røven, da vraget igen råbte *whooomph!* ad os, og der opdagede jeg min tvillingesøster. Hun stod ganske roligt og prøvede at få ild på sin smøg med haglbøssen over skulderen, mens branden oplyste hende som en benzinglorie.

'Hvad skete der?' råbte jeg, mens bilen buldrede løs.

Aoife trak på skuldrene og blæste en røgring. 'Der skete det, at vi så en gruppe ukendte mandspersoner flygte hen over den hæk derovre. Kan du se dem?'

Boo-boom!

Før vi kunne nå at reagere, havde min søster grebet geværet og affyret begge salver op i luften.

'Hvad i alv –' begyndte Fiona, men Aoife var først lige begyndt. Hun talte til os, som om hun havde skrevet drejebog til netop denne lejlighed, og fortalte os, hvordan vi hver især skulle spille vores rolle. Hun pegede ned imod byen.

'De løb *den* vej, ikke, fordi de lige havde sat ild til min bil, havde de ikke også?' spurgte hun de mørke skyer i stedet for os. 'Og ingen af jer fik set nogen af deres ansigter tydeligt, fordi I lå og sov, men det gør heller ikke noget. For det eneste, Bronagh behøver at vide, er, at folk i ugevis har regnet med, at vi ville slå darling Jim Quick ihjel før eller siden. Og nu har de samme godtfolk hørt om *seanchaí*ens død og villet hævne sig. Og er det ikke bare pudsigt? De sætter ild til den *selv samme* bil, som vi kom til at tvære hans blod ud over. Men det er der jo ikke noget at gøre ved. Strisserne skal være heldige, hvis de overhovedet kan aflæse serienummeret på motorblokken bagefter. Tror I ikke?'

Det blev jeg altså imponeret over. Ingen af os andre havde tænkt på at fjerne de mest iøjefaldende beviser ligesom i en af de kriminalserier, Bronagh elskede. Men man behøvede bare at kigge én gang på min tvillingesøster for at se, hvor meget hun havde ændret sig på bare et par uger. Den sidste hippie-brøkdel af hende, som plejede at lytte til træerne, var væk nu. Hun var brændt op sammen med vores tøj. Fiona tog mig i hånden, som om synet af hendes to lillesøstre, der gjorde sig parat til at benægte en mordanklage, skræmte hende mere, end hun turde sige højt. En fed, skarp benzinstank hvirvlede omkring os som en dæmon, der var ude på at give os hovedpine.

Aoife smilede på en måde, jeg aldrig havde set før, mens hun tværede cigaretten ud med sin bare fod. Smilet var hverken afklaret eller hævngerrigt. Hendes øjne udstrålede ingen vrede. Hun følte vel bare lettelse over at kunne gøre noget ved alle de følelser, hun havde indeni, i stedet for bare at sidde dér og lade dem tage overhånd. Jeg fik aldrig rigtig spurgt hende om, hvordan hun havde det med, at mig og Fiona gaflede ham med kniven, inden hun selv kunne komme til med geværet. Måske var det derfor, hun havde sat ild til bilen. Jeg ville i hvert fald have sprængt ét eller andet i luften, hvis det havde været mig. Men skæbnen ville, at jeg blev morder i stedet for hende. Og jeg kunne ikke mærke noget som helst endnu. Mine følelser sejlede stadig væk derude på det lilla fløjlshav, hvor jeg holdt Evvie i hånden og håbede på snart at se hendes ansigt.

Det varede ikke længe, før Bronagh og de andre lænkehunde troppede op.

'Nå, hvad har du nu lavet?' spurgte den uforfærdede sergent, mens hun gloede magtesløst på flammerne, der fjernede det sidste spor af en død mand, hun vist lige havde fundet.

'Hvad mener du med "jeg har lavet?"' spurgte Aoife og spillede tosset for et kamera, der ikke var der. 'En hel flok høtyve kommer moslende, sætter ild til min taxa og skrider igen. De havde alle sammen elefanthuer på, som om de ville ha' en lærcplads i IRA eller noget. I må da have set dem løbe lige forbi jer på vej væk?'

Bronagh greb sin notesblok med samme dystre mine, som var det den 357 Magnum-revolver, hun uden tvivl hellere ville have haft. De andre gardaí sendte bud efter brandvæsenet og fik hurtigt travlt med at lave ingenting, men på den strisseragtige, alvorlige måde, de sikkert lærer på skolen.

'Ret belejligt, vil jeg sige,' sagde Bronagh, mens hun kiggede på mig og Fiona.

'Belejligt for hvem?' hørte jeg mig selv råbe. 'Der kommer nogle bonderøve og brænder min søsters levebrød ned til grunden, og du står bare dér og fortæller os, at hun synes, det er fedt. Hvad har du egentlig gang i?'

'Fik I set nogen af disse ... mænd tydeligt?' spurgte Bronagh Fiona, som havde stået og var faldet lidt i staver. De andre pansere havde fundet vandslangen, som de forgæves prøvede at slukke branden med. Men ilden havde stadig masser af plastic tilbage at spise.

'Jeg lå og sov,' sagde Fiona og gabte. 'Det gjorde vi alle sammen. Jeg så kun røven af dem, og det var altså ikke noget kønt syn, det kan jeg godt sige dig. Skal I ikke ud og fange dem, eller hvad?'

Jeg har kun én gang før set Bronagh i afmægtigt raseri, og det var dengang, Martin Clarke fra klassen stjal hendes yndlingsdukke og smed den ned i havnen, da vi var seks. Men nu var hun ved at eksplodere, mens hun gik helt hen til Aoife og satte sin næsetip mod hendes.

'Vi har lige fundet ham,' hvislede hun, ude af stand til hverken at græde eller true. 'Men det vidste du jo godt. Han ligger stadig neden under sit træ, som om han selv lige har ringet efter ambulancen. Der er flere huller i ham, end jeg kunne tælle på fingrene. Sig mig, tog I alle sammen en tørn, mens han blødte? For han er altså lige så bleg i ansigtet som statuen nede på torvet. Og lad nu være med at sige "Hvem taler du om?"'

'Jim er død,' sagde Aoife så henkastet, at hun lige så godt kunne have fortalt Bronagh, hvad klokken var. 'Er det dét, du siger? Ja, så er der vel masser af mistænkte, går jeg ud fra. Men hvis det er medfølelse, du vil have, så er du gået galt i byen.'

'Fortæl mig, hvordan ingen af jer havde noget med det at gøre. Sig det så.'

'Vi havde ikke noget med det at gøre,' sagde Aoife pligtskyldigst.

'Bare indrøm et eller andet,' sagde Bronagh så lavmælt, at jeg dårligt kunne høre det. 'Det var hævnen for det, han gjorde ved dig. Måske endda nødværge? Han angreb dig og dine søstre med et våben, ikke?' Da Aoife bare blev ved at stirre på hende uden at sige en lyd, fortsatte Bronagh mest for at overbevise sig selv. 'Du kommer sikkert ikke så meget som en dag i fængsel. Ikke hvis du tilstår alting lige nu. Alle vil forstå det.'

'Hvad med Sarah McDonnell?' spurgte jeg. 'Vil hun også forstå det?'

Aoife sendte mig et blik, der kun kunne tolkes som: 'Hold nu kæft, for helvede.'

'Var det måske dig, der slog ham ihjel, så?' spurgte Bronagh mig. Hendes ansigt udstrålede nu kun tilgivelse, hvis bare jeg ville sige trylleordene 'Jeg tilstår'. Ilden spruttede og hvæsede, da den til sidst ikke havde mere at sætte tænderne i.

'Nej,' svarede jeg og lod, som om jeg var vred. 'Men jeg elsker bare det med, at alle vil være åh, så forstående over for os. Sig mig engang: Forstod folk, at ham fyren under træet, eller hvor det nu er, faktisk voldtog min søster? Ja, klart. De forstod det så godt, at de gav os den kolde skulder bagefter alle sammen, ikke? De behandlede os som spedalske. Og det gjorde *du* forresten også, betjent.'

'Hvis jeg er nødt til at tilkalde forstærkning fra Cork City eller hovedkvarteret ovre i Macroom, så gælder mit tilbud ikke længere. Og så skal

I snakke med de tunge drenge.' Bronagh aflæste vores øjne i skæret fra gløderne for at se, om der var kunder i butikken. Vi stirrede bare igen uden en lyd.

'Hvorfor vender du ikke om på hesten, sherif, og fanger de banditter, der lige har brændt vores diligence af?' spurgte Fiona med sin dårligste amerikaneraccent. 'De kan ikke være nået langt. Har du måske ikke hørt, at det er det rene Vilde Vesten derude? Det rene Fort Apache, du, hvor selv indianerkonerne skyder med skarpt.'

Jeg var nødt til at holde mig for munden for ikke at komme til at skraldgrine. Min mave blev helt trekantet af det, og jeg kunne mærke tårer på knoerne. 'Jeg har slået nogen ihjel,' hviskede min hjerne endelig ned til maven for første gang, 'Så lad mig lige se lidt tåreværk. Ellers tror jeg jo ikke på, at du har forstået, hvad det betyder.'

'Jeg har hele tiden vidst, at du fortalte sandheden,' sagde Bronagh til Aoife, men skammen i hendes øjne skyggede for resten.

'Selvfølgelig har du det,' sagde min tvilling med en stemme så hul som vinden, der fløjter gennem et frønnet træ.

Bronagh skuede ud over den mørklagte landevej, som langsomt blev mere blå, jo mere udrykningskøretøjerne nede fra byen nærmede sig. Al kampgejsten var gået ud af hende. Hun vinkede sine folk tilbage i bilerne og trak kasketten ned i panden, så vi ikke kunne se hendes øjne.

'Sig mig bare én ting,' sagde hun til Aoife, men ville sikre sig, at vi alle kunne høre hende. 'Er I klar til det? Til hele turen? Afhøringer, retsmøder, domsafsi –'

'Tak, fordi du kom forbi, Bronagh,' svarede Aoife og smækkede haglbøssen i med et højlydt *klak!*

Bronagh genkendte geværet, som hun havde set, lige siden vi var helt små. Men hun kunne alligevel ikke nære sig. 'Har du våbentilladelse til den der?'

'Ja, og du har selv stemplet den,' sagde Aoife og holdt sarkasmen lidt nede. 'Men hvis nogen af de rødder kommer og klager til dig over spredhagl i røven, så bare tag herop igen og anhold mig.'

20

Der hvor jeg kommer fra, er begravelser som regel en højtidelig affære, hvor selv den afdøde er ved at kede sig ihjel. De begynder nede i Sacred Heart Church, hvor vi folder hænderne, mens vi skinsygt holder øje med, hvem der har fået plads tættest på kisten. Så kigger vi lidt ned på vores sko, mens *In Paradisum*-hymnen spiller. Når dét så er overstået, er alle inviteret hjem til Father Malloy til sur hvidvin og en belæring om, hvordan 'livet blot er ændret, men ikke afsluttet'. Når den gode Father så er sejlende nok, tager resten af de levende ned på McSorley's for at sladre om den afdøde over et godt glas øl.

Men allerede inden Jims krop var blevet kold, overholdt han ingen af de ritualer.

Vi vidste alle sammen godt, at Castletownberes myrdede kæledægge ville få en ganske anden sidste rejse, da sørgetogene begyndte at ankomme til byen. Vi så det ene blåøjede ansigt efter det andet vade forbi. Der var naturligvis også de sygeligt nysgerrige og nogle journalister, som var begyndt at høre rygter om det rædselsregimente af sex og mord, som den afdøde *seanchaí* vist nok havde påført hele Cork-egnen. Der blev hvisket, at han var blevet stukket ihjel af tre unge søstre fra byen. Godt stof. Begravelsen ville tage sig godt ud på tv-skærmen. Og seerne skal jo vide besked, ikke? Det var vel derfor, at der snart var så mange kameravogne med satellitantenner nede på torvet, at man til sidst ikke kunne skimte korset i midten. Jonno tjente fedt på at sælge øl til ågerpriser og fortælle løgnehistorier til pressen om 'slagteren fra Castletownbere', som kunne paralysere kvinder med sin tryllestemme. Han fik endda sit navn i avisen på dén konto og rammede artiklen ind. Den hænger vist stadig over baren sammen med alt det andet bras.

Men den typiske pilgrim, som traskede hen ad Glengarriff-vejen i sine udjokkede gummisko, var som regel en ung pige, som var håbløst forelsket i en mand, hun bare syntes 'var blevet misforstået'. Gamle mrs. Crimmins var den første, som bemærkede, at der ikke kun var tale om en håndfuld tilfældige skøre unge mennesker. Onsdagen før begravelsen havde hun nemlig stået udenfor og vandet sine roser, da hun fik øje på grupper af ti-femten kvinder defilere forbi hendes pensionat. De fleste havde rygsække på og mumlede indbyrdes. Nogle græd. De kaldte alle sammen den myrdede skjald for 'Darling Jim', længe inden pressen opsnusede øgenavnet og gjorde det til et hadeudtryk, byen stadig forsøger at slippe af med.

'Der er noget muggent ved den måde, de *går* på,' prøvede mrs. Crimmins at forklare Jonno, som senere fortalte mig det. 'Sådan lidt ludende. De vil ikke se dig i øjnene, men er allerede hinsides et sted. Jeg ville ved den søde grød aldrig lukke nogen af de beskidte hippier ind i *mit* hjem.'

Men de spredte klynger af tilrejsende på kystvejen blev snart til en rigtig karavane. Det var næsten, som om de fortabte israelitter havde styret uden om Egypten og var kommet direkte til vores by i stedet for. Bronagh var nødt til at anholde to fjortenårige piger, som havde lænket sig til lygtepælen uden for *garda*-stationen, fordi de var bombesikre på, at Jims vidunderlige rester lå på en stålbakke nede i kælderen. Det traf sig nu sådan, at han lå ovre i havnefogedens isskab, så man kunne blive fri for al den ballade, indtil tiden var inde til at give ham det pæne tøj på. Tre voksne kvinder slog telt op uden for Father Malloys præstegård, for at se de sørgendes ankomst fra første parket. Jo, jo. Et rigtigt cirkus, som ikke havde andet end klovner at byde på. Hvis folk gik og troede, at Walsh-søstrene var skøre, så var forestillingen kun lige begyndt.

Da Jim endelig skulle kules ned, var folk blevet så sindssyge, at Bronagh var nødt til at tilkalde forstærkning helt fra Kenmare. Fem hundevogne. Trappen fra gaden og op til kirkedøren var et propfyldt overflødighedshorn af piger, der havde malet blomster på kinderne, tudende bedstemødre og kamerafolk, der skubbede til alle og enhver for at få et bedre skud. Mary Catherine Cremin havde taget sin fars kamera med og zoomede så langt ind, at hun fik et godt billede af Father Malloys hudorm.

Mine søstre og jeg havde besluttet os for ikke at deltage. Da vi i forvejen hver dag var travlt beskæftiget med at høre en ny *garda* fortælle os, at vi hellere måtte gå til bekendelse, var der ikke meget tid tilovers. Ingen af os rokkede sig en tomme, selv om Fiona tudede så meget under afhøringen, at strisserne troede, det var *hende*, Jim havde voldtaget.

Men da det blev lørdag, kunne jeg alligevel ikke lade være.

'Der er ikke mere mælk,' råbte jeg til mine søstre, som havde trukket gardinerne for, så de nysgerrige ikke kunne kigge ind til os. 'Jeg kommer lige om lidt,' sagde jeg og løj. Så tog jeg en baseballkasket på, som et af Aoifes mange herrebekendtskaber havde glemt, og cyklede ned imod lyden af over tusind forventningsfulde stemmer. Det lød som Colosseum, lige før løverne skulle i manegen, og fik mig til at gyse, da det gik op for mig, at måltidet, tilskuerne skreg på, var Jim. Et ældre ægtepar sigtede på mig med deres mobiltelefoner og nåede at tage et par billeder, mens jeg strøg forbi. Selv om jeg senere fortrød det, så ønskede jeg alligevel i et kort øjeblik, at Jim lige kunne gå hen og hviske dem det samme i øret, som fik ham svenskeren til at skide i bukserne. Og hvorfor helvede svarede Evvie ikke på nogen af mine sms'er? Da jeg var tæt nok på til at se kirkespiret, prøvede jeg at forestille mig, hvordan pigerne ved Sortehavet så ud. Og jeg bad til Vorherre om, at de måtte være grimme.

Jeg fik ikke øje på tante Moira lige med det samme.

Det var først, da jeg sneg mig ind ad bagdøren, hvor nonnerne ligger begravet, at jeg fik øje på det endnu tomme alter. Der stod en hvid kiste og sugede sollyset til sig, som strømmede ind gennem glasmalerierne. Den var lige så pletfri som Jims Vincent. Father Malloy prøvede at trøste en skikkelse, der lå på knæ og havde foldet hænderne i bøn.

'Jeg beder Dem,' sagde han. 'Vi *må* begynde. Døren kan ikke holde til mere. Kom, denne vej.'

Min tante var iklædt et sørgeskrud så sort, at ravnene i vores baghave ville have været misundelige på hende. Hendes ansigt var formummet bag et slør, der var så tæt syet sammen, at det lignede en fægtemaske. Jeg smuttede hurtigt rundt om hjørnet, da hun rejste sig og kiggede hen imod mig.

Da Father Malloy endelig lukkede alle andre ind, lød det som elefanter på vild flugt. Jeg turde ikke blive i kirken under bisættelsen. Hvad ville der ske, tænkte jeg, hvis Jims allermest loyale disciple genkendte mig? Der havde allerede været masser af artikler i *The Southern Star* med overskrifter som *GARDA I HÆLENE PÅ KNIVMORDERE*, mens *The Irish Mirror* helt ovre i Dublin døbte os *STILET-SØSTRENE*, selv om der ikke var bevis nok til hverken at anklage eller dømme os. Det havde Aoife sørget for. Og ham fyren med schæferhundene havde ikke set på andet end pipfugle hele den dag. Desuden havde det regnet så kraftigt, efter at vi forlod gerningsstedet, at vi umuligt kunne have efterladt så meget som et eneste fodspor.

Fiona havde beskrevet hende Kelly ude fra bjerghytten for mig, og jeg tror nok, jeg så hende, før jeg sneg mig ud til min cykel. Hun så smuk ud, mens hun sad på kirkebænken iført en lang, sort silkekjole og med tårerne strømmende ned ad kinderne som en siciliansk enke. Hvis hun slog kløerne i mig, så havde det fandeme været slut. Lige inden Father Malloy fremsagde velsignelsen, så jeg hende give tante Moiras hånd et medfølende klem.

Men det var først efter bisættelsen, at vanviddet brød ud i lys lue.

Ser du, selv som afdød var Jim begyndt at så splid ved middagsbordet rundtomkring i Castletownbere, især efter at Bronagh til en forandring var begyndt at lave noget. Det viste sig nemlig, at Tomo havde siddet inde både i Dublins og Corks hårdeste fængsler og havde et generalieblad, som var længere end Father Malloys gravtale. Man sagde, at Tomo og Jim havde mødt hinanden enten i skolen eller på en barsk opdragelsesanstalt et sted, selv om strisserne ikke kunne bekræfte det. Men de historier, der stadig verserede om unge piger, der var blevet voldtaget og myrdet, var ikke noget, der fik desserten til at glide lettere ned. Selv de, der havde hørt Jims fløjlsstemme fortælle eventyr, blev ilde til mode. Det betød, at han hverken kunne komme i jorden på Glebe Graveyard eller noget andet sted inden for bygrænsen. Nu gik det heller ikke an at virke forstående over for en massemorder, så charmerende som han end havde været. Derfor indgik man et sømmeligt kompromis.

St. Finian's var en sær gammel kirkegård, som lå lidt fortabt i et vejsving uden nogen kirke til at holde sig med selskab. Den havde set oldgammel ud, dengang vi var små, og var ikke blevet kønnere med årene. Da man ikke kunne finde nogen af Jims efterladte, gav byrådet endelig Jims talløse fans tilladelse til at købe en grav og stede ham til hvile der. En ukendt beundrer fik endda sat en gravsten ovenpå. Men da et sørge-

243

kor bestående af hundredvis af hulkende kvinder lavede totalt trafikkaos, mens de bugserede hans kiste op ad den snoede landevej, fortrød byrødderne hurtigt beslutningen.

Processionen blev foreviget på tv, idet de deltagende strømmede ind ad den smalle gitterport og jamrede i vilden sky. Jeg selv lå i græsset tæt på Aoifes hytte og brugte min fars kikkert til at se lidt nærmere på hele halløjet. Det var svært at skimte jordefærden tydeligt, fordi mere end tredive mennesker var ved at træde hinanden ihjel for at komme til, så de kunne smide jord på kisten. En støvsky hang over graven. Lyden af klagesang og skrig gav ekko mellem bakkerne som gribbe, der slås om ådslet. Elsk eller dræb hende, hvad, Jimmy? tænkte jeg ved mig selv og rystede på hovedet. De her stakkels bavianer virker da ret ligeglade med, hvilket valg du selv traf til sidst. Pøbelen begyndte først at spredes, da tusmørket dystede med en fin støvregn om, hvem der hurtigst kunne kravle op over bakkekammen og jage folk væk.

Men selv på afstand trådte et par ansigter tydeligt frem. Jeg kunne se to piger, der nok ikke var meget ældre end tolv, som glattede jorden foran gravstenen. Jeg kunne ikke lade være at tænke på Fionas faraoner, hvis begravelser sikkert ikke havde været bare halvt så hysteriske. En ældre kvinde tog sig tid til at sætte et lys på graven og prøvede at tænde det. Hendes kjole blafrede voldsomt omkring hendes senede krop, men hun ænsede det ikke. Hun blev bare ved med at stryge tændstikker, til der ikke var flere.

Da hun endelig gik, var der kun én kvinde tilbage på selve gravstedet.

Hun vendte ryggen til og lå igen på knæ i bøn til en gud, som mere end én gang havde frataget hende alt, hvad hun elskede. Hun løftede på sløret og vendte sig om, næsten som om hun kunne fornemme min tilstedeværelse. Jeg tog øjnene væk fra kikkerten så hurtigt, jeg kunne.

Men tante Moira nåede at se mig. Det ved jeg, hun gjorde.

Og jeg har måttet bøde for det lige siden.

Tid er en underlig størrelse. Den heler ikke alle sår, sådan som folk påstår. Men den får én til at glemme detaljer. Det er vel naturens egen diskrete nådegave.

Først kan folk ikke huske ude i yderkanterne af et ellers tydeligt min-

244

de, som de selv elsker at gengive. Var det nu tre kvinder, Jim slog ihjel, eller kun to? Var hans øjne ravfarvede, som de fleste mente, eller så de mere grønne ud? Den slags tvivl. Og med tiden begynder folk at glemme selve begivenheden og bekender sig efterhånden til myten i stedet. Sådan var det også med mindet om de morderiske Walsh-søstre, for vi blev pure frikendt. Efter i over en måned at have måttet vade ned på stationen og glo på det samme forhørslokale, hvor *gardaí* med masser af guld på epauletterne skulede ondt til os, lod strisserne os endelig tage hjem.

Selvfølgelig vidste stakkels Bronagh, at vi havde gjort det, og det samme gjorde det meste af Castletownbere og omegn. Men det betød også, at vi med det samme fik status som levende legender. Vi var nu kvindelige desperadoer, man ikke skulle komme for nær. Mit tidligere renommé som sexheks kunne slet ikke måle sig med det. Ingen af os kunne blive fri for at slæbe rundt på vores nye berømmelse, så vi nikkede bare til folk og holdt os for os selv.

Til sidst forlod freelancesnushanerne og tv-kameraerne endelig vores forhave, som de havde trampet ned i månedsvis. Knægtene fra Sacred Heart blev ved med at hviske, når nogen af os gik forbi, men ikke som før, hvor de vendte sig om og kiggede på røven. Nu turde de ikke engang se på os. Fiona påstod endda, at der var nogen, som mente, vi besad en slags sort magi. Hvis det var sandt, ville jeg kun have brugt min voodoo til at få Evvie til at besvare mine opkald.

Tiden havde ikke sløret bare ét eneste af Moiras mest smertelige minder.

'Hun er blevet skæv i hovedet,' var Jonnos forklaring på, hvad der var sket med hende. Hun havde fået en slem lungebetændelse af at ligge på Jims grav i over en uge og hostede som et tærskeværk. Vi var alle tre skrækslagne for at løbe ind i hende nede i byen, men det skete aldrig. Jeg sneg mig forbi hendes pensionat en gang eller to og så et *TIL SALG*-skilt i vinduet. Et par uger senere var det fjernet igen, og et sjak håndværkere var i gang med at reparere skorstenen, som havde haft slagside hele sit liv.

Når Fiona så underviste (du troede da vel ikke for alvor, at rektor ville bortvise en vaskeægte *berømthed*, hvad?), og Aoife fragtede turister rundtomkring i den gamle Vauxhall, hun havde købt som erstatning for Merceren, så prøvede jeg at opspore tegn på, hvor vores tante var forsvundet hen. Ja, kald mig bare syg eller makaber. Men jeg ville have at vide, hvorfor hun aldrig havde vist sig foran vores dør med sine dommedagstrusler. Jeg havde altid følt en hvis tryghed ved at have hende fast forankret ét sted. Forestillingen om, at hun nu var alle vegne og ingen steder, gav mig gåsehud. Derfor sneg jeg mig ofte ud af huset med fars kikkert som en sindssyg grænsevagt i håb om at få bare et glimt af hende.

Det, der gjorde mig mest urolig, var, at hun aldrig siden vendte tilbage til kirkegården, som ellers var overrendt af alle mulige andre kvinder. Der var altid blomster strøet ud over det hele, og Bronagh havde sat en permanent vagt på for at sikre sig, at ingen stjal Jims gravsten. Til sidst var hun nødt til at hælde cement ned omkring hele molevitten for ikke en skønne dag at være nødt til at forælle hovedkvarteret i Macroom, at nogen fandeme også havde hugget *liget*. Det var i forvejen galt nok, at visse grådige disciple havde bjærget Jims Vincent Comet og solgt det meste af den på eBay for en formue. Kun ét relikvie havde overlevet hugsten. Et iturevet bremsekabel var blevet viklet om kraniet på Jims grav som en tornekrone. Jeg tyggede mig igennem mange tørre mellemmadder, mens jeg stirrede på det og ventede på, at enken skulle vise sig. Det gjorde hun bare aldrig.

Det var på en helt almindelig tirsdag nede på stranden ved Eyeries, at jeg endelig så et grønt tørklæde blafre i vinden.

Moira havde fået det af os tre i julegave for ikke så længe siden, og hun dækkede ansigtet til med det, som om vi stadig var tilbage i halvtredserne. Hun lå og rodede i jorden under træet, hvor jeg havde stukket hendes elskede Jim fuld af huller. Først kunne jeg ikke få vejret, men så faldt jeg lidt ned. Der var jo intet at finde. Måske boede hun nu herude i skovbrynet, tænkte jeg, og tilbragte alle døgnets vågne timer på stedet, hvor hendes forlovede blev myrdet? Nej. Ikke engang vores tante Moira var så sentimental. Selv før hun gik fra forstanden, ville ikke engang smør være smeltet på tungen af hende. Hun leder efter noget bestemt, tænkte jeg og begyndte at blive dårlig. Hun borer og graver og helmer ikke, før hun finder det. Men hvad skulle det være? Strisserne og deres blodhunde havde finkæmmet det hele flere gange.

Jeg kravlede i sikkerhed og cyklede hjem så hurtigt, jeg kunne. Måden, hun havde listet omkring på, gjorde mig langt mere bange end det, hun så end var på jagt efter. Hun var som en krabbe eller et ufølsomt rovdyr, som blev ved med at stikke, indtil byttet knustes som en æggeskal.

'Har I hørt det?' spurgte Aoife et par dage senere, mens hun satte indkøbsposerne på køkkenbordet. 'Jonno siger, at Moira er flyttet til Dublin. Han så hende nede ved busstoppestedet i morges med en masse kufferter. Og pensionatet er åbenbart solgt.'

Da faldt der en sten fra mit hjerte, og jeg omfavnede hende, som om jeg selv var blevet skør. 'Jeg ku' bare kysse dig!' skreg jeg og prøvede at slæbe hende ind i dagligstuen i valsetakt, før vi begge to endte på gulvet. Vi havde ikke råd til at købe nye møbler endnu, men havde repareret flængerne i sofaen med gaffatape. Jeg tænkte på Jim, hver gang jeg gik forbi den. Og hvordan måtte Aoife så ikke have det? Fiona rystede på sit kloge gamle hoved af os og tændte en dele-smøg.

Der gik et par uger til, før jeg opdagede, at Aoifes ture varede længere, end de plejede.

'Kører du nu kunderne helt til New York og tilbage igen gennem en hemmelig, underjordisk tunnel, eller hvad?' forsøgte jeg mig, men min tvillingesøster grinede bare og mumlede noget om, at hun var nødt til at køre længere for at få det til at løbe rundt. Når hun ikke troede, jeg så det, krøllede musklen lige mellem hendes øjenbryn sig sammen og blev alvorlig. Nøjagtig som den gør, når hun prøver at skjule noget. Så jeg lod hende være.

Du vil sikkert blive lettet over at høre, at jeg endelig fik fat på Evvie. Det viste sig, at hun havde tilbragt alle de mange uger i armene på en eller anden kvindelig arkitekt fra Abkhasien, som åbenbart bare var 'sååå begavet og sensitiv', og vores skænderier holdt mine søstre vågen tre nætter i træk.

Sidste gang, jeg kan huske, at mig og Aoife satte os ned og snakkede, var ugen efter, hvor vi havde inviteret Jonno til middag. Mens Fiona gjorde sit bedste for ikke at branke de bøffer, han var kommet med, sad vi udenfor og inhalerede dagens sidste spæde lys. Jeg burde have bemærket, at der var noget ved hende, der ikke virkede helt naturligt; noget uden for min rækkevidde. Men vi havde vist alle sammen fået slået vores kompas ud af kurs, siden vi mødte ham det dumme svin, tror jeg. Aoife

247

havde min yndlings-læderjakke på, den med Oscar Wilde-rygmærket. Jonnos bjørnestemme brummede af latter over noget, Fiona sagde. Jeg ville ikke spolerede den gode stemning, men der var noget, jeg var nødt til at vide. For som jeg tidligere har fortalt dig, så ved jeg ikke så lidt om, hvordan tiden snor sig. Og det går mig på, når der er noget, som ikke stemmer.

'Da du gik tilbage til Jim forleden,' sagde jeg uden at se hen på hende, 'der var du væk i ret lang tid. Lidt for længe til bare at få kniven med.'

Blæsten kom hylende forbi ude fra havet og stjal hendes svar i farten, så jeg spurgte én gang til. Denne gang smilede Aoife, som om det hele var sket for lang tid siden.

'Jeg rullede hans skjorteærme op,' sagde hun og klyngede sig til sin smøg for en sikkerheds skyld. 'Fordi jeg rigtig ville se den tatovering. Fiona havde fortalt mig om den, og alle andre havde sindssyge teorier om, hvordan den så ud. Og da han endelig lå oven på mig, viste han den stolt frem som et duelighedstegn, men gav mig så mange slag med den anden hånd, at jeg ikke kunne se en skid.' Hun trak vejret igen, og det gik op for mig, at vi nok havde taget hævn, men egentlig aldrig snakket om, hvad der skete den nat. Silkekjolen, hun havde taget i Fionas skab, skælvede, selv om det ikke blæste mere.

'Prøv at høre,' sagde jeg, 'du behøver altså ikke –'

'Jo, jeg gør. Jeg gik også tilbage for at være helt sikker på, at han var død, forstår du det? Derfor stak jeg ham selv. I to skulle da ikke tage al skylden helt alene, hvis nu go'e gamle Bronagh mod forventning slog sin lillehjerne til, vel?' Hun spyttede lidt tobaksflager ud af munden. 'Nej, Jim havde ikke en ulv på armen, hvis du sidder og gætter. Først kunne jeg ikke se, hvad det forestillede, og var nødt til at tørre lidt blod af. Så trådte tatoveringen helt tydeligt frem. Det var tvillinger. To drenge, der holdt hinanden i hånden. I en skov. Det er vel dem fra hans eventyr, går jeg ud fra.'

Et andet ansigt fra min korttidshukommelse trængte sig på, og jeg så et glimt af mørk hud og to alt for hurtige øjne, som ikke ville have dig for tæt på. Djævelens bydreng. Manden med filthatten, der lod, som om han var tilfreds med de håndører, børn og deres mødre gav ham efter hver forestilling.

'Tomo,' udbrød jeg. 'Jims manager.'

'Hvad med ham?'

'Tomo betyder "tvilling" på japansk, ikke?' fortsatte jeg. 'Jim må da have følt noget for fyren, siden han lod sig tatovere for hans skyld.'

'Ja,' sagde Aoife og slukkede sin smøg, før hun fik taget et eneste hiv af den. 'Det var, før han smadrede kraniet på ham.'

'Så er er der mad, tøser!' råbte Fiona, mens hun både prøvede at åbne vinen og samtidig få Jonno til at holde hænderne for sig selv.

Mens jeg sidder og skriver alt det her, så kunne jeg sparke mig selv bagi for ikke at have lagt to og to sammen den aften, inden jeg gik indenfor i køkkenet med min tvillingesøster. Jeg skulle bare have tænkt over, hvad jeg godt vidste i forvejen. Men den slags selvkritik fører ingen vegne, påstår Fiona. Og måske har hun ret.

Aoife var borte, før de allerførste efterårsblade var nået at visne.

Det skete vist på en torsdag, for det var som regel der, jeg gik ned på postkontoret i byen for at se, hvad der var til os. Jeg fandt nøglen, åbnede boksen og tømte den for et par lortereklamer og et brev. Jeg var ved at putte det i min taske, da jeg kom til at se på det en gang til. Alle lyde omkring mig blev skruet ned til en fjern mumlen, selv børnene, der skreg, at deres isvafler ikke var store nok.

Jeg åbnede brevet. Det begyndte med et kækt:

Hey, tøser.

Jeg cyklede tilbage til hytten med så meget knald på, at mine lunger var som fyldt med batterisyre, da jeg nåede frem. Uden at sige et ord greb jeg Fiona i kraven, pegede på brevet og fik hende til at læse resten. Jeg kravlede op på sofaen og stak fingrene i ørerne. Jeg turde ikke engang se derhen, fordi jeg kunne huske Aoifes øjne fra den nat og vidste, hvad de havde prøvet at fortælle mig. De havde holdt en lang afskedstale for mig.

Fiona læste brevet to gange. Så glattede hun det ud på køkkenbordet og kiggede hen på mig. Jeg ved ikke, hvor lang tid der gik, før jeg tog mod til mig, men til sidst blev jeg alligevel for nysgerrig. Aoife havde skrevet:

Jeg er taget væk et stykke tid. Lad nu være med at bekymre jer – især dig,
Rosie, din lille dommedagsprofet. Men det varer nok et stykke tid, før jeg
kommer tilbage. Det er ikke jeres skyld. Og jeg er heller ikke ved at kulle
totalt ud over alt det med Jim. En dag skal jeg nok forklare, hvordan det
hele hænger sammen, det lover jeg. Og når den dag kommer, vil I begge
to forhåbentlig kunne tilgive mig det, jeg skal til at gøre nu.

Indtil da håber jeg, at vores forældre vogter over jer i deres himmel og
holder ulvene fra jeres dør.

Jeg elsker jer mere, end I aner.

Jeres søster, altid,

Aoife

Jeg læste nok det brev hundredvis af gange, men jeg forstod det stadig
væk ikke. Mens dage blev til uger og derefter måneder, begyndte hendes
gådefulde kærlighedsbrev til os at minde mere og mere om et endeligt
farvel, hver gang jeg nåede til sidste sætning.

Hvad jeg ikke vidste, var, at der snart ville komme et nyt brev.

Og i dét stod der ikke et ord om kærlighed.

21

Alt det der om tidens tand, jeg pralede med at vide enormt meget om lige før? Glem det. Det viste sig, at jeg var komplet åndssvag. Tiden gør, hvad der passer den, uanset hvem der tror, de kan se ind til dens tikkeværk. Og både Heraklit og Einstein kan lige så godt holde op med at prøve at afkode dens hemmeligheder.

For de tre år, der gik, mens vi måtte undvære Aoife, føltes som tredive. Mig og Fiona lukkede stenhytten ned. Det virkede mest rigtigt at gøre. Der kom stadig væk fotografer rendende overalt deroppe, især i højsæsonen, hvor enhver narrøv med et mobilkamera prøvede at fange os, mens vi slikkede sol udenfor. Hullerne i taget var efterhånden blevet så omfattende, at vi var nødt til at piske rundt i stuerne med gulvspande, hver gang det regnede. Finbarr, den grådige sjæl, tilbød os en god pris for huset, men jeg tror nok, Fiona sagde, han kunne fise af.

Så jeg flyttede ind i Fionas egyptiske tempel og måtte passe meget på alle hendes nipsgenstande, hver gang jeg gjorde rent. Hun tjente til huslejen, og jeg blev endnu bedre til at snakke løs på radiosenderen. Altså ikke ligesom før, hvor jeg talte med enhver spasser bare for at få tiden til at gå. Snart var mit netværk af kortbølgespioner hele vejen fra Clontarf til Killala travlt beskæftiget med at holde udkig efter en kortklippet blond pige i en bulet, brun Vauxhall Royale. Walisiske skolepiger fra Aberystwyth meldte sig også under fanerne, og jeg havde endda fat i havnefogeden i både Liverpool og Cherbourg, hvis nu hun skulle være smuttet den vej.

Og du tror sikkert, det er løgn, men jeg holdt op med at ryge. Jeg tog på som en trøstespiser, og Fiona sagde, at det klædte mig. Jeg havde sådan lyst til at give hende røvfuld for det, men hvem fanden skulle jeg måske se lækker ud for? Jeg forærede min sorte vaskebjørne-makeup til et par tøser fra Sacred Heart, og de var ved at kysse mig af taknemmelighed. Jeg gik kun udenfor, når der skulle købes ind, og kørte lige hjem igen bagefter til min radiosender, hvor jeg følte mig i sikkerhed.

Men lige meget hjalp det. Aoife var og blev forsvundet.

Der skete også noget andet, som jeg ikke lagde mærke til før flere måneder senere. Der manglede nogen i mit usynlige megahertz-galleri. Portvagten, den selvglade stemme, som plejede at vide alt om Jim, længe før jeg gjorde, havde trukket sin vindebro op. Jeg drejede tuneren til både venstre og højre, skiftede sendefrekvens masser af gange og bad endda alle andre derude om at sige til, hvis de fandt ham et sted. Men der kom aldrig noget svar. Jeg begyndte at spekulere på, om det i virkeligheden havde været Jim, der selv legede oraklet fra den dybe skov, som om det ikke havde været nok at pine os ansigt til ansigt. For de var forsvundet fra hver deres verden nøjagtig samtidig.

Efter at have holdt afstand et stykke tid begyndte Bronagh til sidst at snakke med os igen. Indicierne mod Jim og Tomo for alle sexmordene var stadig væk papirstynde, men der blev ikke fundet flere døde unge piger. Selv uden håndgribelige beviser vidste alle, at de to fyre var skyldige. Jonno afholdt hvert år en indsamling nede på torvet for ofrenes familier. Mig og Fiona blev altid inviteret med som æresgæster, og vi sagde kun ja for at glæde ham. Han blev ved med at sige, at der stod et nyskænket glas til mig indenfor i pubben, hvis jeg havde lyst, og jeg sagde nej tak hver gang. Mrs. Crimmins var ikke sen til at skovle alle de gæster op, som tante Moira havde ladt i stikken, og fik endda bygget en helt ny længe. Hun behandlede os pænt. 'Jeg brød mig heller aldrig om den mand,' hviskede hun med et glimt i øjet.

Nu da alting var så nær ved det gamle, det kunne blive i en by som vores, så tror du måske, at det var enden på min fortælling, hvad? To skøre bitches leder land og rige rundt efter deres fortabte søster og prøver at glemme alt om deres djævletante. Slut, prut, finale? Ja, jeg ville også have slukket for tv'et og være gået i seng, hvis jeg var dig, for sikke dog en lortefilm, *det* ville have været.

Tid *er* altså noget underligt noget. Den kryber og snor sig uden om os på en måde, det tager alt for lang tid at forklare. For næsten nøjagtig på dagen tre år efter, at jeg havde fundet Aoifes brev i vores postboks, lå der et nyt derinde. Konvolutten var af tykt cremefarvet papir og var afsendt fra et sted, der hed:

Strand Street 1, Malahide, Co. Dublin.

Det var blevet videresendt fra Aoifes gamle stenhytte, så det kunne ikke være hende, der havde sendt det. Der stod ikke noget navn udenpå. Denne gang ville jeg selv læse brevet først og ignorerede folks nysgerrige blikke, mens jeg flåede det op. *Mine kæreste små venner*, stod der:

Jeg håber, I alle tre har det godt. Jeg vil gå lige til sagen, for jeg hader at skrive breve og har heller ikke lyst til at spilde jeres tid. Jeg har vandtætte beviser på, at I alle tre myrdede min Jim. Men jeg vil helst ikke melde jer – endnu. Jeg har planlagt noget andet. Jeg har kræft over det hele, og lægerne siger, der ikke er så langt igen nu. Måske en måned, men så heller ikke mere.

Så her er mit forslag: Jeg vil have, at I alle tre kommer til Dublin og tager jer lidt af mig, til jeg ikke er mere, for der er ikke andre til det. Hvis ikke I gør mig denne sidste tjeneste, så får politiet alt at vide. Jeg har vedlagt en lille hilsen, så I ikke skulle tvivle på mig. Prøv at ryste konvolutten. Jeg har mange flere, hvor den kom fra. I tre piger ryddede ikke grundigt nok op efter jer. Min adresse står på bagsiden. Kom lige så snart, I har læst dette brev. Og hvis ikke jeg ser jer om et par dage, så varer det ikke længe, før jeg kommer og besøger jer oppe i Dochas Fængsel, ikke sandt, små venner?

Knus og kys til jer alle fra jeres tante
Moira

En hilsen? Hvad fablede hun om? Uden at tænke videre over det gjorde jeg, som hun havde sagt. Ren børnerefleks. Jeg rystede konvolutten, og der faldt noget ud af den, som jeg genkendte med det samme. For hver gang jeg havde brugt den, lovede jeg også altid mine lunger, at det i hvert fald var sidste gang, de skulle dø af iltmangel.

Det var min egen lighter, den med piratkraniet, som jeg havde vundet i et slag poker engang. Heksen havde lagt den i en fin plasticpose. Der var også små klumper jord i. Jeg kunne overhovedet ikke huske at have tabt den og i hvert fald ikke for fødderne af en fyr, jeg lige havde stukket som en gris. Hvornår havde jeg brugt den sidst? Jeg prøvede at spole tre år tilbage, og filmen knækkede. Men jeg plejede da at have den i min taske, gjorde jeg ikke? Og jeg havde haft tasken med på stranden den dag. Hvad mon Moira ellers havde? tænkte jeg, mens jeg cyklede over til min søster som død og helvede. Jeg holdt kun ind til siden en enkelt gang, så jeg kunne kaste op.

Jeg ignorerede blikke fra både træer og naboer, mens jeg overvejede bare at rive brevet i stykker og ikke fortælle noget om det til Fiona. Det måtte sgu da være bluff, et rent svindelnummer. Moira havde langt om længe mistet den sidste del af den forstand, plastic-Jesus havde givet hende. Men så begyndte jeg at tvivle på min egen skråsikkerhed. Var vores fingeraftryk på noget, vi havde overset? Jims skjorteknapper, måske? Men strisserne ville da have fundet ud af det for længst. Mit hoved snurrede som en hårtørrer, idet jeg bragede ind i Fionas entré og viftede med brevet som en vanvittig.

Men min storesøster var ikke alene.

Der sad en skikkelse på sofaen med noget på, der lignede en flosset gammel overtræksjakke, og den rejste sig ikke. Jeg skulle lige til at spørge Fiona, om brandvæsenet var kommet forbi for at få eftermiddagskaffe, da jeg kom nær nok til at se, hvem der gemte sig inden i dén mundering. Jeg tabte brevet på gulvet og tog et skridt fremad. Mit hjerte blev med ét opfyldt af en kærlighed så blød som flødekarameller og et had, der var mere urokkeligt end jernbeton. For Fionas gæst løftede hovedet og smilede genert til os begge to.

'Så er det vel nu, jeg skal have røvfuld, hvad?' sagde Aoife.

I lang tid skete der ingenting. Ingen glædestårer, intet vredesudbrud. Jeg samlede bare brevet op igen og satte mig ned så langt væk fra Aoife, som jeg kunne komme. Jeg kunne ikke finde på noget at sige. Blæsten tog fat i døren og ruskede den lidt. Fiona skænkede en kop op til mig, før jeg kunne nå at sige nej, og jeg tog imod den uden at tøve. Mine hænder skulle beskæftiges lidt, mens hovedet prøvede at finde ud af, hvor det var.

'Der er rigtig meget, jeg skylder jer en forklaring på,' sagde min tvilling og nikkede til sin tomme tekop.

'Femoghalvtreds cent,' sagde jeg endelig og prøvede at lyde helt rolig.

'Róisín –' sagde Fiona og lød som vores mor op ad dage.

'Mere ville det ikke have kostet dig,' blev jeg ved. 'Et *feckin'* 55-cent-frimærke på et postkort, bare så vi vidste, du ikke lå med hovedet nedad i en grøft et sted. Var det for meget besvær? Eller – nåhr – var det for svært at slikke på selve *frimærket*? Hvorfor gik du så ikke bare udenfor, når det var regnvejr, og satte det på, når det var vådt nok? Det kan da ikke være nemmere.'

'Rosie,' sagde Aoife, som først nu lagde mærke til, hvad jeg havde i hånden. 'Må jeg ikke bare –'

'Ved du hvad, nej, det må du faktisk ikke,' sagde jeg og holdt godt fast i tømmerne til begge tårekanaler. 'Mig og Fiona har bare haft det vidunderligt med at slæbe rundt på det stilet-søster-pis i tre år – tre *år*! Det har været som en død albatros om halsen på os. Nå, stak du af til Sydfrankrig med en af dine fodboldspillere, hvad? Eller med ham belgieren, som insisterede på, at vi skulle lære at fløjte? Eller en helt tredje?'

'Der var noget, jeg var nødt til at tage mig af,' var det eneste, Aoife ville ud med som en slags forklaring. Hun viklede frakken om kroppen som en nybagt redderelev, der gemmer sig for brandchefen lige før udrykning. Fiona lagde hånden på skulderen af mig, men jeg aede den ikke. Det kan godt være, jeg tager helt fejl af tidens egenskaber. Men jeg ved fandeme, hvordan det føles, når proppen endelig går af, efter at man i tre år har rystet flasken og forsikret alle og enhver om, hvor fint man bare har det. Jeg foldede brevet sammen flere gange og glemte næsten, at det ikke var en middagsinvitation, men selve Djævelens origami.

'Nå, men så kan man da i det mindste håbe, at du aflagde vores tante et besøg,' sagde jeg. 'Hvis det ellers var dét, du mente med, at vi skulle "tilgive dig det, du skal til at gøre nu". Fik du smidt hende ned i den alt for tidlige grav, hun virkelig har fortjent?'

'Så stopper du!' sagde Fiona og virkede faktisk helt rystet over at høre mig sige sådan noget højt selv efter alt, hvad der var sket. Men hun havde selv haft samme ønskedrøm, det ved jeg. Det var derfor, hendes stemme var så skinger og chokeret som en bedstemors.

'Nej, det gjorde jeg ikke,' sagde Aoife og rakte ud efter min hånd. Det varede lidt, men så tog jeg den. Men jeg kunne stadig ikke se hende i øjnene. Jeg vil ikke have, at nogen ser mig græde, ikke engang mine søstre. Da Evvie stadig slog et smut forbi, gik jeg altid ud på toilettet, hvis vi havde sagt grimme ting til hinanden, og kom først ud igen, når jeg havde tørret øjnene. Det vil jeg ikke undskylde for, sådan er det bare. Men jeg vil godt indrømme over for dig, at det føltes mere vidunderligt end nogen sinde før at røre ved Aoifes fingerspidser igen. Fiona var klog nok til at holde mund og ikke spolere det.

'Men hvor har du så været henne?' spurgte jeg.

'Hvis I kan vente til i morgen, skal jeg nok fortælle jer alting,' sagde Aoife og kom selv til at snøfte lidt. Hun havde fået ru opvaskerhænder. 'Jeg ved ikke helt, hvor jeg skal begynde. Men jeg bliver et stykke tid. Så vi skal ikke skynde os.'

Jeg overrakte Moiras trussel så langsomt, jeg kunne, og så, hvordan mine søstre spærrede øjnene op i spændt forventning. Papirfuglen, jeg var kommet til at lave af vores tantes brev ved at stå og kramme det, foldede sig ud til et skævt sejlskib. 'Jo, vi skal,' sagde jeg og kunne mærke, hvordan de sidste rester af tryghed og glæde, der stadig hvirvlede rundt i mig, blev forvandlet til sten. 'Vi skal til Malahide.'

Ingen af os sagde ret meget i toget.

Ni-trediveren fra Cork City var fyldt til randen den morgen, og folks fugtige tøj fik vinduerne til at dugge mere end i et russisk dampbad. Mig og mine søstre satte os så langt væk fra spisevognen, som vi kunne komme. For hvis nogen havde overhørt bare en lille smule af vores samtale, ville de have trukket nødbremsen med det samme og tilkaldt den nærmeste *garda*.

Jeg vil gerne have, du forstår, at vi ikke var forhærdede kriminelle, men bare tre piger, som ikke kunne have handlet anderledes. Hvis det også er sådan, vaneforbrydere undskylder sig over for dommeren, så beklager jeg. Sæt dig selv i mit sted, og regnestykket bliver straks lettere at forstå. Elsk ham eller dræb ham. Kan du huske hans eget spørgsmål til publikum, bare vendt om? Sagen er bare, at det bliver lettere at tænke på mord, hvis man allerede har slået ihjel én gang. Og hvor ender det *så* henne? Forstår du nu, hvad jeg mener?

'Jeg har ikke taget våben med,' sagde jeg lavmælt til de andre og smilede til to ældre herrer, der sad og spiste chips på den anden side af gangen.

256

'Hold kæft, din idiot!' hvæsede Fiona. Hun havde smurt sandwicher og lavet te til turen, nøjagtig som når vores forældre skulle alene i byen og havde givet storesøster besked på at 'lave mad'.

Aoife var tavs næsten hele vejen til endestationen. De tre år havde efterladt en tynd hinde af sorg på hendes ansigt, men det var ikke de nye rynker, der afspejlede hendes egentlige sindelag. Stik mig en flad, hvis det her lyder banalt, men hun udstrålede nu også en sindsro, som hun ikke kunne have fået hos Father Malloy, om hun så havde siddet i skriftestolen hver søndag. Selv med tante Moiras trussel hængende over hovedet lod hun sig ikke kue. Noget havde forrykket hendes allerinderste væsen, og det var ikke det drab, vi alle havde taget del i, men derimod noget lysende klart, hun holdt for sig selv.

'Jeg skal vise jer noget,' sagde hun endelig, lige inden vi ankom til Dublin, efter at de fleste passagerer lige var stået af i Mallow.

Mig og Fiona lænede os forover, så vi kunne se det, hun havde i hånden.

Det var en tegnebog.

'Jeg tog den ud af Jims bukselomme,' sagde hun og blev stadig stakåndet ved tanken. 'I må ikke spørge mig, hvorfor jeg har beholdt den.'

Læderet var nøddebrunt og glinsende, og jeg var lige ved selv at åbne den, men lod Aoife gøre det. Der var kun det i, som jeg havde forventet: krøllede kvitteringer og et par sedler. Så trak min tvillingesøster Jims kørekort ud af dets plastichylster. Der var ingen tvivl om, at det var ham, med de sexøjenbryn. Men navnet lød forkert, hvilket slet ikke overraskede mig.

'Nå, så han hedder Jim O'Driscoll og ikke Quick, hvad?' sagde jeg.

'Hed,' rettede Fiona mig som den evige skolelærer. 'Hvad er der ellers?'

Aoife vendte bunden i vejret og hældte indholdet ud i skødet. Der var kun en gammel togbillet og et brugt taletidskort tilbage. Men jeg bemærkede med det samme, at tegnebogen stadig var tyk på midten. Jeg stak en finger bag kørekortet og kunne mærke noget derinde, som havde siddet limet fast til læderet med sved.

Et sammenfoldet stykke papir, der var gulligt og mørnet, så igen dagens lys.

'Hvad er det?' spurgte Aoife og sænkede stemmen, da hun opdagede togkonduktøren, som gik en sidste runde inden fyraften.

Jeg lukkede forsigtigt op for de inderste tanker hos den eneste mand, bortset fra min egen far, jeg nogen sinde har villet vide noget om. Papiret gav sig langsomt og modsatte sig min indtrængen, men afslørede til sidst, hvad Jim havde gået og drømt om mellem mordene:

Et gammeldags, håndtegnet skattekort, som et barn ville have fundet på at lave, bredte sig vildt i alle retninger. Højt mod nord forhindrede uoverstigelige isbjerge en lille tændstikmand med stok i at komme videre. Nede i bunden kunne man se et sydende ocean, der var fyldt med skrækkelige blæksprutter. Lidt inde i landskabet lå en kvindeskikkelse på en kirkegård. Han havde ikke tegnet hendes ansigt.

'Hold kæft, det er sgu da Sarah,' udbrød jeg, og det fik konduktøren til at vende sig om. Jeg dækkede over det ved at fnise fjollet som den pige, jeg egentlig aldrig havde været, og han fortsatte ind i næste vogn, mens han rystede på hovedet.

På kortets østligste kant var papiret blevet til en ufremkommelig skov, hvor troldmænd i spidse hatte sendte zigzaglyn fra deres fingerspidser ud over forvredne egetræstoppe. Skønne ungmøer flygtede fra ulvekobler, der ikke så ud til at mangle bytte.

Men jeg bemærkede mest af alt én eneste detalje, der endda var dårligt tegnet og delvist tværet ud.

'Det er et slot,' sagde jeg og holdt papiret op mod lyset. Jim havde brugt speedmarker til at farve porten sort med og tegnet en figur, der sad lige uden for vindebroen og bemandede noget, der lignede en radiosender. Det var en mand, kunne jeg se. Snørklede "elektriske bølger" strømmede ud fra hans hoved. Og jo, du læste rigtigt, han *sad* ned, for der var en rigtig god grund til, at han aldrig mere ville komme op at stå.

Hans ben var blevet knust. Næsten som om nogen havde redet hen over dem med vilje og ladet ham dø som krøbling. En prins, var det vist, huskede jeg fra Jims eventyr, og han var faldet på sin hest. Hans bror Euan ville om lidt slå ham ihjel og frarøve ham det hele kongerige. Den døende prins' navn var ... for helvede, det kunne jeg ikke huske.

Uden for vores vindue begyndte de første betonstolper at minde mig og mine søstre om, at vi snart ville være i fjendeland.

'Næste station er Dublin Heuston,' læspede den dovne højttalerstemme. 'Dette tog kører mod Dublin Heuston. Tak, fordi De har valgt at rejse med Iarnród Éireann.'

Han kunne lige så godt have meddelt, at toget fortsatte forbi endestationen og kørte direkte til Dochas Fængsel, hvis sorte port uden tvivl ville lukke sig sammen om os.

Dengang vi var små, fortalte vores mor os altid den selv samme slags godnathistorie, især når grenene bankede mod ruden. Hun fortalte dem næsten også på samme måde, men gav den som regel en ekstra tand hen imod slutningen, hvis vi stadig var lidt pjevsede og havde brug for at få en sidste opmuntring til at skræmme uhyrerne under sengen væk med.

Og vi plagede hende altid om kun at fortælle os dén, hvor vi blev helte til sidst, og det drejede sig om liv og død. Hvorfor ellers fortælle eventyr? Mor prøvede som regel først med et par yndige folkesagn, hvor alfer red omkring på enhjørninger og den slags vrøvl, indtil hun til sidst gav sig og lod os få historien om noget ukendt, der stirrer på én ude fra skyggernes land.

'Der var engang tre tapre piger nøjagtig ligesom jer,' begyndte hun og trak dynen helt op til vores hagespidser, mens hun lod en lampe brænde. 'De boede i en hytte højt oppe i den forheksede skovs allerhøjeste træ. Både alferne og dyrene syntes, de var gode naboer. Det var kun troldene, som tilbad mørket og gemte sig dybt neden under klipperne om dagen, der kom frem om natten for at jagte dem. Derfor måtte de tre søstre altid sørge for at tænde alle lamperne i huset, når solen var ved at gå ned ...'

Hun fortsatte med at fortælle, hvordan pigerne sprang op i himlen hver eneste nat, hvor de skulle fange nok stjerner i deres sommerfuglenet til at oplyse sovekammeret derhjemme, lige til solen igen stod op. Derpå vævede de dem sammen med komethaler og måneskin, til de havde lavet et stjernetæppe, de brugte som dyne. Troldene holdt til sidst op med at komme listende, fordi de blev bange for det klare skær inde fra hytten.

Alt åndede ro og fred. Lige indtil den mest skinsyge af alle bjergtroldene besluttede sig for at stjæle pigernes himmelske skat. Hun havde ikke noget navn, men selv ulvene frygtede hende og ville ikke jage i skoven, hvis hun også var ude på rov.

Hun ventede, til alle tre piger var gået til ro. Så viklede hun et sjal om sig, hun havde hæklet af den begsorte nat, som man kun finder i troldenes underverden. Det var så fintmasket, at intet lys kunne trænge igennem. Hun kravlede op i træet og ind ad et vindue. Hendes fingre brændte, da de rørte ved det lysende tæppe, og hun var lige ved at hyle af smerte. Men det lykkedes hende at bide det i sig, lige til hun havde begravet de mange tusinder af stjerner i den dybeste hule, som hendes venner dæmonerne lod hende låne.

Nu vågnede de tre piger, fordi alle de andre trolde hamrede på deres dør for at komme derind og æde dem. 'Der er kun ét at gøre,' sagde den tapreste af de tre. 'Vi må begive os på en underjordisk rejse og overvinde enhver fare, der så end måtte lure dernede. For vi er søstrene, som selv stjernerne elsker.'

Den tapreste. Hvad siger du så? Mor var en gang imellem lidt for melodramatisk. Efter en hæsblæsende odyssé, hvor mig, Fiona og Aoife kæmpede imod hekse, bjergdjævle og sorte riddere, vendte de tre søstre altid hjem med det kosmiske tæppe og levede lykkeligt til deres dages ende. Og selv om det kostede mor en million, lod hun lyset brænde, til der var morgenmad. Hun elskede os. Det har jeg allerede sagt, ikke?

Vi blev ikke modtaget af noget spor eventyragtigt på Heuston Station.

Derfra tøffede vi med det lokale DART-tog op til Malahide og sank igen dybt ned i en kulsort melankoli, mens et par sovebyer på vejen stadig ikke var vågnet endnu. Da vi ankom, var der kun et par minutters gang gennem smalle gader, hvor hvert eneste hus så ud, som om det var lavet af harske peberkager.

Det var vel mig, der var den tapreste. Så jeg ringede på dørklokken uden for Strand Street nummer ét, før de andre to kunne tage sig sammen til det. Jeg kom til at tænke på den første gang, min tante havde taget mig med ned i den lokale slikbutik, og følte mig med ét meget gammel.

Derindefra kunne vi høre de velkendte farmor-fodtrin, eferfulgt af et lidt for rask tag i dørhåndtaget. Kæft, hvor jeg hadede netop dén kombination, hver gang jeg skulle til fredagsmiddag hos hende hjemme i Castletownbere. Så gik døren op.

Hun var smukkere, end jeg kunne huske at have set hende. Tante Moiras hår var blevet langt og faldt ned over et par skuldre, der var blevet lige så solbrændte som hendes ansigt. De snorlige tænder lynede klarere end Jonnos gebis, og hendes kjole sad så stramt, at den lige så godt kunne have været sprøjtelakeret på. Hun har bygget en fucking tidsmaskine inde i det hus, tænkte jeg. Hun har fået alle urene til at gå baglæns, og Jim har aldrig eksisteret. Vi er børn igen. Og vores forældre kommer snart forbi med dessert.

Ja, jeg ved det sgu da godt. Nok ikke det bedste tidspunkt at falde i staver på.

Det så ud til, at Moira i hvert fald til at begynde med havde behandlet sin kræft med solbadning. Hun havde nye fregner på næsen. Hun smilede til os alle tre med en så ægte glæde i øjnene, at jeg vidste, vi alligevel skulle have taget i det mindste en kniv med i tasken.

'Jamen der *er* I jo, små venner,' sagde hun, og jeg kiggede ind i entréen for at se, hvor hun mon havde gemt vores stjernetæppe henne. 'Og jeg har lige sat vand over til te.'

Nu kommer den igen snigende. Det er min gamle angst for at fortælle dig, hvad der videre skete.

For nu kan du snart gætte dig til resten, kan du ikke? Men det underligste ved hele vores besøg i huset var, hvor høfligt, ja, næsten hyggeligt det først virkede. Tante Moira var selvfølgelig ked af det og kunne ikke skjule sin vrede, mens vi satte os omkring det samme mahognibord, vi genkendte hjemme fra pensionatet. Ja, det var lige før, hun undskyldte at have truet os til at komme ud og besøge hende. Og mens sukkerknalderne langsomt opløstes i vores kopper, kom hun endelig til sagen.

'Knoglekræft,' sagde tante Moira og nikkede samtidig, som om dét nu var hendes nye navn. 'Det vil sige, at jeg kommer til at falme som en gammel serviet. Og I skal ikke være bange. Når jeg er borte, kan I roligt tage jeres ... ejendele i chatollet der.' Hun pegede på et egetræsmonstrum henne ved væggen. Den eneste udsmykning i lokalet var hendes gamle portræt af Eamon de Valera. Helgenstatuerne havde åbenbart ikke haft råd til en togbillet, for jeg kunne ikke se dem nogen steder. Resten af huset lugtede af gammelt støv og vanrøgt. Der boede ikke rigtig nogen her, for vores tante var kun på gennemrejse. Den trofaste, gamle plastic-Jesus hang over døren, og det stribede tapet var af den slags, man ville have set hos sin afdøde farmor for cirka halvtreds år siden. Der var ingen andre møbler bortset fra et par stole, nogen havde siddet i stykker for længe siden.

'Hvaffornogen ejendele?' spurgte Fiona og gjorde sit bedste for ikke at lyde, som om hun allerhelst ville kværke hende. 'Vi fik lighteren, du sendte, men –'

'Hvad *siger* du, har I allerede glemt det?' drillede vores åbenbart kernesunde tante, som kvitterede ved at vimse over til chatollet, låse det op og vende tilbage med små poser, der lignede pot. Da lagde jeg for første gang mærke til hendes halskæde. Den så ud, som om den var lavet af jern eller mat sølv. Og alle de små genstande, der dinglede for enden af den, var ikke smykker, men nøgler. Hun viftede os om næsen med en plasticpose, der også var fyldt med jord, og sagde: 'Politiet fandt aldrig denne her. Ser I, den var faldet ind i et hult træ, nøjagtig som i eventyrene. Til sidst opdagede *jeg* den. Men det tog lang tid. Jeg var derude i månedsvis. Men det er man nødt til, hvis ikke man vil gå glip af noget vigtigt.' Hun så hen på mig. 'Synes I ikke også?'

Posen indeholdt også den krøllede pakke cigaretter, jeg havde set Jim smide væk. I den anden lå der noget, der lignede en knap fra Aoifes kjole. Moira sagde det ikke, men jeg havde sikkert også efterladt mine fingeraftryk på lighteren. Der var sikkert mere, men det interesserede mig ikke længere. For nu kunne vi så nemt som ingenting blive anklaget for mord. Tante Moira gik hen og låste sine beviser væk igen og tog et ark papir frem, som hun skubbede hen over bordpladen til os.

'Og nu da vi forstår hinanden, så lad os blive enige om reglementet her i huset,' sagde hun.

Det var nøjagtig ligesom at være tilbage i den katolske skole med nonnerne. Stå op klokken lidt i seks, lav morgenmad til hende og sæt hendes medicin frem. Derefter var der rengøring til klokken tolv middag, efterfulgt af Moiras frokost, noget smertestillende, og først da fik vi selv lidt at æde. Før vi fik lov til at forberede hendes aftensmad, skulle vi ud og købe ind, men med en ganske særlig klausul i kontrakten.

'Kun én af jer må forlade huset ad gangen,' sagde tante Moira og knejsede lidt mindre med nakken end før.

'Hvorfor det?' spurgte jeg.

'Fordi jeg siger det.' Hun pegede hen på en lang, beigefarvet overfrakke, som hang på knagerækken ved døren. 'I skal hver især tage den på med et sjal over, hver gang I går udenfor. I må kun købe ind i supermarkedet lige om hjørnet og ikke købe andet end det, jeg har skrevet på indkøbslisten. Er dét forstået?'

Jeg stirrede tante Moira dybt i øjnene og huskede, hvordan Fiona havde beskrevet hele hendes udtryk, da hun så Jim for første gang. Forblindet, havde hun sagt. Ravende sindssyg. Hvis ikke vi slipper ud herfra meget snart, tænkte jeg, så er vi lige så færdige som alle dem, Tomo har nakket med sin murhammer.

Jeg så min tantes ulvesmil lure på os og var allerede begyndt at tænke på flugt.

I de første par uger skete der ingenting. Fiona købte ind, jeg gjorde rent, og Aoife lavede mad. Nøjagtig som gamle Devs fantasi om, hvad ordentlige irske piger burde bruge deres tid på.

Og tante Moira?

Jamen hun havde det da selvfølgelig som blommen i et æg. Hun elskede at påpege vores fejl, som hvis vi ikke havde renset toiletkummen hele vejen rundt, eller når Aoife havde puttet for meget salt i suppen. Men jeg blev ved med at sige til mig selv, at det kun ville vare et par uger til. Jeg håber ikke, du synes, jeg var dum og naiv, fordi jeg troede på det. Hvis du selv kunne have set den kvindes indre glød, så ville du nok også have overbevist dig selv om, at det kun var de døendes næstsidste kraftanstrengelse lige før tæppefald.

Der kom aldrig nogen gæster forbi. Faktisk var det eneste menneske, jeg så i al den tid, ham det lille postbud, som plejede at blive stående lidt udenfor, som om han ville inviteres indenfor til te. Naturligvis skulle jeg da have råbt på ham for længst, men hvordan kunne jeg måske have forudset, hvad der ville ske med os? Han blev nu heller aldrig derude ret længe. For tante Moira jog ham væk.

Om natten gik Aoife nedenunder og sov i kælderen, hvor vores tante havde indrettet et ekstra gæsteværelse, mens mig og Fiona delte et ovenpå. Jeg fandt hurtigt en stak notesbøger, nogen havde efterladt for længe siden, tror jeg, for de havde et tykt lag støv på. Der stod '1941' indeni. Det er en af dem, du sidder og læser i lige nu, men det har du vel allerede gættet. Jeg begyndte metodisk at lægge en flugtplan, hvad enten vores elskede tante var blevet kulet ned forinden eller ej. Fiona begyndte at beklage sig over hovedpine, men jeg tog mig først ikke af det, fordi jeg havde set hende rapse smøger fra køkkenskuffen og vidste, hun ikke kunne tåle røg.

Næh, det var noget andet, der først satte mig på sporet af, at der var noget rivende galt.

En morgen for ikke så længe siden vågnede jeg ved lyden af en nøgle i låsen.

'Er der nogen?' mumlede jeg og gned øjnene. Jeg havde lige drømt om hekse.

'Sov bare videre,' hviskede tante Moiras stemme gennem soveværelsedøren, men jeg vidste udmærket godt, hvad jeg havde hørt. Jeg drejede på håndtaget, men døren gik ikke op. Nu lod hun ikke mere, som om vi bare var gæster. Fra da af var vi hendes fanger. Og mens jeg blev ved med at lytte, overbeviste det metalliske smæk af flere låse mig om, at jeg skulle have kastet mig tværs over mahognibordet, lige da vi kom, og vredet halsen om på hende. Hvis min tante var ved at dø af kræft, kunne du fandeme kalde mig for Madam *feckin'* Curie. Det her handlede om hævn, slet og ret.

Og vi ville aldrig siden forlade huset i levende live.

Fra dén dag fik vi ikke mere lov at forlade vores værelser. Selv ikke, da jeg begyndte at tisse blod og ikke anede, hvorfor jeg følte mig så smadret indeni.

'Jeg kan ikke stole på jer mere,' sagde vores fangevogter, som i løbet af natten havde listet sig ind og lænket os til vores senge. Alt var som i en dårlig film. 'Man skal jo sætte mordere bag lås og slå, ikke sandt?' Hun låste kun døren op tre gange om ugen, når hun kom med noget pjask, som hun påstod var suppe. Selvfølgelig åd vi det. Hvad skulle vi ellers have gjort? Gribe fat i hende og prøve at nakke hende dér? Det prøvede jeg da på, endda to gange. Og hun gav mig så mange tæsk hver eneste gang, at mine fortænder stadig rokker frem og tilbage, når jeg tygger brød.

Jeg begyndte også at tabe mig. Altså, det er jo klart. Men det her var ikke nogen normal slankekur, hvor cowboybukserne sidder lidt løst om hofterne. Her kunne jeg fandeme se mit eget brystben tone frem under huden som et hemmeligt maleri.

'Hun har kommet noget i maden,' sagde Fiona, som selv var dækket af sår, hun ikke længere kun holde rene.

Det eneste, jeg ikke kunne holde op med at tænke på, var Aoife.

Jeg havde ikke set hende i ugevis og begyndte at blive bange for, at vores tante allerede havde slået hende ihjel bare for at vise os, hvem der bestemte. Moira havde ofte advaret os mod at signalere til nogen uden for huset, hvis ikke vi ville risikere, at der skete noget med min tvillinge-søster, og jeg tvivlede ikke på hendes beslutsomhed.

For et par nætter siden hørte jeg en fjern metallisk skramlen. Nogen bankede på nedløbsrøret, som førte hele vejen fra vores badeværelse og ned i kælderen. Først kunne jeg ikke finde ud af, hvad det var, fordi jeg også var begyndt at få susen for ørerne på det sidste, men til sidst gik det op for mig. Det var det gamle morsealfabet, og en del af sætningen var allerede gået mig forbi:

...G...G...E...T...O...O...K...A...Y...?

Om vi begge to var okay? Tårerne piblede frem i øjnene på mig, og jeg begyndte at ryste over det hele. Gud velsigne Aoife, fordi hun tog sig tid til at sidde på min seng, da vi var små, og tålmodigt lade mig lære sig, hvordan man morsede. 'Du skal nok få brug for det en dag, bare vent og se,' plejede jeg at sige, mens jeg så alvorligt på hende. 'Hvornår, for eksempel?' spurgte hun så. Hårdt presset svarede jeg så allerede dengang med en radioamatørs urokkelige logik noget med, at 'Hvad nu, hvis alle telefonerne i hele verden pludselig gik i stykker?'

Jeg vækkede Fiona og samlede hendes skruetrækker op, så jeg kunne sende en besked tilbage.

H...V...O...R...D...A...N...K...O...M...M...E...R...V...I...U...D...?

Aoifes svar kom efter kun et par sekunders tøven og var lige så klart som et telegram fra domstolen op til skafottet:

N...A...K...H...E...N...D...E...F...Ø...R...S...T...

'Hvad er alt det spektakel?' skreg tante Moira nedefra, og jeg kunne allerede høre hendes frøkenhæle på trappen. 'Sig mig, hvad laver I deroppe?'

'Det er vandet i rørene,' sagde Fiona. 'Det får dem til at stå og banke.'

'I har gang i et eller andet,' sagde vores tante og vimsede ned igen, hvor det snart lød, som om hun gennemrodede alle sine hemmelige skuffer. 'Men I skal ikke slippe godt fra det. Så sandt som Jim er mit vidne, så kommer jeg til at overleve jer alle tre.'

Det var en ny vinkel, måtte jeg indrømme, og selv gamle Jim ville have smilet i sin hellige grav deroppe i bakkerne. For nu indtog selv Gud kun en andenplads, mens den travleste dødsypperstepræst i West Cork var blevet til en, man svor ved.

Jeg ventede et par timer, til alt skrigeriet nedefra endelig var holdt op. Så talte Aoife og jeg igen gennem røret om flugt, mord og om de dagbøger, vi alle tre var begyndt at skrive. Vi blev enige om at fastsætte vores flugtforsøg til næste onsdag, komme, hvad der ville. Det er forresten i dag, hvis du ellers vil vide det. Og månen er snart ved at glide ned over murstensskoven uden for mit vindue. Men vi snakkede mest af alt om vores kærlighed til hinanden, lige meget hvad. Hun fortalte mig også langt om længe, hvorfor hun havde været nødt til at rejse væk, og jeg sagde, at jeg godt forstod det. For hvem ville ikke kunne det?

Solen er ved at stå op nu, og Fiona sidder og hvæsser den forbandede skruetrækker en sidste gang. Hun har også gravet en skovl frem, fra gud ved hvor. Tante Moira har planlagt noget til os, for hun taler med sig selv dernede igen, og jeg bryder mig endnu mindre om lyden end før. Når galninge sådan diskuterer med sig selv, så skal man lukke festen, selv hvis ikke man har så mange kræfter tilbage at gøre det med. Fiona kunne sikkert fortælle mig en masse om de 300 spartanere, der holdt stand mod

266

hele den persiske hær, men det er der bare ikke tid til. Vi er blevet enige om at angribe Moira i samme øjeblik, hun kommer herind med maden. Den af os, det lykkes at undslippe, har lovet at smide de andres dagbøger i postkassen. Hvad? Du tror da ikke, vi er åndssvage nok til at tro, vi alle tre kan overleve det her? Har du overhovedet ikke hørt efter noget af det, jeg har fortalt? Jeg kan for helvede da ikke engang rejse mig op mere, for slet ikke at tale om gå på mine ben.

Men jeg kan stadig skrive. Og jeg vil ikke afslutte denne dagbog med et eller andet om, at du skal love mig noget eller fortælle min præst, hvor hellig jeg var, bla, bla, bla. For vi kender ikke hinanden, og jeg er sikker på, at du har andet at tage dig til. Det eneste, jeg kunne ønske mig, er, at man ikke dømmer mig alt for hårdt. Det er vist det hele. Åh, jo, gider du ikke godt prøve at komme i kontakt med Evvie og fortælle hende, hvad der skete? Forstår du, jeg kan stadig væk ikke få hende ud af hovedet. Jeg elsker hende jo, den lille kosak, selv om hun er sammen med en anden nu. Sådan er det bare. Hun hedder Kornilova til efternavn, og de bor i noget, der hedder Sochi. Okay? Der kan vel ikke være så mange, der hedder det, kan der vel?

Så.

Her kommer hun endelig, min yndlingstante. Hun slæber sin usle krop langsomt op ad trappen. Er det nu, så? Er det?

Det må det være, for Aoife bliver ved med at banke angrebssignalet, som om jeg er døv eller noget.

N...U...!

Jeg gør altid, hvad min tvillingesøster siger, så jeg er nødt til at smutte nu. Hvem du så end er, så pas på dig selv. Og gør dig selv en tjeneste:

Du må love mig kun at elske de mennesker, der fortjener dig.

Tro mig. Jeg ved, hvad jeg taler om.

FJERDE DEL

PRINSEN MED
DE KNUSTE BEN

22

Niall tøvede, før han lukkede dagbogen i. Stemmerne i den havde virket
så levende, at de næsten stadig gav genlyd herude i de levendes verden.
Han holdt vejret og lyttede. For han syntes, han kunne høre nogen, der
mumlede svagt. Umuligt. Vinden hylede. Han var overbevist om, at han
havde hørt syner, men halvdelen af hans opmærksomhed var stadig til-
bage på sidste side af Róisíns dagbog, hvor hendes liv var ved at rinde ud.

Vent lige lidt.

Et sted lige ved siden af kunne han igen høre en lavmælt summen.
Den trængte ind gennem et hul i loftet og dryssede ud over ham som
tryllestøv.

"Det her er fuldkommen håbløst," sagde en kvindestemme, der var ar-
rig på sig selv.

Først troede Niall, det var hans egen fantasi, der talte til ham. Mens
han læste, havde han opfundet en forskellig stemme til hver person i beg-
ge dagbøger, især de tre Walsh-søstre, som blev fanger i et af de skræk-
keligske fængsler, han kunne forestille sig. Han syntes også, at han var
begyndt at kende nogle af deres vaner, og så dem ikke bare som radio-rot-
ten, den mystifistiske tvillingesøster og deres overbeskyttende storesøster,
som svingede skovlen først. Det var bare overfladiske klichéer. Nej, Niall
vidste godt, at han sikkert overfortolkede det, men syntes alligevel, at hver
piges personlighed stod lige så lysende klar for ham som drømmebilledet
af Jims ulv, der jog byttet ind i den forheksede skov. Bortset fra Aoife,
måske. Hun var stadig væk et sted uden for hans fatteevne, fordi hun ind-
til videre havde kunnet løbe stærkere end de andre to.

Derfor var han lige ved at svare, da han hørte den samme kvinde sige
noget igen og endnu tættere på. Hun lød mere bange, end hun var vil-
lig til at indrømme. Niall anede ikke hvorfor. Havde hele forældregrup-
pen henne fra kirkegården mon fundet ham?

"Regnen har allerede udvisket hans fodspor." Hun lød helt moderlig. Bekymret. Ikke helt ung længere. Men hvor kom stemmen fra? Niall krøb sammen nede i hjørnet og prøvede at fylde endnu mindre. Der var ingen steder at gemme sig, medmindre han begyndte at rejse sig i halvmørket og lede, men så ville han buse ind i møblerne og afsløre sig selv. Han kunne lige akkurat se sin hånd for sig i det mørkeblå skær lige før daggry og lagde mærke til, hvad der lignede et vindue lidt længere henne på væggen. Lyden af støvler på grus. Niall var lige ved at spjætte. Så ender alting altså her, du gamle, tænkte han og forestillede sig en offentlig hængning fra en galge et sted, efter at han ligesom ulvene var blevet banket til døde af folkemængden. Mens han sad og funderede over, om det nu også var dét værd at dø for at beskytte Walsh-søstrenes hemmeligheder, hørte han nogen svare kvinden.

"Shh, for helvede, Vivian!' tyssede en mand og kæmpede for at få vejret. "Du ku' fandeme lige så godt fyre et kanonslag af for at fortælle alle og enhver, at vi er her!" Der var en klirrende, metallisk lyd. En pistol, måske. Eller en kæde. Eller noget andet, der gjorde ondt.

Niall havde hørt stemmen sige noget før. Den tilhørte den korpulente mand, han havde set stå uden for Sacred Heart School tidligere. Manden havde set ud, som om han håbede, at Bronagh ville holde rygepause, så han i ro og mag kunne nakke stodderen, som han var overbevist om havde molesteret hans eneste datter. Åh, Aoife, hvor kunne jeg godt have brugt dit gamle gevær lige nu, tænkte Niall, hvis øjne var ved at vænne sig til det skiftende lys, som brød igennem skydækket udenfor som en glorie på et katolsk postkort. Plastic-Jesus, tænkte han, gør mine forfølgere blinde med dit hellige åsyn og kilowatt-herlighed. Mr. Raichoudhury vil nok snart læse min nekrolog i avisen og sige: Jeg prøvede at advare dig, din åndssvage knægt. Men hvad kunne jeg ellers have gjort, *sir*? ville han have spurgt sin nidkære chef. Glemt Róisín, Aoife og Fiona?

Undskyld, kære hr. Overpostbud, men tager du pis på mig?

Kvinden udenfor blev mere og mere utryg. Niall kunne høre, hvordan hun snappede efter vejret, som blev siddende i halsen og aldrig helt kom ned i lungerne.

"Vi må ikke nærme os stedet overhovedet, mr. Cremin, det her er –"

"Tror du ikke, jeg godt *ved* det?" næsten råbte han og glemte sin egen tidligere tilrettevisning. "Men sporet ender lige derovre i grøften. Der er ikke mange steder, han kan have gemt sig."

"Så ved du også godt, hvad straffen er. Og *reglerne.*"

"Hun forvandler mig til en tudse og al den slags vrøvl, ja, ja, jeg ved det godt. Ingen har set hende herude, siden hu –"

"Reglerne er ellers meget enkle."

"Og det er *min* datter, vi snakker om. Okay? Han er derinde, det ved jeg. Så stop lige med al den heksesnak."

"Så kan du gøre det selv, Donald Cremin." Hun pudsede næse, og det forekom Niall, at hun skulle tage mod til sig. "Hvad med jer andre?" Flere sjaplyde, mens mange par støvler trampede rundt i det våde græs. Ti, måske tyve mand, tænkte han. På vej hertil eller tilbage? Gennem det knuste vindue kunne han se en klynge sorte regnfrakker, hvis ejermænd så småt var begyndt at sprede sig på engen på vej bort samme vej, som de var kommet. Det lyserøde genskin på deres gummistøvler ville have været smukt, hvis ikke det var for én eneste ting.

Mary Catherine Cremins far kunne stadig lugte byttet. Og han gik ingen steder.

Niall sad stille og forestillede sig, hvad Róisín ville have gjort i samme situation. Sikkert taget et løst bordben og slået ham i hovedet med det. Eller måske bare viftet med begge hænder og mumlet den besværgelse, kvinden derude var så bange for. Han besluttede sig for at vente, til manden kom indenfor i stuen, og så kaste sig over ham nedefra med en rugbytackling. Derefter anede han ikke, hvad han så skulle.

Støvlerne udenfor stod og stampede ubeslutsomt. Og så vidste Niall hvorfor.

Mr. Cremin var også *selv* bange. Han ville bare ikke indrømme det, mens alle de andre var der, som den store, stærke selvtægtsmand, han var. En hylende pibelyd steg op i luften derudefra, for det var, som om selve gulvet i huset var giftigt for ham at betræde. Han turde ikke risikere noget. Til sidst spyttede han på dørtærsklen og gik sin vej.

"Hekse," mumlede han, mens vinden fejede resten af hans sætning ud over Slieve Miskish-bjergene, som lod ham forsvinde i deres høje græs.

Niall pustede ud som en dødsdømt, hvis løkke lige var blevet taget af halsen i tide. Han lænede sig op ad væggen og lod sine ben ryste færdigt, før han så sig omkring i stuen. Og idet solen smurte tykt gul ud over de ramponerede møbler, vidste han nøjagtig, hvor han var.

Han sad i Aoifes forladte stenhytte.

Hvad Niall tidligere havde set på gulvet, var hverken flagermuslort eller døde biller. Det var derimod totter af beskidt fyld fra den sofa, Jim havde sprættet maven op på, før han havde taget sig tid til at voldtage den af søstrene, han ville gøre mest ondt. Hullet i loftet var kun blevet større siden da og lå nu som et sammensunkent krater, der kun havde efterladt en lille halvcirkel helt inde ved væggen, som ikke var pilrådden helt ned til fundamentet. Tekopper og tallerkener stod stadig opmarcheret på bordet, sikkert helt tilbage fra det øjeblik, hvor pigerne havde skyndt sig ud ad døren for at tage ind til Dublin og besøge deres tante. Der var stadig en lille smule brun væske i bunden af noget, der lignede en whiskyflaske.

Det blev koldt. Vinden fløjtede ned gennem hullet. Niall knappede jakken til og blev lettet over at kunne besvare noget, han havde spekuleret på fra starten af sin dårligt planlagte odyssé.

Aoife havde været den mystiske gæst nede i tantens kælder, hvor hun havde lidt i stilhed, indtil hun sammen med sine søstre kunne planlægge et flugtforsøg. Det var ikke Bronagh eller stakkels Finbarr, som havde iværksat en eller anden latterlig redningsaktion. Niall havde selv læst obduktionsrapporterne i *The Irish Star*. Han behøvede ikke engang gætte på, hvordan der så ud oppe på tante Moiras førstesal. Fiona havde udkæmpet en duel med den skinsyge trold fra underverdenen, som aldrig kom i nærheden af Róisín. Men de døde alle tre alligevel. Og om hun så kunne morse nok så meget, var Aoife alligevel ikke kommet sine søstre til undsætning i tide.

Han lukkede øjnene og prøvede at danne sig et billede af, hvad der var gået galt. Hvorfor var Aoife ikke nået ovenpå tids nok? Var der en gulvlem, som hun først skulle forbi? Niall var overbevist om, at hun var nået frem deroppe, men for sent. Først *derefter* var hun flygtet med dagbøgerne under armen, før strisserne kom. "Lukkede du deres øjne, Aoife?" spurgte Niall og så hen på de dyngvåde gardiner. Havde hun mon også bivånet begravelsen på afstand? Det var umuligt at forestille sig, at hun bare var flygtet over hals og hoved. Nej, hun måtte være blevet lidt. Hun svøbte dem i deres usynlige stjernetæppe, før hun forsvandt.

For første gang fornemmede Niall, at han havde fået bare det aller-mindste glimt af familiens mest private søster. Hun havde været lige ved at redde dem alle. Planen om at overmande Moira måtte have set per-fekt ud inde i hendes hoved. Han var også overbevist om, at der for nylig havde været nogen heroppe i hendes hytte, for der hang guirlander af nye kragefjer og indtørrede skrog af døde skovmus over både dørkarmen og på væggene. Rigtigt voodoo-nonsens til at holde myten om den "over-levende søster" i live. Men han følte sig alligevel urolig. En for længst afdød ræv hang ved halen og svingede frem og tilbage som en udslukt lampe i troldens hvælvede hule. Hvis han havde taget papir og blyant med, kunne han have tegnet et fantastisk skovlandskab, hvor en kvinde hele tiden var *lige* uden for ulvens rækkevidde. For Aoife var forsvundet. Igen. Det var hun god til.

"Hvor ville du nu tage hen?" mumlede han for sig selv og blev plud-selig bange for, at væggene kunne høre hans tanker. "Og hvorfor forlod du dine søstre?" Han overvejede igen at overlade hele sagen til politiet, til lænkehunden Bronagh og hendes små hjælpere. Og atter en gang var det umuligt at give slip. Hvor mr. Raichoudhury så end var lige nu, ville han uden tvivl have rystet på sit kloge hoved, mens han trommede med de nyrensede negle på sin bedstefars bæltespænde.

Nej, *sir*, ville Niall have sagt til sit forsvar, jeg har ikke lyttet til Deres råd. Og nej, *sir*, jeg kan stadig heller ikke få alle billederne inde i mit hoved til at gå væk. Ikke efter at have læst to dagbøger skrevet med blod og tårer. Derfor må jeg forfølge dette eventyr til den bitre ende, lige me-get hvor det ender. *Det* er blevet mit arbejde, siden De tog mit fra mig. Måske vil De en dag vandre omkring på en markedsplads et sted og se mig sidde ovre i hjørnet, hvor jeg nok vil forsøge at bruge mine sidste kræfter på at få et bestemt billede til at virke levende. Vi får se, ikke sandt, *sir*?

Vinden havde fået sine fingernegle ind under de løse teglsten på taget og ruskede dem godt. Niall så sig omkring og vidste, at han hellere snart måtte stikke af. På den anden side ville han helst ikke støde ind i mr. Cremins hævngerrige desperadoer på vejen ned. Han kunne stadig se dem langt borte dernede, bare hvide prikker af hår på et grønt græshav, som de endevendte for at finde ham. Flugtvejen ind til byen var altså blokeret.

Det betød, at han var nødt til at gå vestpå, ud mod Eyeries. Men det var godt det samme.

Fordi Róisín havde begravet noget skarpt og spidst derude ved foden af et halshugget træ.

Mister skjulte skatte deres mystik i det øjeblik, nogen graver dem op? Eller bevarer den dyrebare genstand tværtimod en slags magi, som aldrig mister sin glans, lige meget hvor mange hænder der siden rører ved den?

I Jims tilfælde kunne man have begravet et stykke karamelpapir, og folk ville stadig have gjort det helligt i samme sekund, det igen så dagens lys.

Niall tænkte på knivsbladet, som havde punkteret Jims lunger og hjerte, og bestemte sig for, at det ikke var selve våbnet, der var væsentligt, men derimod myten, der omgærdede det. Dette blev hurtigt bekræftet, da han endelig nåede frem til stedet, hvor *seanchaí*en drog sit sidste suk. Den lille plet under træet, hvor hans blod engang farvede skovbunden lyserød, var for længst blevet indtaget af fanatiske tilbedere. Man havde skabt et tempel til ære for de mest outrerede fantasier, der handlede om både død og begær.

Ikke engang Elvis eller John F. Kennedy fik så fornem en behandling. Barken var blevet pillet af hele vejen op til trækronen, og alle de små grene var ligeledes brækket af som relikvier. Der hang en brystholder på et kvist ved siden af et lamineret postkort, hvorpå der stod *ELSKER DIG FOR EVIGT. GLEMMER DIG ALDRIG, DARLING JIM. KYSSER FRA HOLLY I OMAHA, NEBRASKA.* Nogle piger havde endda vedlagt billeder af sig selv og derved skabt en blå bog, der aldrig blev færdig. Det yngste ansigt så ikke meget ældre ud end ti, og hendes skæve tænder og fregner udstrålede drømme om farlig kærlighed. Græsset var blevet til mudder. Der lå øldåser og cigaretskod overalt som beskidte snedriver. Det var sikkert kun, fordi det regnede så kraftigt, at stedet ikke var overrendt.

Niall så sig omkring efter noget, der med lidt god vilje kunne ligne et træ, der havde mistet knoppen.

Det tog ham over en time at finde stedet, Róisín havde beskrevet, fordi regnen i mellemtiden havde indhyllet underskoven i natsort mørke. Det værkede i hans ømme ankel, som sendte hvide smertensjag op i hovedet på ham, når han trådte forkert. Idet han fik øje på den knælende eg for enden af stien, kunne han ikke undgå at bemærke, hvor meget det hele mindede om netop det afsnit i Jims eventyr, hvor den gamle ulv angreb prins Euan og nedkaldte sin forbandelse over ham. Niall så sig omkring og fik kun øje på våde grene overalt, som klaskede ind mod hinanden. Måske havde træerne noget på hjerte, som han kunne lære at forstå, hvis blot han lyttede godt efter, tænkte han. Men så indså han, at han nok havde været i West Cork alt for længe allerede, siden han kunne finde på overhovedet at overveje det. Han knælede ned mellem to rødder, der gennembrød jorden som solbrændte knoer, og begyndte at grave med sine bare hænder. Den våde, slimede jord lavede sugelyde, mens den langsomt gav sig. Er du nu *helt* sikker på, at du vil herned? syntes den at spørge. Hvorfor ikke bare vende om og skride, før nogen ser dig med snuden dybt begravet i en andens blodige fortidslevninger?

Selvfølgelig fandt han ingenting. Hvad havde han forestillet sig? Hele området var erklæret helligt for knuste hjerter fra Frankfurt til Osaka og havde været overrendt i årevis. Niall var tilsølet af mudder og havde mest lyst til at opgive det hele, mens han stod og lyttede til regnens trommen mod bladene. Han følte sig som en komplet nar.

Så kiggede han ned i hullet en sidste gang og kunne ikke forstå, hvorfor der lå en servietstump dybt dernede.

Den var næsten opløst af råd, men dens damask var engang flunkende ny. Der var kun et par centimeter stof tilbage, men det var nok til at forestille sig resten. Han kunne endda se en blomstret blondekant, som ville have prydet ethvert middagsbord.

Eller porcelænstallerkerne hver fredag aften ovre hos tante Moira.

Niall rakte ned og trak forsigtigt i servietten, som gav sig med en træt gaben. Róisín ville ikke bare have stedt knivsbladet nøgent til hvile, indså han og mærkede, hvordan anklen bankede hurtigere. Næh, hun ville have taget sig tid til at svøbe det i et ligklæde som den velopdragne søster, hun var, på trods af sit djævlesøster-image. Niall åbnede nænsomt det sorte bomuld og afslørede genstanden, der havde stjålet Jims liv.

Det var en savtakket klinge, som kun lige var begyndt at ruste helt ude på spidsen. Hvis der havde været blod på engang, var det nådigt blevet vasket bort, hvilket givetvis ville have skuffet enhver skattejæger, der tørstede efter denne hellige gral. Niall puttede bladet i lommen og forlod stedet så hurtigt, han kunne, på trods af smerten. For der faldt mere sommerregn, som ville have udvisket synet af enhver, som kunne nærme sig ham ude fra den mørke skov. Han ville ikke have været særlig overrasket over at se Padraic og de andre ulvejægere trænge gennem buskadset, mens de gennede blodhundene foran sig. Træerne ville have tiet stille, mens hundene flåede ekspostbuddet i stumper og stykker, selv om de godt vidste, hvordan man advarede vildfarne rejsende i tide. For selv træer vidste nemlig, hvornår det var bedst at holde kæft, hvis de ikke selv skulle få ridser i barken.

Og selv om Niall godt kunne lide eventyr, vidste han godt, hvordan *den* historie endte.

Bronagh ventede på ham for enden af stien. Hun lænede sig op ad et gærde. Det eneste, der manglede, for at hun rigtigt lignede en Wild West-marshal, der nidstirrede hestetyven, før han skulle pløkkes ned, var en hjemmerullet cigaret i den ene mundvig.

"Vi andre heromkring tager ikke på skovtur i regnvejr," sagde hun og rystede på hovedet.

Selv hendes replikker var som taget ud af en dårlig westernfilm, og Niall passede meget på ikke at komme til at grine. "Ja, det ved jeg godt," sagde han. "Lejrbålet ville ikke rigtig brænde. Så jeg lod snobrød være snobrød og skred igen."

Bronagh stirrede på mudderet, som havde lavet et chokoladebrunt skjold på Nialls tøj. "Du er da vist ikke skredet overhovedet, siden du kom herud." Hun åbnede sin notesblok og læste højt som til en småt begavet arrestant. "Ulovlig indtrængen på offentlig ejendom, hvor du udgav dig for at være lærer på skolen –"

"Jeg har aldrig foregivet at være –"

"– og hvor du også blottede dig over for en mindreårig –"

"Okay, nu pisser du mig altså af med det der!"

"– hvorefter du ransagede en kirkegård, brød ind i en privat ejendom så sent som i går aftes, og nu" – hun så ned på Nialls beskidte hænder – "er du i gang med at gravrøve én gang til. Som om du ikke havde nok at bekymre dig om. Jeg kørte lige forbi Donald Cremin på vej herud. Han leder stadig væk efter den mand, der befamlede hans datter." Et tv-strisser-smil. "Og jeg kan love dig for, at gamle Donald ikke sådan vader rundt på markerne med en baseballkølle klokken halv otte om morgenen for være ét med naturen."

"Jeg ved godt, hvad du har gang i," sagde Niall, mens han så, hvordan Bronaghs fingre pillede ved uniformsjakkens lynlås.

"Nåh, at anholde dig? Er det *det*, jeg har gang i?" Hun så sig over skulderen. "Kom ikke og sig, at jeg ikke advarede dig."

"Nej, ikke det," svarede Niall og huskede, hvordan Aoifes hytte havde lignet en filmkulisse med de splinternye spøgelsesfjer. Forfølgernes unaturlige angst for stedet havde nu fået en helt enkel forklaring. "Du gør alt for at holde legenden om den fordømte og forheksede Walsh-familie i live, ikke? Lidt voodoo og benstumper og voila! Helt ærlig, Mary Catherines far var ved at skide grønne grise, da han stod på dørtærsklen til huset. Og han kunne lugte, at jeg var derinde! Hvad har du dog sagt til dem? At 'stilet-søstrene' skærer halsen over på enhver, der formaster sig til at trænge ind på deres enemærker?"

Bronaghs øjne blinkede hurtigere, og hun så væk fra Niall. "Ti stille. Du aner ikke noget som helst om, hvordan vi –"

Alle de små gearstænger og krumtapper begyndte at falde på plads inde i hovedet på Niall. "Aoife henvendte sig til dig, ikke? Og det må være sket lige efter Jims død. Du hjalp hende med at flygte og sørgede for, at ingen fangede hende siden. Du gav også hendes hus hele turen med alt det heksegøgl, så ingen fik lyst til at lede after hende. Er det sådan, det er, sergent?"

"Så stopper du. Jeg anholder dig hermed for –"

"Og så bankede hun på din dør *igen* for et par måneder siden. Fordi hun lige med nød og næppe var undsluppet fra Moiras hus i Dublin, ikke også? Og du gik med til at hjælpe hende begge gange. Du skammer dig nemlig stadig over, hvad der skete dengang, du lod hele byens darling Jim voldtage hende uden at løfte en finger for at hjælpe bagefter. Lige som du aldrig rigtigt efterforskede mordet på Sarah McDonnell og

279

de andre, før det var alt for sent. Det kan du godt huske, ikke? Hvor er hun så nu? Nede i *din* kælder? Eller i en andens bjerghytte, langt fanden i vold, hvor ikke engang turisterne kan finde hende igen?" Han slog opgivende ud med hænderne og vrængede ad hende med sin bedste John Wayne-accent. "Giv mig bare håndjern på, marshal. Og hæng mig op og dingle i galgen. Jeg skal nok fortælle journalisterne på både *The Southern Star* og *The Kerryman* alt, hvad jeg ved, inden det når så vidt. Hvad siger du til UNDVEGEN MORDERSKE FUNDET som overskrift? Eller ville GARDA MEDSKYLDIG I MORD være bedre, synes du? Det bliver en god historie, lige meget hvad."

Bronagh stod bare der og måbede. Vinden fik hendes bukseben til at smælde som to faner, og hun standsede ikke Niall, da han gik forbi hende og ned imod byen.

"Vent!"

Niall hørte advarslen sekundet efter, at han havde set mændene, der ventede i vejsvinget lidt længere nede. De var for langt væk, til at han kunne se dem tydeligt. Men en af dem havde noget tungt i sin ene hånd. Selv på afstand kunne han godt ligne Donald Cremin. Solen skar igennem morgenduggen og gav dem alle flimrende glorier, som var de morderiske engle. Niall vendte sig om og så, hvordan Bronagh vinkede ham tilbage til sig. Hun havde allerede sat sig ind bag rattet.

"Skal jeg alligevel ikke hænges i dag?" spurgte han.

"Sæt dig nu ind," svarede Bronagh, mens hun holdt øje med fyrene nede ad vejen, der var begyndt at bevæge sig hen imod lyden af hendes stemme.

Da de kørte forbi det snørklede vejsving, hvor træernes tåspidser berørte asfalten, var Donald Cremin tæt nok på, til at Niall kunne se, hvor stramt han holdt om den baseballkølle.

"Hvad fik dig til at ændre mening?" spurgte Niall, mens Bronagh febrilsk gennemrodede handskerummet og endelig fandt et afgnavet stykke chokolade. "Du kunne sagtens have overladt mig til dem, være kommet tilbage lidt senere og skrevet en rapport om 'et bestialsk overfald'. Ingen ville forbinde det med dig."

"Har du nogen sinde haft en bedste ven?" spurgte Bronagh og smed den harske chokolade ud ad vinduet. "En, du kender så godt, at I kan tænke den samme tanke på samme tidspunkt uden at sige det til hinanden?" Hun rullede vinduet op og strammede kæbemusklerne, så ham muddermanden ikke skulle se, hvad der rørte sig i hendes hjerte. "Som siger dine sætninger færdig, før du selv kan nå det? Og lyver over for sine forældre for din skyld? Har du nogen sinde haft sådan en ven?"

Niall tænkte på lille Danny Egan hjemme fra vejen. Bussen, der stod stille alt for længe. Og på de dukkeagtige voksben, der kun vågnede til live igen, fordi han tegnede dem på papiret. Men han nikkede bare og lod Bronagh fortsætte. Bilen susede forbi den gamle mølleå i udkanten af Castletownbere og fortsatte forbi kystvagtstationen. Den eneste lyd i kabinen var Bronaghs skyldfølelse, som havde forvandlet sig til et par lunger, der hev efter nok luft til at aflevere en ordentlig tilståelse.

"Da jeg var syv år gammel," fortsatte hun, "var det eneste, jeg ønskede mig, et par sorte sko. De havde en knap på siden og var helt skinnende. Bare så flotte. Jeg havde aldrig set noget lignende. Så jeg gik ind i skoforretningen på hovedgaden og ventede, til ekspedienten skulle ud bagi og ryge en smøg. Og så tog jeg et par. Lagde dem ned i min skoletaske og gik hjem så langsomt, jeg kunne." Bronagh holdt den ene hånd op til læberne som for bedre at kunne gelejde ordene ud af sin mund. "De var alt for store. Jeg stoppede avispapir i dem for at få dem til at passe. Jeg gik hen til Rosie, og vi skiftedes til at lave modeopvisning foran spejlet i dem. Så ringede det på døren. Hende damen fra butikken havde taget strisserne med." Hun begyndte at snøfte og ikke kun på grund af mindet. For Rosie var død nu, og Bronagh vidste, at det var helt unødvendigt. "Róisín ventede ikke engang på, at jeg samlede mig sammen til en dårlig undskyldning. Hun så dem lige i øjnene og tilstod selv at have stjålet skoene. Hendes far gav hende så mange smæk, at hun ikke kunne gå hele resten af ugen. Og hun forlangte aldrig noget til gengæld. Ikke en eneste gang."

Asfaltvejens krappe sving snoede sig forbi regnvåde fyrretræer på begge sider. Niall genkendte området som det selv samme, hvor han havde vandret som en halvdød pilgrim bare et par dage forinden.

"Men Aoife, hende kunne du gøre noget for, ikke?"

"Prøv at se sådan her på det," svarede Bronagh og prøvede at ryste sorgen af sig. "Hun var den eneste, der var tilbage. Hvad ville du selv have gjort?"

"Hvor er hun, Bronagh?"

Bronagh svarede ikke, men spidsede munden og holdt ind til siden. Hun låste passagerdøren op og rakte om på bagsædet efter noget, som hun smed over i skødet på Niall.

Det var en plasticpose med hans gamle tøj og alt tegnegrejet, som han havde efterladt på pensionatet.

"Mrs. Crimmins sagde, at hun ikke ville se sådan nogen som dig for sine øjne mere," sagde Bronagh og signalerede, at han godt kunne skride. "Efter hvad du lavede på Sacred Heart, er hun ikke den eneste, kan jeg godt sige dig."

"Jeg gjorde ingenting. Og det ved du godt."

Bronagh sendte ham et smil så bittert som en valnød. Der var ingen glæde at spore i hendes stemme, da den lavede den handel i porten, som ville redde begge deres skind. "Lige som *du* ved, at jeg ikke aner, hvor Aoife er, eller hvad der er blevet af hende. Jeg er bare en dum *garda*. Så er vi to vist kvit, ikke?"

"Okay."

"Du er god nok, Niall," sagde hun med et suk, som slap ud helt af sig selv. "Du gik bare og pillede ved de forkerte ting, det er det hele."

Niall åbnede døren og steg ud. Træerne susede i vinden. Men han anede ikke, om de prøvede at fortælle ham noget, eller om de bare småsludrede indbyrdes.

"Hvis du nogen sinde taler med hende igen," sagde Niall, "så sig til hende, at jeg håber, hun finder det, hun leder efter."

Men Bronagh havde allerede vendt bilen og var halvvejs nede ad bakken. Nogle svar er for dyrekøbte.

Niall havde set skyggerne blive lange i timevis, mens han gik hen ad kystvejen. Tågen rullede op bag ham som en nysgerrig hund, der ville vide, hvor han skulle hen.

Så hørte han noget, han først troede var en reservedel fra hans egen fantasi. Det var en motor, som gik op og ned i gear, hver gang vejen bugtede sig.

En motorcykel.

Genialt, tænkte Niall, mens han lo hysterisk, det er jo bare helt perfekt. Det er Jims gamle Vincent Comet, som nu går igen i bjergene og vil jage mig hele vejen hjem til Ballymun. Lyden blev kastet tilbage af klipperne. Den var snart tæt på, snart næsten borte. Niall vendte sig om og så en enlig lyskegle snitte sig gennem tågebanken. Det er den evigt fordømte *seanchaí*, som stiger op af graven hver nat og martrer alle dem, der nægter at tro på ham. Niall dykkede ned i lommen efter Róisíns knivsblad og knugede det, mens han ventede.

Da motorcyklen kom tættere på, kunne Niall se, at den ikke var purpurrød, men sort. Skikkelsen i den sorte læderjakke bremsede op lige foran ham og åbnede visiret. Han genkendte ansigtet med det samme.

"Fandt du så dem, du ledte efter?" spurgte den samme pige, som allerede havde skræmt ham halvt ihjel én gang. Hendes smil blev kun bredere af, at han ikke kunne finde et på sit eget ansigt.

"Ikke dem alle sammen," svarede Niall og puttede, så diskret han kunne, våbnet i lommen igen.

"Hop du bare bagpå," sagde hun. "Jeg skal østpå i dag, så du er heldig."

"Jeg vil helst også kunne trække vejret i morgen. Men ellers tak."

Motorcyklisten nikkede og lukkede visiret igen. Niall syntes stadig, at hun smilede, for plasticboblen var nærmest oplyst indefra. "Du skal lade være med at komme tilbage hertil," sagde hun uden for megen dramatik i stemmen, hvorefter hun gassede op og drønede op ad den nærmeste bakketop på under fem sekunder.

Niall så sig tilbage ned ad landevejen, hvor tågen stadig ventede om hjørnet for at se, om han nu ville følge det gode råd eller ej.

"Hvil i fred, Aoife," sagde han og vendte Castletownbere ryggen for sidste gang.

24

Toget var så tomt, at det gibbede i Niall, hver gang der blev sagt noget over højttaleren. Han havde siddet og blundet lidt, og i selv de korteste drømme var ulve trængt ind i hans fantasi og begyndt at fouragere. Nu vågnede han med et sæt og knaldede hovedet mod ruden.

"Næste station: Thurles. Dette tog kører til Dublin Heuston. Bemærk venligst, at der ikke er servering før endestationen. Tak, fordi De har valgt at rejse med Iarnród Éireann."

Det her kan da dårligt blive meget værre, tænkte Niall og så ud ad vinduet. Da han endelig var nået frem til Cork City for et par timer siden, manglede han to skide euro for at kunne købe en billet til det sidste nattog tilbage til Dublin. Han skammede sig helt ned i fodsålerne, da han gik hen til taxachaufførerne for at spørge, om de kunne undvære en daler. En af dem gav ham endelig en femmer, hvis han ellers lovede aldrig mere at komme igen. Fyren havde grinet ad ham, mens han smed sedlen ned foran hans fødder. Det sved stadig i kinderne på ham.

Landskabet susede forbi og udviskede de sorte aftentræer til et endeløst gråt forhæng. Ikke en mors sjæl bevægede sig derude, og Niall begyndte at forestille sig, at Jims eventyrverden faktisk fandtes et sted lige bag en horisont, der allerede var så dunkel, at han ikke kunne se den tydeligt. Og hvorfor skulle det egentlig ikke kunne lade sig gøre? Selv med mobilmaster, benzintanke og motorveje overalt kunne noget fra fortiden måske have overlevet de moderne fremskridt, hvis bare det gemte sig godt nok. Som for eksempel en ulveborg. Eller en oplyst festsal, der var prinsesse Aisling værdig. Eller måske troldmandens skjulte værksted, hvorfra en fjern verdens ældgamle trylleformularer og besværgelser stadig kunne nå frem til vores egen tidsalder.

En troldmand?

På trods af sin opsvulmede ankel og ømme krop var Niall med ét lys-vågen. Der flimrede nu et bestemt billede lige bag hans øjne, som prø-vede at vække den del af hans hjerne, der ikke var faldet i søvn. For Rói-sín havde beskrevet noget lignende hen imod slutningen af sin dagbog, havde hun ikke? Hun havde siddet i et tog som det her (Niall forestillede sig endda, at de tre søstre havde konspireret på nøjagtig samme plads), da Aoife tilstod over for de andre, at hun havde taget Jims tegnebog og dermed fundet hans hemmelige kort.

En ny tanke slog ham med større kraft, end Donald Cremins baseball-kølle kunne have gjort. Hvad nu, hvis Jims kort ikke havde været fri fan-tasi? Kunne man tænke sig, at de "elektriske udladninger", der gnistrede fra troldmandens fingerspidser, ikke skulle forestille at være sort magi, men derimod hans måde at kommunikere på med nogen, han ikke kun-ne se?

Det kunne da umuligt ... Niall tog dagbogen frem, og han rystede på hænderne, mens han bladrede frem til der, hvor Róisín havde beskrevet det. "Det var en mand," havde hun skrevet med sine kragetæer, som "bemandede noget, der lignede en radiosender". Og det var ikke det hele, hvis Niall ellers kunne huske, hvad Fiona havde skrevet i sin for-tælling. Troldmanden var i virkeligheden en prins, hvis ben var blevet knust, da han styrtede på sin hest. Nu lå han bare der og ventede på, at hans bror Euan skulle slå ham ihjel uden så meget som at tøve et se-kund.

Róisín havde ikke kunnet huske hans navn. Men det kunne Niall. For netop denne person havde været hele årsagen til Euans ulveforbandelse, som Jim havde fortalt om til alle og enhver.

Prinsen med de knuste ben hed Ned.

Niall skulle lige til at lukke bogen, da et enkelt krøllet ark papir faldt ud af en lomme bag ved omslaget og ned på gulvet.

"Kunne De tænke Dem noget fra minibaren, *sir*?" hørte han en stem-me spørge, mens han bøjede sig ned for at samle papiret op.

Han rettede sig op og så lige ind i øjnene på en ung, søvnig kvinde, der rumlede af sted med en alt for overlæsset vogn fyldt med sandwich-er og kaffekander. Hun havde indtørrede sennepspletter på uniformen.

"Øhm, jeg troede slet ikke, der var servering," sagde han og skjulte sin nye skat i den ene hånd.

"De gider aldrig skifte det gamle bånd ud," sagde hun og blinkede til ham. "Te?"

"No thanks, love," sagde han og sugede varmen til sig fra det eneste smil, han havde fået i dagevis. Hun fortsatte og hævede den ene hånd til afsked. Han ventede, til hun var inde i den næste vogn, før han turde folde papiret helt ud.

Omsider så Niall alle de hemmelige billeder, Jim havde gemt væk i sin ucensurerede hjerne og gradvist omdannet til blæk, før han overførte fantasierne til papir.

Her var både den døde kvinde på stien og den frygtindgydende isvæg, som ingen rejsende kunne overstige. Men Nialls finger fulgte kortets konturer mod øst, fordi hans øjne ledte efter noget bestemt. Den sorte tusch var tværet ud sine steder, som Róisín havde beskrevet, men han kunne stadig godt se, hvad det skulle forestille, da han fandt det.

Det var en middelalderborg. Ned sad derinde og sendte sine radiobølger ud i æteren i håb om, at nogen derude ville opfange dem. Han bemærkede også en detalje, som Róisín enten ikke havde haft tid til at nævne eller ikke havde lagt mærke til. To fede blækstreger gik lige igennem Jims papirskov. Det var primitivt lavet, men der var ingen tvivl om, hvad Jim havde prøvet at tegne.

Togspor.

De endte ved foden af et bjerg. Jim havde lavet blomsterkruseduller over det hele, som om der voksede skønhed ud af selve klippevæggen. Rent trylleri fra troldmandens skjulte hjem og næsten en piget tilskyndelse til at gøre et ellers frygtindgydende landskab mere yndigt. Niall lukkede øjnene og dannede sig et overblik over, hvad han havde læst i begge dagbøger. Jim havde sagt en lille smule til Fiona om, hvor han kom fra, havde han ikke? Eller havde det været en anden, der havde fortalt, hvor han boede? Niall gravede i rygsækken efter Fionas fortælling, da han kom i tanker om, at han havde byttet dagbøger med den snu Mary Catherine. Men vent lige et øjeblik. Havde det ikke været netop Róisíns radiostemme, som havde nævnt noget om et slot langt ude i skoven? Han kunne ikke huske det tydeligt. Toget gav et ryk, mens det sænkede farten. Om lidt standsede det i Thurles.

Han så op på kortet over *Iarnród Éireann*-intercity-ruterne, der hang på væggen foran ham, og hans øjne fulgte de rigtige togspor, som fortsatte østpå forbi Thurles, Templemore og Ballybrophy. Så sammenlignede han plastickortet med det krøllede skattekort, han havde i skødet, og opdagede, at Jims klodsede skinner endte på nøjagtig samme sted, hvor togselskabets hjælpsomme kartograf havde tegnet en station.

Hvad enten troldmanden var opdigtet eller ej, så boede han ude ved Portlaoise.

Slieve Bloom-bjergene, der hvert forår var dækket af klokkeblomster, lå ikke langt derfra. Niall havde leget i de dybe kløfter derude som dreng. Ham og Danny for engang vild derude efter mørkets frembrud og fandt kun hjem igen, fordi månen havde givet genskin i blomsternes kronblade, så drengene kunne se stien for deres fødder.

Niall rystede af både spænding og angst. Den glæde ved at lege Walsh-søstrenes detektiv, som de nådesløse taxachauffører havde knust, blev igen vakt til live.

Hvis du findes, så kan du ikke gemme dig for mig, sagde Niall til troldmanden, som han stadig ikke kunne se helt tydeligt for sit indre øje. Og man har nedkaldt flere forbandelser over mig i de sidste par dage, end der er plads til i ti ridderfilm. Så gå du bare i krig. Vi to mødes snart.

Månen var ved at gå ned, men ville stadig blive ved med at skinne svagt i mindst en time endnu, kunne Niall se, mens han valgte en sti, der gik dybere ind i skoven. Henne fra togstationen havde det været ingen sag at finde Slieve Bloom-bjergenes sydøstligste kant, som knejsede i det flade landskab som et slumrende væsen, der tålmodigt afventede solens komme. Han genfandt hurtigt sine spejderreflekser og prøvede at navigere gennem krattet og videre vestpå, som han engang havde gjort kun ved hjælp af de selvlysende klokkeblomster. Men idet de sidste gadelygter fra Portlaoise forsvandt i tykningen bag ham, indså han, at han stadig manglede i hvert fald et par af de vigtigste duelighedstegn.

Det var næsten juni måned. Og de ganske få klokkeblomster, han kunne skimte for sin fod, var allerede visnet. Overalt omkring sig kunne han se de triste, brunlige stilke. Forude ventede det formløse mørke, som kun børn kan gengive ordentlig, når de har mareridt.

"Har du også forhekset blomsterne, hvad, din gamle troldmand?" spurgte han den usynlige sti, mens han overbeviste sig selv om, at han kunne fornemme noget levende lige i nærheden. "Det er lige meget. Jeg skal nok finde dig alligevel."

Bedst som Niall tog et par kraftspring op ad stien, begyndte hans øjne at spille ham et puds. Først troede han bare, at hans fantasi havde gjort klokkeblomsterne levende igen. Men så vidste han, at det, der spirede omkring ham, var den skinbarlige virkelighed. Han knælede ned og rørte forsigtigt ved noget småt og skrøbeligt, som lige havde åbnet alle sine fem kronblade for at byde ham velkommen til sin tavse verden.

Den allermindste, nyfødte skovanemone stod ret foran ham og sugede månens kolde stråler til sig.

Niall berørte den kun ganske let med pegefingeren og mærkede en overflade så fin som vingerne på en guldsmed. Han løftede hovedet og vidste, han nu ville have følgesvende selv helt inde i skovens allerdybeste afkroge. For den lille blomst var ikke alene. Så langt øjet rakte, var skovbunden oplyst af hele regimenter af skovanemoner, som bredte deres måneskær ind over stien. Her var lysere end dengang, Niall og Danny havde prøvet at løbe hurtigere end barnefrygten, de næsten kunne se aftegnet i menneskeskikkelse lige bag sig.

"Et stjernetæppe, Róisín," sagde han og mærkede noget falde på plads inden i sig. Han følte sig rolig for første gang, siden han havde taget den besynderlige konvolut inde i returbunken på posthuset for en million år siden. Han satte af sted i retning af den eneste del af bjerget, som han ikke kendte, mens han bildte sig ind, at troldmandens tankebølger fejede hen over trætoppene på udkig efter ubudne gæster.

Niall vidste godt, at troldmænd ikke spiller klaver.

Ikke desto mindre var det dét, han kunne høre. Nogens fingre fremtryllede lyden af Cole Porters "Anything Goes", som klingede sprødt hen over mosset. Hvem der så end spillede, gjorde det i turbotempo. Niall syntes også, at han i et kort øjeblik havde hørt nogen nynne til.

Af alle de mytologiske væsener, Niall kunne komme i tanker om, var det vist kun sirener, der med deres sang lokkede rejsende i fordærv. Næh, en ægte troldmand, der var velbevandret i den sorteste magi, ville i stedet vælge at forhekse alle skovens dyr, så de gik til angreb på borgens fjender, eller bare forstene ulyksalige vandringsmænd med en enkel forbandelse og et lille nik. Men musikken, som gennemtrængte buskadset foran ham nu, hørte snarere hjemme i en skummel swingklub fra de brølende tyvere. Og mens han sneg sig forbi de røde aronsstave, hvis halvgravide knopper mindede om modne frugter, forestillede han sig en salonmusiker, der hver aften underholdt alle dyrene i Hakkebakkeskovens dybe stille ro. Tjørnekrattet flåede i bukserne, som mrs. Crimmins havde givet ham, og han bandede lavmælt.

De plinkende klaverlyde forsvandt lige så brat, som de var begyndt.

For *helvede*! Niall var rasende på sig selv over, at han kunne have været så dum. Han burde vide bedre end bare sådan at buse ind i skoven som et forvildet får. Hvis der virkelig fandtes troldmænd, ville de have tusinder af års erfaring i at lytte til platfodede amatørdetektiver, som stampede rundt midt om natten. Han trådte ind i en lysning af birketræer, som var begyndt at gengive daggryets allerførste pust. Hele skoven var ved at vågne, bortset fra en mørk dalsænkning ud over et klippefremspring halvtreds meter borte.

Mens Niall så sig omkring, før han valgte den næste sti, blev han klar over noget, han ikke tidligere havde lagt mærke til.

Han havde ikke hørt så meget som en mus rømme sig. Ingen skovskader flaksede med vingerne, og hvis grævlingene gjorde sig klar til at forsvare deres huler, var de også komplet lydløse. Det var, som om alle skovens væsener ventede på, at Niall skulle finde det, han åbenbart så inderligt søgte. Eller også venter de på, at det finder *mig*, tænkte han, mens han tvang sig til at fortsætte. Anemonerne, som tidligere dækkede hele skovbunden, var allerede begyndt at tynde ud. Snart var de helt borte. Frygt er ren og skær biologi og ikke en intellektuel størrelse, tænkte han. Han ville senere erindre, hvordan blomsterne syntes at kunne fornemme, hvad der gemte sig nede i dalen, lige uden for synsvidde. Vi har med glæde gelejdet dig halvvejs, hviskede deres kronblade skamfuldt til ham, men selv vi tør ikke længere skinne på din vej.

Han trådte forsigtigt ud på klippekanten, til snuderne af hans tilsølede gummisko stak ud i den blå luft. Dybt nede under ham dystede to røg-faner om, hvem af dem der først kunne nå helt op til en lavthængende sky. Niall kunne ikke se nogen skorsten eller et tag dernede. Men røgen var for kraftig til at komme fra et tilfældigt lejrbål. Der måtte ligge en bygning dernede, det var han sikker på. Han lukkede øjnene og koncentrerede sig om, hvad røgen mon var sammensat af. Der var et anstrøg af ahorn og måske ask. Og tørv, helt klart, masser af det. Nogen hyggede sig rigtigt. Nogen, der boede her.

Niall var ved at gøre sig parat til at finde en vej derned, da han hørte noget lige bag sig. Lyden var virrende og mekanisk og mindede ham om de fjernstyrede legetøjsbiler, Danny engang lod ham låne, fordi hans egen far ikke havde råd til at købe nogen.

"Godmorgen," var der en, der sagde, og han lød tilfreds med at have overrumplet Niall.

"Hvem er ...? Åh, *fuck!*"

Mrs. Crimmins' slidte gummisko gled på de løse sten og i et alenlangt sekund var Niall næsten på vej ud over kanten. Han greb fat i en gren, som knirkede nede ved roden. Hans kinder var knaldrøde af flovhed og skræk, da han vraltede tilbage i sikkerhed og så manden foran sig.

Skikkelsen, der sad foran ham, havde en gammeldags smokingjakke på, der var lavet af rødt velour, godt bakket op af grønne commando-støvler og en sort jagtkasket. Hans overskæg var sparsomt, men veltrimmet. De cognacfarvede øjne lige ovenover glimtede på en måde, der var hverken indladende eller fjendtlig. Der lå et vatteret tæppe hen over benene på ham. Han havde et dobbeltløbet jagtgevær på skødet som en forstenet slange, han aede i håbet om, at den snart ville vågne op med masser af støj ud af begge halse.

Hvorfor bliver han bare siddende der i stedet for at komme hen og spørge, hvem fanden jeg er? begyndte Nialls hjerne at spørge, da han indså, at svaret var indlysende.

Hvem han så end var, sad den unge mand i kørestol.

Niall følte sig kold om anklerne, og han kunne ikke se nogen steder omkring sig, hvor han kunne løbe hurtigere end to salver stålhagl. Trold-manden havde fundet ham fra første øjeblik, han havde sat sin fod i hans rige.

"Jeg er kommet for at tale med Ned," sagde Niall med tør og hæs stemme.

Prinsen med de knuste ben nikkede bare og hævede sin ene hånd. Med det samme rejste to silhuetter sig fra skovbunden mindre end tyve meter bag dem som ulve, der snart skal på jagt. De gav begge to manden i kørestolen et "alt er fint her, boss"-vink ved at hæve deres geværer højt op i luften to gange, hvorefter de atter gik i ét med bladene, til man ikke kunne se, at de havde været der.

"Det er der så mange, der gør," sagde troldmanden uimponeret. "Lad os se, om du er spor anderledes." Han rullede ned ad stien og bød sin gæst følge efter sig ned i den mørklagte dalsænkning, hvorfra intet lys syntes at undslippe.

"Kan du lide ragtime-musik?" ville han vide, mens Niall så hans grove hænder danse på rallyhjulene, som om han også prøvede at aftvinge dem en akkord. "For hvis ikke, så har vi to en lang dag foran os."

Niall tillod sig at slappe bare lidt af, da han så hundene komme ud og modtage deres herre i kørestolen. De var springerspaniels begge to og så på ham med det særlige, intelligente blik, der fik selv deres ejere til at føle sig utilstrækkelige. Der stod en kvinde med et ulasteligt hvidt forklæde på og ventede foran hoveddøren til en georgiansk herregård med mos på murene. Nu kommer teen og småkagerne, tænkte Niall, indtil han mærkede nogens hånd på sin ene skulder og så ind i ansigtet på en af underskovs-mændene, hvis ansigt var lige så stoisk som de gamle træer.

Prinsen med de knuste ben drejede arrigt rundt om sig selv med et utålmodigt ryk. Niall skulle til at sige noget, da han igen så hen på døren, bag hvilken husbestyrerinden klogeligt havde lukket sig inde med hundene. Egentlig var det snarere en slags port, og den var malet lige så sort som en minearbejders lunger. Ikke flere småkager, tænkte han. Det bliver en hængning i stedet foran Ulveslottets vindebro. Han gjorde sig parat til at give kødbjerget bag sig en albue i nosserne.

"Autograf eller interview?" spurgte den forkrøblede aristokrat, mens han åbnede haglgeværet med en indøvet bevægelse og fiskede i alle lommerne efter patroner.

"Hvad?" sagde Niall, mens han mærkede en hånd på sin anden skulder, fordi fedtklumpens kammerat var kommet ham til undsætning og klemte til.

"Du kommer vel ikke hele denne vej over bakke og dal til min ydmyge hytte," sagde borgherren, mens han rystede på sit afpillede hoved og endelig fandt en passende 12-kalibret patron, som han triumferende hold mellem tommel- og pegefinger, "uden i det mindste at have forberedt en ordentlig historie? Ordet 'hvad' åbner ingen døre her. Så lad mig nu lige høre hele løgnen, som du egentlig havde forestillet dig den, okay? 'Jeg var din brors største beundrer, inderst inde var han et godt menneske, og ingen forstår ham så godt som jeg, og bla, bla. Jeg *sværger* på, at jeg ikke er nogen ligrøver.'" Han så på Niall og rystede skuffet på hovedet. "Ikke den? Nå, men hvad så med den altid gode 'Min redaktør slår mig altså *ihjel*, hvis ikke jeg i det mindste får en udtalelse fra dig'? Indtil videre har de fleste af vores besøgende været journalister, især fordi min bror øjensynlig er blevet den nye Jim Morrison. Så tag nu og vær bare en lille smule original, gider du? Og giv os et nummer fra repertoriet, som alle andre hjernedøde kultmedlemmer lirer af, for det er *langt* mere underholdende. Somme tider kommer de endda med souvenirs, som de har stjålet fra stakkels Jims grav. Sidste uge var det ... jeg tror, en fyr gav mig bremsekablet fra hans motorcykel. Er det ikke rigtigt, Theo?"

"Helt rigtigt, mr. O'Driscoll," sagde kæmpen, der var ved at knuse Nialls kraveben.

"Jeg er hverken journalist eller discipel," sagde Niall endelig. "Og sig til ham køleskabet bag ved mig, at han skal holde fingrene for sig selv, ellers –"

"Ellers ikke en skid, *fuckwank*," sagde Theo, mens han tog et fast greb om Nialls håndled.

Ned lyste op i et ægte smil, og nu kunne Niall se, hvordan Jims tvillingebror mindede om ham, med undtagelse af den dødbringende, selvfølgelige charme. Hans bror var blottet for sensualitet og havde sikkert aldrig forført meget andet end sin fars pornoblade. Men de vidste begge to godt, hvordan man vender vrangen ud af folk som en våd overfrakke for at få det, man vil have.

"*Se* nu bare, Theo," sagde han. "Vi har vist fået en rigtig grimrian i nettet denne gang." Han viste Niall sine knoglehvide tænder og skruede

292

ned for temperaturen bag øjnene, nøjagtig som masser af kvinder havde set Jim gøre det, lige inden de aldrig så noget mere. "Nå, hvad gør så *dig* anderledes end de andre skide paparazzisvin? Eller alle dem, der elsker deres pressefotos så meget, at de vover at komme krybende her og bede mig om at skrive min *autograf* på dem?" Han drejede kørestolen omkring og aktiverede den snurrende motor, Niall havde hørt lige før. En slank hånd vinkede i retning af den anden livvagt. "Bræk benene på ham, Otto. Og sørg for denne gang at efterlade ham ude ved vejen et sted, hvor ambulancen kan finde ham. For det var sørme noget værre rod sidst, ikke?"

"Det er bare i orden, mr. O."

"Jeg ved, hvad der slog din bror ihjel," nærmest skreg Niall. "Og jeg har den lige her i lommen."

Den hvinende kørestolsmotor standsede. Ned drejede stolen så langsomt, at Theo i mellemtiden kunne nå at kramme Nialls skulder bare lidt hårdere. "Overrask mig så," sagde Ned. "Men så må du også love at tage din hostesaft som en artig dreng bagefter."

"Sig til ham dit tykke dyr, at han skal slippe mig først."

Ned smilede overbærende, og den store mand trådte lidt til side.

Niall rodede rundt nede i tasken med den af sine hænder, som ham fascisten ikke havde klemt halvt i stykker (han kunne trods alt ikke lade være med at føle sig lykkelig over, at det ikke var hans tegnehånd), og fremdrog den iturevne serviet, Róisín havde brugt til at give mordvåbnet ligklæde på. Han rakte begge dele hen til Ned, som kæmpede med sin alt for lille påhængsmotor for at komme tæt nok på til at se, hvad det var.

"Han blev stukket ned med den her," sagde Niall. "Og hvis du også vil have noget andet af hans, som kun jeg kan give dig forklaringen på, skal du slippe mig fri."

Ned havde allerede snuppet den beskidte stoflas og pakkede kniven ud som et ægte relikvie. Idet hans fingre rørte ved det rustne metal, skinnede hans øjne, som om han beskuede spydspidsen, der gennemborede Kristi legeme, snarere end den kartoffelkniv fra IKEA til ni nioghalvfems, der havde klippet en massemorders returbillet. "Utroligt," mumlede han for sig selv og lyste lidt efter op i kynikerens livløse smil. "Hvordan har du dog haft tid til at sidde ved håndvasken i dagevis og få de her

flotte effekter frem? Jeg må indrømme, at det absolut er den bedste for-
falskning, jeg endnu har set. Jeg var sørme lige ved at gå på den." Han
smed det hele ned på jorden. "Nå, men hyg dig, ikke? Vi ses."

Theo og Otto tog hver et af Nialls ben og begyndte at slæbe ham op
ad stien og ind imod skoven.

"Du er Portvagten!" råbte Niall med et maskingeværs hastighed, mens
hans fingre gravede ned i mudderet, uden at det sinkede hans bødler
synderligt. "Du plejede at stille ind på din kortbølgesender hver aften i
årevis, mens din søde bror voldtog og myrdede sig vej igennem fem kom-
muner. Du fortalte, at den eneste svaghed, der kunne fælde ham, var
kvinder. Du advarede endda Róisín og Fiona Walsh, som var de samme
to piger, der brugte kniven dér til at perforere ham med. Er du overho-
vedet klar over, at du *talte* med dem? Med din brors mordere? Jeg har
læst deres fucking *dagbøger!*" De to mænd var holdt op med at hive, og
det virkede, som om de ventede på et signal, Niall ikke kunne se. "Og
jeg fandt kun frem til dit hus, fordi din bror havde tegnet et kort. Med-
mindre jeg tager meget fejl, har du også en tatovering et sted, som fore-
stiller to drenge, der holder hinanden i hånden. Er det ikke rigtigt? Svar
mig så, din fucking krøbling! Du er din broders vogter, er du ikke også,
din sadistiske bonderøvsbaron?"

Otto og Theo hjalp Niall op at stå og børstede så meget jord af ham,
som de kunne. Derefter nærmest bar de ham hen imod huset, hvor tyen-
det atter havde åbnet den sorte port på vid gab, og lugten af frisklavet
kaffe var i stand til at gennemtrænge selv hans tilstoppede næsebor.

Ned lagde hovedet på skrå og betragtede Niall med en blanding af
nysgerrighed og respekt. Han samlede kniven op igen og så på den med
en ærefrygt, man ikke kan snyde sig til.

"Der kan man bare se, lille ven," sagde prinsen med de knuste ben,
mens han satte stolen i andet gear. "Du *er* jo anderledes end de andre."

Kaffen var stærk nok til at gøre Niall svimmel. En af de andre tjeneste-
folk stod bag ham iført en hvid kittel og satte termoplaster på hans rib-
ben, der hvor gorillaerne havde skrammet ham.

Hans vært sad foran sit koncertflygel, som var et skrammet *Bösendorfer*
med et sejl på størrelse med et spisebord. Cole Porter-numrene klingede

gennem stuen igen, det ene efter det andet, først *fortissimo*, så mere *furioso*, indtil Niall ikke kunne kende forskel på dem. Hans livløse ben, der dinglede slapt fra klaverstolen, havde lånt hænderne al deres styrke og raseri. Troldmandens sidste anslag klingede ud, og han tøvede kort, før han nikkede hen til tjeneren, som omgående trak sig tilbage og lukkede de franske døre bag sig.

"Det føles faktisk helt rart med lidt selskab," sagde Ned, mens han gled hen på sin kørestol som en krabbe, der kryber ind i sit skjold. Han var allerede kørt gennem to gemakker, før Niall kunne nå at reagere.

Niall fulgte efter. Spisestuen var fyldt med sølvindfattede rammer af ansigter, han skønnede måtte være Ned og Jim, dengang de var børn. De var kernesunde, smukke og så dovent hen på fotografen med arvingers indbyggede arrogance. Der hang koparrede kricketbat på væggen over kaminen. Oliemalerierne inde ved siden af skyede lyset og afslørede kun et fjernt omrids af drengenes forældre. Glaserede renæssancevaser stod i hjørnerne som spytbakker.

Men det var et støvet fotografi, som var klemt inde mellem to golf-pokaler, der fik Niall til at standse op.

Det forestillede en ung, blond kvinde, der stod mellem sine tvillinge-brødre foran et gyngestativ fra en fjern barndom, alle med svedige sommergrin over hele femøren. Det var umuligt at afgøre, om det var Ned eller Jim, som havde listet en hånd rundt om livet på hende med lige præcis nok besiddertrang til at blive bemærket. Hendes hud var så hvid, at kontrasten på det gamle sort-hvide billede gennem årene havde forvandlet hendes øjne til sorte huler. Niall kunne kun komme i tanker om ét menneske fra Jims univers, som var lige dele bleg og sexet. Og hun fandtes ikke engang i virkeligheden.

Hendes navn var prinsesse Aisling. Og hun blev først elsket og siden dræbt af en ulv.

"Herinde," råbte Ned, og Niall fulgte efter. Dette mindste værelse var tydeligvis også der, hvor husets eneste beboer tilbragte det meste af sin tid. Udstoppede hornugler sad sammenkrøbet under glasklokker og var for evigt lige ved at blinke med øjnene. Måske var der også et par ravne og fiskehejrer, men Niall kendte ikke så meget til fugle. Det var alle ulvene, der sprang rundtomkring på billeder og også var foreviget som lerstatuer hist og her i hjørnerne, som han lagde mest mærke til. Der hang endda et ægte ulvehoved lige over døren. Gråpelsens gab var så opspilet, at kæberne næsten var vredet af led. Dyret så ud, som om det stadig led under forbandelsen og forgæves forsøgte at tude sig vej ud af den, som prins Euan engang havde prøvet. Men ham her var blevet fanget og udstoppet forinden. Den eneste lyd i lokalet ud over kørestolens piben var et andet elektronisk signal, som Niall ikke umiddelbart kunne lokalisere. Hvert tiende sekund lød der et enkelt bip som en diskret metronom.

"Hvornår hængte din bror alle dem her op?" spurgte Niall og satte sig i den stol, der var længst væk fra Ned. Han overvejede, om han ville have kræfter nok til at forsvare sig ordentligt, hvis den lunefulde pianist besluttede sig til at gøre kort proces før den næste klaverkoncert.

"Det gjorde *jeg*," sagde Ned, mens han lænede sig tilbage og kiggede på gråpelsen, som om han betragtede ham for første gang. Han tændte en smøg og viftede med den som en taktstok. "Jeg lærte Jim alt om dyr. Heste, falke, kaniner og vildt. Om hvordan man enten rider på dem, tæmmer dem eller slår dem ihjel. Og ulve, selvfølgelig. Vi måtte tage helt til Kirgisistan for at finde vores gamle ven dér. Vi kalder ham Freddie." Han vinkede til det vrængende gab. "Sig pænt goddag til den flinke mand, Freddie!"

Niall var lige ved at kaste op. Bippelyden igen, men tættere på.

"Du sagde, du ville vise mig noget andet end kniven," sagde hans vært i en nedladende tone, som kun de, der var født til at give afdøde trofæer uskyldige drengenavne, kunne få til at lyde autentisk.

"Her," sagde Niall og holdt Jims kort op i lyset, som om det kunne forvitre, inden han fik afleveret det. "Din bror lavede en slags visuel logbog over historien, mens den udfoldede sig inde i hans hoved. Der, kan du se? Det er vist dig, tror jeg. Med magiske stråler, der strømmer ud af dine –"

"Af mine fingerspidser, akkurat," sagde den utålmodige troldmand, som nu pludselig sad lår mod lår med sin gæst, mens de sad og granskede de primitive tegninger som to drenge, der gennemroder et frimærkealbum, de vist ikke har fået lov at røre ved. Ned foldede kortet nænsomt sammen og trykkede på en knap ved stolens armlæn. Lyden af skarpladte hæle nærmede sig omgående ude på gangen, og en mandlig tjener, Niall ikke havde set tidligere, stak hovedet diskret indenfor.

"Mr. O?"

"Sam, kan vi få den her sat i en flot ramme, tror du?' spurgte han og holdt det falmede papir i vejret. "Ikke noget alt for guldrandet, vel? Tegningen skal kunne komme til sin ret."

"Med det samme, *sir*." Tjeneren tog imod det hellige relikvie og forsvandt.

Bip!

Niall så forbi Neds visne ben og fik øje på et klumpet omrids af noget, der var overdækket med et grønt filttæppe. Han havde for lidt siden gættet på, at det enten var et klaver eller et chatol. Men nu vidste han, hvad der havde lavet lyden. Og han behøvede ikke løfte en flig og kigge derind for at være helt sikker.

"Du er ikke så dum," sagde den overlevende tvilling, fordi Nialls øjne allerede havde fortalt ham, at de havde gættet rigtigt. "Kunne du tænke dig at se den gamle transistorkasse? Jeg har ikke rigtig fået fyret op for den på det sidste. Ikke siden ..." Han lod de uudtalte ord falde til jorden og krølle sig sammen af sig selv.

"Men før plejede du at bruge din sender til at advare folk med," sagde Niall og følte sig en lille smule mere tapper. Hvem fanden var den her narrøv, der talte, som om han havde hovedet oppe i røven på dronningen? "Dengang Jim stadig rendte omkring og slog ihjel. Hvorfor ringede du ikke bare til strisserne, mens tid var? Og fik ham standset? Eller begyndte det at blive monotont, sådan at holde ulven fra døren?"

"Sig mig, hvorfor kom du egentlig herud?" sagde Ned hvast og greb fat om styrepinden på armlænet. "Var det bare for at påpege noget helt indlysende?"

"Jeg har lovet at gøre et stykke arbejde færdigt for tre af mine venner," sagde Niall og kunne godt lide lyden af sin egen forklaring. Det var første gang, han havde sagt det højt, og han ville have ønsket, at Fiona, Róisín og Aoife også kunne have hørt det. "For de er her ikke selv til at gøre det."

Neds øjne blev fjerne og indadvendte. Han befandt sig i fortiden sammen med sin bror og en anden, som hans ansigt ikke afslørede. "Og de hørte *heller* ikke efter, vel? Ligesom alle de andre kvinder, som bare ville 'elskes af en mand, der var lidt farlig'. Jeg elsker Jim. Du bedes lægge mærke til, at jeg ikke siger 'elskede', for stodderen er stadig min eneste bror. Naturligvis vidste jeg, hvad han pønsede på, allerede da han som trettenårig stak af hjemmefra. Det var tydeligt, hvad han snart ville udvikle sig til. Men jeg kunne da ikke bare sådan ringe til politiet, vel? Det ville ikke have været pænt af mig."

"Men så blev du klar over, at han havde ændret sig, gjorde du ikke?" sagde Niall og gik ind på den skæve logik hos et menneske, som kun havde døde ting tilbage at fylde sin tilværelse med. "Der skete pludselig noget forfærdeligt. Det stod i avisen. Ulven havde slået til for første gang. Og der gik ikke lang tid, før han havde vænnet sig til blodets sang i sine ører."

Ned lignede en, der på trods af sit handicap overvejede at rejse sig op og kværke Niall. Så blev han roligere og lænede sig igen tilbage. "I starten sendte han mig gaver med posten. Souvenirs. Der kom flere og flere. Til sidst var det en ren syndflod. Vil du se nogle af dem?" Uden at vente på svar kørte prinsen uden ben over til et hjørneskab og tog en læderpose ud, der var på størrelse med en flad fodbold. Han vendte bunden i vejret på den, og gulvet blev med det samme oversvømmet af glimtende øreringe i alle farver og størrelser. Ned samlede en af dem op og smilede.

"Den første, den *allerførste*, var lavet af billig simili og sølv," sagde han. "Jeg går ud fra, den må have tilhørt en bartender eller en arbejdsløs, velsagtens. Da den fjerde og femte ørering ankom, havde de stadig indtørret blod på sig. Det var dér, jeg begyndte at tænde for transistorkassen for at mindske skaderne lidt, så at sige. Det er endda Jims egen gamle radiosender. Vidunderlig ironi, ikke sandt?"

Niall sagde ingenting, men blev bare ved med at lytte til *bip*-lyden og var klar over, hvor åndssvagt det var at have ladet sig indfange og sidde her med denne galning.

"Så du er også en slags fortæller, hører jeg," sagde Ned med godt humør i stemmen. "Ligesom min Jimmy? Er du også til troldmænd og ungmøer, eller hvad?"

"Nej, jeg er ikke nogen *seanchaí*," indrømmede Niall. "Det, jeg prøver på, er at tegne mine tre venners historie. Som en tegneserie, altså. Men jeg er bange for, at jeg ikke er nået særlig langt endnu."

298

Troldmanden klappede i sine magiske hænder og lo. "En *tegneserie?* Sådan for *børn?* Åh, hvor storartet! Men hvorfor ikke hellere fortælle Jims historie? Den er meget mere dramatisk."

Niall så forbi de ravgyldne cirkler omkring Neds pupiller og kunne skimte Jims kviksølvstemperament derinde bagved et sted, men gav sig ikke. "Nej. For det eneste, han gjorde, var at gengive sin egen historie igen og igen, mens de kvinder, han dræbte, kun fik en notits på side fireogtredive i lokalavisen ud af det og en begravelse med lukket kiste."

Ned trykkede igen på kørestolens røde knap. Han betragtede sin gæst med en beklagelse, der kunne være ægte. "Jeg kender udmærket godt det eventyr, han plejede at fortælle," sagde han. "Om prinsen, som myrder sin krøblingebror og bliver forvandlet til en ulv, ikke sandt? Man snakkede om det i æteren. Men du har slet ikke forstået det rigtigt. Det er der ingen, der har." Fodtrin gav genlyd ude på gangen og kom nærmere. Det kunne være Theo. Eller Otto. Eller dem begge to. "Det var *mig,* som fik Jim smidt ud af huset her. Er du med?" Han slog to knyttede hænder mod sine døde ben. "Jeg blev *født* med de her slatne wienerbrød. Jim havde intet med det at gøre, og vi var bestemt heller aldrig ude at ride sammen. Det er bare noget, hans egen vrede fantasi senere fandt på. Men det var *mig,* der fortalte ham, hvordan man taler til en kvinde, hvad man egentlig stiller op med hende i sengen og så videre. Han gik bare lidt for ..."

Det bankede på døren. "Et øjeblik," sagde han og så over på Niall. Den sparsomme belysning havde fået Neds øjne til at se dobbelt så store ud, og trylleriet i dem var lige så hypnotiserende som Jims, den forkrøblede krop til trods. Han kunne have fortalt et hvilket som helst eventyr, og Niall ville have troet hvert et ord. "Da jeg gik ind på hans værelse en morgen, fandt jeg ham og min søster Aisling i seng sammen. Sommeren tooghalvfems, var det vist. De spillede ikke matador, det kan jeg godt love dig. Far sendte hende på kostskole i Schweiz. Fra den dag kunne den stakkels tøs ikke rigtig få tingene til at hænge sammen. Hun stak af fra skolen efter et par år og flyttede ind hos en fransk punkmusiker, som lærte hende alt om, hvad man kan bruge nåle til. Hun ligger begravet ude i baghaven. Har du lyst til at se gravstenen? Den er faktisk virkelig smuk. Næsten lige så pæn som den, jeg fik anbragt til ære for Jim ude i den hæslige lille by – hvad er det nu, den hedder? Castledown ... Castle et eller andet?"

"Nej, ellers tak," sagde Niall. "Og hvis ikke du har noget imod det, så må jeg hellere snart se at komme af sted."

"Må du det?" spurgte Ned i en vrængende tone. "Men hvorfor dog? Du ved så meget mere om min bror end nogen anden, som er kommet her forbi. Der er så meget, du kan fortælle. Vi er jo slet ikke begyndt. Hvorfor skulle jeg lade *dig* slippe?"

Nialls fingre søgte knivsbladet, indtil han huskede, at det ikke var der længere. Ulvehovedet grinede ad ham og glædede sig selv i udstoppet tilstand til en sidste jagt. "Fordi tanken om, at du måske er værre end din bror, holder dig vågen hver nat," sagde han og åbnede døren ud til gangen. Derude stod Otto med fiskeøjnene og gloede på ham. "Og hvis jeg får lov at gå min vej i fred, så vil spørgsmålet ikke trænge sig helt så meget på, når du skal i seng senere. Men i morgen begynder det forfra. Gør det ikke?"

Kortbølgesenderens aftagende batteri bippede samstemmende. Ned nikkede til Otto og smilede. Han virkede helt lettet. "Otto, vil du være så elskværdig at køre vores ven hvor hen han vil?" Han vendte sig om imod Niall og så på ham med den værdige modstanders faste blik. Tatoveringen med de to tvillinger, der holder hinanden i hånden, tittede frem på hans venstre underarm, før han knappede skjorteærmet. "Du ville have passet godt ind i min sikkerhedsstab," sagde han. "Hvad slags baggrund har du?"

"Jeg var postbud," sagde Niall og trak på skuldrene. "Men så blev jeg fyret."

"Strålende. En tjenestemandssvindler. Du bluffede dig herind og slipper ud igen ved at give mig skyldfølelse. Du kunne være blevet en næsten lige så god forbryder som min egen bror." Han lænede sig forover på stolen, hans evigt bevægelige fængsel, og prøvede en sidste gang at læse Nialls tanker, før han selv kendte indholdet af dem. "Jim og jeg er ikke dårlige mennesker, så vær så venlig at parkere dit nedladende smil et sted, hvor jeg ikke kan se det. Og lov mig, at du har hjerne nok til aldrig at komme herud og besøge mig igen."

Idet Niall kiggede ud af bagruden på den lydløse Rolls-Royce, der fragtede ham hjem til den lille tændstikæskelejlighed i Ballymun, kunne han se troldmandens sorte port lukke sig i nede for enden af grusvejen. Den ville for tid og evighed skjule resten af de to fordømte brødres familiehemmelighed.

Skovanemonerne vendte deres kronblade væk fra vejen og turde ikke kigge op igen, før bilen var helt borte.

EFTERSPIL

EN RIDDERS BELØNNING

24

Det er sandt, hvad man siger om katte, tænkte Niall, da han hentede Oscar hos det unge par ved siden af. Om du så har været væk i et øjeblik eller tyve år, så stirrer de stadig på dig, som om du har fornærmet dem groft.

Hans lejlighed lignede sig selv, bare med et tyndt lag gråt støv overalt, som Oscar elskede at hvirvle op, fordi han vidste, det ville få Niall til at nyse med det samme. Hans postkasse nedenunder var stopfyldt og indeholdt for det meste rykkere fra hans hårdt prøvede bank og fra kunstakademiet, som han stadig skyldte en formue for at have lært noget, der ikke kunne bruges til en skid. Som en ekstra overraskelse havde han også fundet et skrigende orange klistermærke på sin dør, hvorpå der stod *LEJEMÅL OPSAGT – SKAL RØMMES INDEN 30 DAGE.* Jennifer fra lejligheden længere nede ad gangen var gået forbi ham, da han flåede det af, mens hun prøvede at lade som ingenting.

Niall havde lavet te til sig selv og ladet Oscar få et par teposer til at rive i stykker. Han havde sgu savnet den lille bandit. Et hurtigt kig rundt i hans afpillede stue ville ikke have afsløret noget spor af, at her boede en mand, der som en gammeldags ridder havde kæmpet for tre skønjomfruers ære, hvoraf to endda var døde, før han overhovedet var draget ud på eventyr for deres æres skyld. Telefonsvareren kunne ikke tage mere, og hans mobil var gået død for længst, fordi han ikke havde haft råd til at tanke den op.

Den svedplettede dagbog, han havde sikret sig, var hans eneste bevis på, at alt dette rent faktisk havde fundet sted. Han havde ingen belønning fået for sin indsats. Heller intet triumftog over slottets vindebro eller et taknemmeligt kys af prinsessen. Det var lige lukt tilbage igen til et andet lortejob, han sikkert også snart ville blive fyret fra.

Jeg svigtede dig, Róisín, sagde han hen for sig, mens hans fingre en sidste gang bladrede gennem hendes dagbog, og han huskede tilbage på første gang, han havde sat sine ben i Castletownbere. I tre fortjente bedre end mig, som ikke engang vil kunne fortælle jeres historie ordentligt. For hvem gider nu høre på, hvad jeg har at sige?

Niall gættede på, at Bronagh sikkert stadig pralede af at have jaget den "perverse stodder" ud af byen, og tænkte på, hvor god mon Donald Cremin var til at slå efternavne op i telefonbogen. Han trøstede sig selv med, at han snart ville være et fjernt minde i betontårnet, han var kommet til at holde af som en ikkedødelig sygdom. Troldmanden ville blive ved med at pine sine gæster, det var Niall sikker på. Ned ville også resten af sine dage benægte, at Jim mest af alt havde været en lærenem elev, der dygtigt havde udført, hvad hans bror havde lært ham, snarere end et selvstændigt uhyre.

O'Driscoll. Ordet bankede på hans pandeben. Var det ikke det, ham monstrummet i skoven havde kaldt Ned til efternavn? Niall syntes, det lød bekendt, og prøvede at genkalde sig noget fra de to prinsers opdigtede eventyr. O'Driscoll måtte da bare være en moderne måde at udtale *Ua Eitirsceoil* på. Trolddom og besværgelser, alt sammen. Røgslør og tryllestøv. Og til hvad nytte? Han var nøjagtig lige så meget på røven nu, som da han drog ud for at forsvare Walsh-søstrenes eftermæle. Dagbogen var allerede begyndt at gå op i ryggen, og han lukkede den i. Han svor, at han aldrig ville åbne den igen.

Nu ville han se, om han ikke kunne få sovet lidt. Og i morgen ville han så gå bodsgang, tage op til Malahide og bede mr. Raichoudhury om at få sit gamle job tilbage. Okay, han ville *tigge* om at få sin uniform igen. Niall samlede en nummer to-blyant op fra sit tegnebræt og lod den sidde lidt mellem fingrene. Der skete ingenting. Ikke så meget som en let kildren, som kunne sende bare et enkelt billede fra hans hjerne ned igennem blystiften til papiret. Fortællingen om menneskeulven, som rev og flåede i en hel landsdels kvinder, føltes lige så livløs inden i ham som Danny Egans dukkeben. Han knækkede blyanten midt over og smed den i papirkurven.

Niall var træt, og han havde ondt i øjnene. Han kom igen til at se på den sorte bog. Det ville være umuligt at beholde Róisíns dagbog nu. Den vejede tungere på hans skuldre end en møllesten. Men hvad så med politiet? tænkte han igen og blev øjeblikkelig klar over, at han ikke havde bestilt andet end at flygte fra dem i dagevis. Strisserne ville da elske, hvis han kom på besøg med friske halvmåner, specielt efter at de fik ringet til Bronagh. Nej, han var nødt til at skille sig af med dagbogen på en sådan måde, at den aldrig ville blive fundet. Han følte sig med ét både træt og overgearet. Måske skulle han først tage ud og få lidt frisk Dublin-luft i lungerne og finde sin cykel. Med det held, jeg har for tiden, er den sikkert blevet stjålet, tænkte han og lagde for sidste gang dagbogen ned i sin rygsæk sammen med et par blyanter. For man kunne aldrig vide.

Niall åbnede hoveddøren og så hen på den orange hankat, som lige var sprunget op på arbejdsbordet for at vise ham, hvor nemt et viskelæder kan blive til mange små, afgnavede stykker. "Ødelæg du bare lige så meget, du har lyst til, din lille terrorist," sagde Niall og gik sin vej. Bag ham blinkede Oscar bare med øjnene som for at sige: Og hvornår har jeg måske bedt om *din* tilladelse, min fine ven?

Ifølge kalenderen var det snart midsommer. Men den stride blæst, der føg ind over Liffey-floden, mens Niall trak sin cykel langs dens bredder, kunne lige så godt være kommet direkte fra Sibirien.

Hans cykel var der endnu, selv om han naturligvis igen havde glemt at låse den. Bare en lille hverdagsbelønning for at være forblevet trofast over for de tre forsvundne prinsesser. Nu lod han den arktiske vind puffe sig i ryggen, mens han slentrede ind imod centrum. Dublins fordums øl-dunster var fordampet, og luften var tyk af espressodufte i stedet. Sådan havde det været længe i den flunkende nypolerede hovedstad, der havde vendt Irland ryggen og i stedet indledt en hed kærlighedsaffære med Det Nye Europa. Niall kom forbi en café, hvor den slubrende lyd af en cappuccinomaskine fik ham til at fortrække længere ned ad fortovet. Han fandt endelig en beskidt gammel pub, som hverken havde italienske stole eller et oversmart navn. Perfekt, tænkte han og talte den håndfuld pengesedler, han fik ud af at indløse sin sidste check. "De er en hædersmand, mr. Raichoudhury," mumlede han halvhøjt og gik indenfor.

"*Howya,*" sagde bartenderen, mens han skruede op for tv'et. Oppe på skærmen stod en kvinde og så alvorlig ud, mens hun forklarede, hvordan to fyre oppe nordpå var blevet dræbt, da en helikopter styrtede ned oven på dem. "En *pint?*"

"Guinness, tak," sagde Niall og følte sig helt hjemme igen. Han betalte og satte sig ved bordet længst væk fra døren. Ølskummet var så tykt, at han nemt kunne have lavet en softice ud af det. De mange studerendes hyggelige småmumlen blandede sig med tv-kommentaren fra den britiske hærs talsmand, som sagde, at deres helikopter var blevet skudt ned af "ukendte gerningsmænd". En jukeboks i lokalet et sted spillede Brothers in Arms, og Niall nynnede med på refrænet om, at enhver mand skal dø på et tidspunkt. Han sad med Róisíns dagbog i hænderne, som var den en gravsten, han ikke helt vidste, hvor han skulle anbringe.

Han havde ikke fornemmet skikkelsens tilstedeværelse, før den sagde noget.

"Det bringer uheld at drikke helt alene," sagde den.

Niall så op og genkendte Aoife med det samme.

Der var slet ingen tvivl. Det sørgede hendes frygtløse blik for.

"Du er ... Hvad er ...?" sagde Niall og spildte sin øl som et kvaj, men reddede det lige.

"Lad mig sige noget først, okay?' sagde hun og satte sig ned. "Må jeg godt det?" Hun havde for nylig klippet sig helt korthåret, og den blonde karsefrisure var der næsten ikke. De lyserøde støvler på hendes fødder var splinternye, og det samme var overfrakken, hun havde på. Hun sad og gemte noget i skødet.

Niall nikkede og huskede lige akkurat at lukke munden.

"Du kunne være gået til politiet tusind gange og fortalt dem alt, hvad du vidste om os," sagde Aoife og drak Nialls øl. "Men du gjorde det aldrig. Ikke engang, da du selv kunne have mistet mere end bare et par tænder. Det er derfor, jeg er kommet for at sige tak. Og jeg ville også spørge dig om noget."

"Selvfølgelig," sagde Niall og mærkede hjertet dunkede helt ud i fingerspidserne.

Aoife kiggede ud ad vinduet på noget, Niall ikke kunne se fra sin plads. Hun pillede nervøst ved sin ene negl. "Hvorfor betød mig og mine søstre så meget for dig, at du var villig til at risikere alting for vores skyld?"

"Fordi de blev begravet, før nogen anede, hvad de havde været udsat for," sagde Niall prompte. "Og fordi det var mig og ikke politiet, der fandt Fionas dagbog. Du smed selv begge bøgerne i postkassen. Du burde da vide det. Dermed var jeg blevet" – han ledte efter et passende ord – "betroet. Og så havde jeg jo ikke noget andet valg, vel?"

"Jo, du havde da," protesterede hun, men kunne alligevel ikke lade være med at smile. "Der var da ingen, som bad dig om at blive jagtet rundtomkring i bjergene af Donald Cremin og hans kornfede høtyve, eller få røvfuld af Bronagh hvert andet sekund."

"Hun har været god til det, ikke?" spurgte Niall. "Til at slette dine spor? Og holde folk væk?"

"Ikke god nok, åbenbart. For *du* fandt mig jo."

"Det var kun, fordi dine søstre hjalp mig til det."

"Du var tættere på, end du tror," sagde Aoife med vemod i stemmen og fik øje på bogen i Nialls ene hånd. "Er det ...?"

"Den er til dig," sagde han og skubbede Róisíns dagbog hen over det ridsede marmorbord. "Jeg vil ikke have den mere." Det var, som om det sorte omslag endelig udstødte et suk, da bogen mærkede Aoifes finger-spidser på sine knortede fibre. Hun så igen ud ad vinduet og smilede fjernt ad et eller andet. "Jeg var nødt til at efterlade dem i tante Moiras hus. For da jeg fandt dem, var de allerede døde." Hun knugede dagbo-gen tæt ind til sig. "Forstår du det nu?"

"Lige meget hvad jeg svarer, vil det være løgn," sagde Niall. "For før jeg kan sige min ærlige mening, skal du først svare *mig* på noget."

"Så taler vi måske om det samme?" spurgte hun og tog fat om begge hans håndled, som folk gør, når de beder om tilgivelse.

"Grunden til, at du forlod Castletownbere og dine søstre, lige efter at Jim havde –" begyndte Niall.

"Øjeblik, øjeblik ..." sagde hun og rynkede panden. "Du forstår vist ikke helt –"

"– er den *samme* grund til, at du blev væk i tre år bagefter, ikke?" ved-blev han, for nu kunne han ikke længere lade den sidste hemmelighed ligge ubemærket hen. Han havde lidt for det her, var blevet truet på livet og mistænkeliggjort, for slet ikke at tale om fyret og smidt ud af sin lej-lighed. Den sorte port åbnede sig en sidste gang inde i Nialls hoved og lod de tre prinsesser undslippe, før ulven eller troldmanden kunne slå kløerne i dem. "Det kan der kun være én forklaring på. Og det er den samme, som fik dig til at flygte hurtigere fra Moiras hus, end du ellers ville have gjort. Dine søstre skrev, at du havde noget dyrebart, som kun du kunne beskytte. Noget, ingen nogen sinde ville kunne finde eller gøre ondt. Er du kun kommet helt til Dublin for at sige tak til mig? Eller var der noget andet, du ville fortælle mig?"

Først sagde Aoife ingenting. Så rejste hun sig og vinkede Niall hen til vinduet.

"Hvor er ...?" begyndte han at spørge, men fulgte efter.

Udenfor tog folk en lang omvej hjemad, fordi vejret lige var slået om til solskin. Et par taxachauffører sugede den sidste millimeter ud af deres smøger, før de satte sig ind igen. Niall skulle lige til at spørge Aoife, hvad han skulle kigge efter, selv om han havde gættet, hvad det var. Så fik han øje på det.

Der holdt en brun Vauxhall Royale med nedslidte dæk parkeret på den anden side af gaden. En barnehånd vinkede tilbage til Aoife inde fra bagsædet.

Niall kunne nu se, at det var en lille pige, hvis vandfald af sort krøllet hår skyggede for hendes ansigt. Hun var vel omtrent tre år gammel, skønnede han. Der sad en voksen og holdt barnet på skødet. Hun havde læderjakke på og grinede til Niall, som bare stod og måbede. Selv uden styrthjelmen og visiret var hun let nok at genkende. Det var fartdjævlen på den sorte motorcykel.

"Min datter vil aldrig få at vide, at hendes far var en ulv," sagde Aoife. "Og når jeg går ud herfra, så ses vi to ikke mere. *Puf.* Jeg vil bare være forsvundet igen. Som i eventyrene. Forstår du det nu?"

"Ja," svarede Niall og smilede. "Ja, det gør jeg."

Aoife tog dagbogen i frakkelommen og vendte sig om for at gå. To *gardaí* ved baren spurgte bartenderen om noget, Niall ikke kunne høre, hvad var. Den enlige tvilling sendte Niall et blik over skulderen. Kom så, min ven, drillede hendes øjne. Grib chancen. Bliv dagens helt og kom i avisen.

Da hun så, at han ikke reagerede, kom hun tilbage. "Hvor laver man sådan nogle som dig?" spurgte hun ham og rystede på hovedet.

"I et slot, der ligger gemt langt ude i skoven," svarede han. "Hvor alle ulvene for længst er borte."

"Det lyder som et vidunderligt sted," sagde Aoife og tøvede et sekund.

310

"Du må aldrig fortælle nogen, hvor det ligger." Strisserne bag hende gik igen. Hun tog noget ud af inderlommen og rakte det til Niall. Det var pakket ind i den samme slags damaskserviet, han havde fundet sammen med kniven. Han skulle til at åbne gaven, da Aoife standsede ham.

"Vent, til jeg er gået. Kig den her igennem, så meget du vil. Og så håber jeg, du bagefter vil fortælle vores historie til nogen. Jeg har hørt, at du laver tegneserier. Vil du ikke nok tegne noget smukt?"

"Vi kan bedst lide at kalde dem for 'grafiske romaner'," svarede Niall og mærkede halsen snøre sig sammen.

"Held og lykke, Niall Cleary," sagde hun, gav ham et kys på kinden og gik ud ad døren. Da hun vinkede til den eneste familie, hun havde tilbage, lagde Niall mærke til tante Moiras håndjern, som hun stadig bar om venstre håndled som et grotesk armbånd. Det måtte have taget hende lang tid at save igennem kæden, det var han sikker på. Snart efter rumlede den lille Vauxhall hen over broen og forsvandt på den anden side af floden.

Nialls fingre vidste, hvad der var inden i pakken, Aoife havde efterladt. De løsnede det hvide stof og afslørede den sidste og eneste ting, han kunne have drømt om som belønning for al sin trofasthed og møje.

På cafébordet lå en helt enkel, sort dagbog.

Han lyttede til den skjulte musik, der som regel altid akkompagnerede billederne i hans hoved, lige inden han bestemte sig for det, han bedst kunne lide. Det dannede sig langsomt, mens blodets sang steg op over lyden af spilleautomaterne og tv-speakerens nasale stemme.

Han slog op på side et. Der havde Aoife skrevet:

Dette er Aoife Jeanine Walshs dagbog, med kærlighed tilegnet Niall –
en ægte ridder fra dengang, hvor der var helte til. Vi vil aldrig glemme
dig.

Næh, dét med at lægge sig på knæ foran mr. Raichoudhury ville der alligevel ikke blive noget af, ellers tak, tænkte Niall, mens han lukkede bogen igen og lagde den i tasken. Han kunne ikke vente med at få fingrene i en ny nummer to-blyant og fremtrylle hele historien om de tre kvinder, der fik bugt med ulven, som gik i menneskeham. Og kunstaka-

311

demiet måtte så bare blive ved med at sende ham rykkerskrivelser om, hvor meget hans gæld voksede sig større og større. Han ville give sin udlejer alle de penge, han havde tilbage, og håbede, han kunne blive boende lidt endnu. For han havde endnu ikke fuldført sin ridderfærd. Den allervigtigste del af den – selve fortællingen – lå forude.

Der ville være masser af tid senere til at planlægge layoutet. Men først var han nødt til at bestemme sig for en flot forside, der gerne måtte være lidt usædvanlig. Først overvejede han at lave mange små billeder af alle de kvinder, Jim havde myrdet, men så ombestemte han sig. Alt for blodigt. Og det ville heller ikke yde Walsh-søstrene retfærdighed. Han kasserede også idéen om et panorama, hvor de alle tre stak Jim ned under træet, mens havmågerne flaksede omkring og skreg mord og bøddel.

Så tonede et billede frem, der stod skarpere aftegnet end nogen af de andre.

Det var det samme, han havde prøvet at puste liv i på postkontoret, lige før han fandt Fionas dagbog. Dengang vidste han ingenting om ondskab, troskab og kærlighed, og tegningen var blevet en fiasko.

Men nu kunne han for sit indre blik tydeligt se en ulv, som havde rystet næsten al sin tidligere menneskelighed af sig og nu fremstod som skovens mest glubske rovdyr. Niall ville prøve at tegne den i præcis det øjeblik, hvor den skulle til at slå kløerne i en kvinde, som flygtede ind mellem træerne. For deri bestod jo hele historiens inderste kerne.

Ville den dræbe hende eller elske hende?

Niall vidste det ikke selv endnu. Og nu var han for utålmodig til at vente, til han kom hjem. Der lå en papirserviet på bordet ved siden af det tomme ølglas. Ulvens væsen prikkede allerede til hans fingre og fik dem til at tromme forventningsfuldt på bordpladen.

Han tog en blyant op af rygsækken og begyndte at tegne.

En kvindeskikkelse viste sig på papiret. Hun mindede lidt om Róisín, men var klædt nøjagtig, som Niall havde forestillet sig prinsesse Aisling.

Træerne bag hende ydede ingen beskyttelse, for ulven var allerede begyndt at tage form i forgrunden. For første gang så den helt rigtig ud. Børsterne stod ud til alle sider. Det ene øje lignede gennemsigtigt glas. Om et sekund ville enten kærligheden eller døden sejre.

Den havde stadig ikke besluttet sig.

EFTERORD OG TAK

På samme måde som Niall blev kastet ud i sit eventyr ved et tilfælde, skulle min historie vise sig også at blive antændt af en tilfældig gnist. Den kom i form af en artikel, jeg i sommeren 2000 læste i en irsk morgenavis. Man havde fundet en 83-årig kvinde og hendes tre midaldrende niecer i deres hus i Leixlip, County Kildare, hvor de boede afsondret fra omverdenen. Ifølge de irske medier havde alle fire begået selvmord ved at sulte sig ihjel.

Først prøvede jeg at glemme artiklen. Men så begyndte jeg at spekulere: Hvad nu, hvis det *ikke* havde været selvmord? Måske kunne man forestille sig, at en desperat kamp havde fundet sted derinde, og at to dagbøger med nød og næppe var blevet smuglet ud? Derved kunne pigernes hemmelige tanker måske blive indgangen til en opdigtet historie om en dødsenstarlig mand, som bogstavelig talt anbragte alle tre søstre og deres tante i netop dét hus. Ville det være forsøget værd? Det må du afgøre, kære læser, siden du lige er blevet færdig med denne bog. Jeg håber, du er enig.

Under forarbejdet med *Darling Jim* har jeg vandret på kryds og tværs gennem Dublin, Malahide, egnene Offaly, Laois og i særdeleshed de stormomsuste bakker i West Cork, hvor folk uden undtagelse har været søde og gæstfri. Derfor har jeg af respekt for mine irske venner ændret visse stednavne og detaljer for ikke at genere dem unødigt. Hvordan skulle jeg ellers kunne vise mit ansigt nede på den lokale i Castletownbere eller Eyeries næste gang, jeg fik lyst til en *Murphy's*? Virkelighedens Jonno'er ville nok aldrig tilgive mig. På steder, hvor jeg ikke har sløret disse detaljer godt nok, håber jeg, at man vil bære over med mig. Selv om jeg har bestræbt mig på at få historien til at virke autentisk, er den naturligvis stadig fiktion. Enhver lighed med virkelige personer eller hændelser er tilfældig.

Skønt den normanniske invasion af Irland naturligvis fandt sted, er fortællingen om kong Stiofán og hans fordømte tvillingesønner fra det skumle Ulveslot alene mit påfund.

Man kan stadig være heldig at støde på ægte *seanchaí*er i Irland, men det er ikke så ligetil, for omvandrende fortællere har i sagens natur et særlig omskifteligt talent. Og så vidt jeg ved, har ingen af dem nogen sinde krummet så meget som et hår på hovedet af nogen. Når du møder en af dem, så sæt dig endelig ned og lyt godt efter. Husk ordentlige drikkepenge bagefter. De er godt givet ud.

Der er mange, jeg skylder tak. Máire Moriarty, Eileen Moriarty, Miriam McDonnell, Louise Cody, Elma Cremin, Y. W., Sue Booth-Forbes og Kathryn Brolly har alle på hver deres måde tilført bogen noget, jeg slet ikke ville kunne have skabt alene. Hvis du kan påpege nogen fejl, kære læser, så er det mig og ikke dem, der har trådt forkert.

En særlig tak til Neil Jordan, som var skyld i, at jeg overhovedet fandt vej helt ud til Beara-halvøen til at begynde med.

Jeg står også i dyb taknemmelighedsgæld til Howard Chaykin, fordi han indvilligede i at låne Niall sit talent og sit pilekogger af nummer to-blyanter. Og det var godt, for den stakkels knægt ville ellers aldrig have kunnet tegne noget som helst. Tak, gamle ven.

– Christian Mørk, Eyeries & Castletownbere, Co. Cork, september 2007.

Darling Jim
Af Christian Mørk
Politikens Forlag

er oversat fra engelsk efter Darling Jim af Christian Mørk
© Christian Mørk og JP/Politikens Forlagshus A/S, København 2006
Omslag: Harvey Macaulay/Imperiet
Omslagsillustration: Jim Brandenburg

Bogen er trykt hos Narayana
Printed in Denmark 2007
1. udgave, 2. oplag
ISBN: 978-87-567-8427-6

Der bruges i teksten et brudstykke fra den tidligere
irske *Taoiseach* (premierminister) Eamon de Valeras såkaldte
"tækkelige ungmøer"-tale, som han holdt på St. Patrick's Day i 1943.
Talen er offentlig ejendom. Det samme gælder for et plukcitat fra
1911-udgaven af *The Encyclopaedia Britannica*, der er brugt som forord.

Illustrationen på side 313 er benyttet med særlig tilladelse
fra Howard Chaykin og er © Howard Chaykin, Inc.

For- og bagsats stammer fra © Ordnance Survey Ireland 2004

Politiken skønlitteratur
Politikens Forlag
JP/Politikens Forlagshus A/S
Vestergade 26
1456 København K
Tlf.: 33 47 07 07
Fax.: 33 47 07 08

www.politikensforlag.dk

Teeranearagh

Emlaghmore

River

Namona

Sallahig

Muingydowda
R567

New-Chapel
Cross

Cáherbarnagh

673

Coon

urly

R566

kelligs
ceilg

WATERVILLE
An Coireán

i

LOUGH
CURRANE

Church
Island

Isknagáhiny L

Esknaloug

Ballybrack

Horse
Island

BALLINSKELLIGS
BAY

Eightercua
Stone
Alignment

Mullaghbeg

Eagles
Hill
542

Ardkearagh

Cahernageeha

Hog's
Head

Coomakesta Pass

Mountain

Castle
Cove

Nedan

Beenarourke

N70

Caherdaniel
Cathair Dónall

Sheehan's Point

Derrynane Nat.
Park

Abbey Island

Ogham
Stone

Derrynane
Bay

Deenish
Island

Lamb's Head

Scariff Island

Kilcatherine Point

Inist

COU
A

Urhi

Cod's Head

R575

Knocknagallaun

SLIEVE

Allihies
Na hAilichí

Knock

Ballydonegan

Garnish Point

Garnish
Bay

DURSEY ISLAND

Cable
Car

Lackacroghan

Cahermore

Ballynacallagh

Firkeel

R572

Kilmichael

White Ball Head

ull

The Cow

Black Ball Head